009685

D1514896

Signatures

FRANÇAIS 3e SECONDAIRE
COLLECTION DIRIGÉE PAR GUY LUSIGNAN

Recueil de textes

ÉDITIONS DU RENOUVEAU PÉDAGOGIQUE INC.

5757, RUE CYPIHOT
SAINT-LAURENT (QUÉBEC) H4S 1R3
TÉL.: (514) 334-2690
TÉLÉC.: (514) 334-4720
COURRIEL: erpidlm@erpi.com

ÉDITION

SUPERVISION ET COORDINATION
MURIELLE VILLENEUVE

CHARGÉE DE PROJET
MAÏE FORTIN
Dossiers 4 et 6 : **FRANÇOIS MOREAULT**

*ADJOINTE À L'ÉDITION ET
CORRECTRICE D'ÉPREUVES*
ODILE DALLASERRA

RÉDACTRICE DES NOTICES BIOGRAPHIQUES
MADELEINE DUFRESNE

RECHERCHISTES
(droits des textes)
**SUZANNE ARCHAMBAULT
CAROLE RÉGIMBALD**

ICONOGRAPHIE

RESPONSABLE
(constitution du corpus et sélection des images)
MAÏE FORTIN

RECHERCHISTES
(images et droits)
**SUZANNE ARCHAMBAULT
CAROLE RÉGIMBALD**

ILLUSTRATEURS
**IOLANDA COJAN
CHRISTIAN CÔTÉ
JACQUELINE CÔTÉ
CHRISTINE DELEZENNE
DOMINIQUE DESBIENS**

CONCEPTION GRAPHIQUE ET ÉDITION ÉLECTRONIQUE

COUVERTURE

En couverture :
Ozias Leduc (1864-1955),
Le petit liseur (aussi appelé
Le jeune élève), 1894, Musée
des beaux-arts du Canada,
Ottawa.

Dépot légal : 2e trimestre 1999
Bibliothèque nationale du Québec
Bibliothèque nationale du Canada

Imprimé au Canada

123456789 II 05432109
10308 ABCD   LHM10

ISBN 2-7613-1015-2

Avant-propos

Le présent recueil de textes constitue un complément au manuel de français, 3ᵉ secondaire, *Signatures*. Vous y trouverez les sept dossiers du manuel, dans le même ordre de présentation :

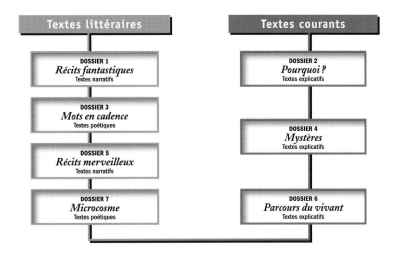

Textes littéraires	Textes courants
DOSSIER 1 *Récits fantastiques* Textes narratifs	**DOSSIER 2** *Pourquoi ?* Textes explicatifs
DOSSIER 3 *Mots en cadence* Textes poétiques	**DOSSIER 4** *Mystères* Textes explicatifs
DOSSIER 5 *Récits merveilleux* Textes narratifs	
DOSSIER 7 *Microcosme* Textes poétiques	**DOSSIER 6** *Parcours du vivant* Textes explicatifs

Certains de ces récits sont étroitement liés au manuel ; vous aurez à les lire pour réaliser différentes activités. D'autres font partie d'une sorte de banque de textes que vous pouvez consulter lorsque vous êtes en quête d'idées, d'exemples, de pistes de recherche, etc. Évidemment, vous pouvez aussi les lire pour le simple plaisir de les découvrir...

Chacun des textes des dossiers littéraires (dossiers 1, 3, 5 et 7) est accompagné d'une biographie de l'auteur ou de l'auteure qui vous aidera à replacer l'œuvre dans son contexte. Pour une recherche rapide par auteur ou par œuvre, vous pouvez consulter l'index qui figure à la fin du recueil. Les textes explicatifs des dossiers 2, 4 et 6 sont présentés par thème.

Bonne lecture !

L'équipe de *Signatures*

Table des matières

Dossier 3   *Mots en cadence*   81

Dossier 4   *Mystères*   *109*

Dossier 7   *Microcosme*   *241*

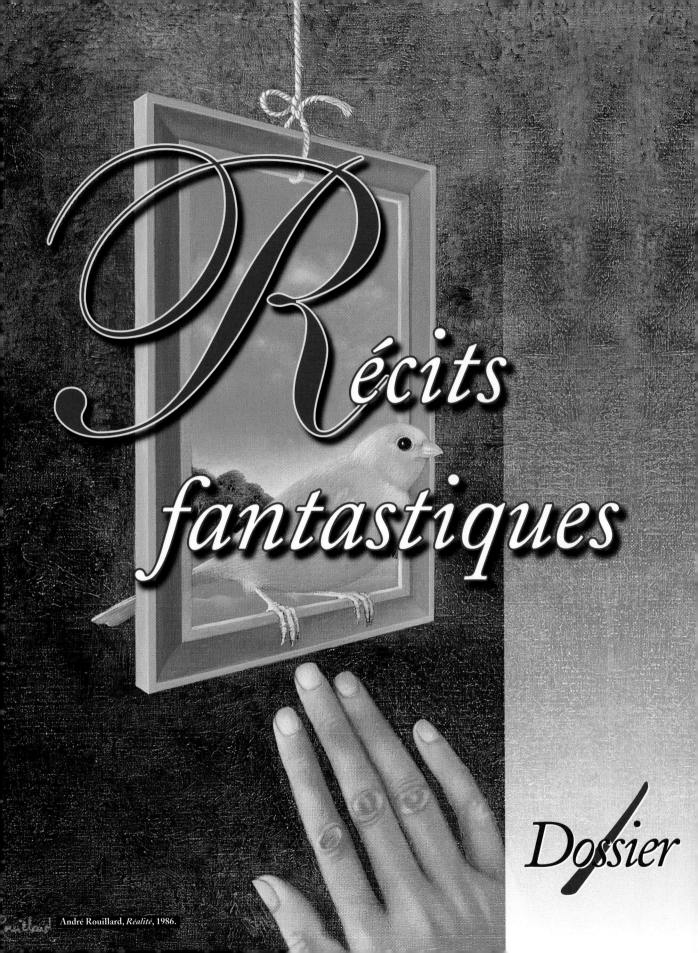

Récits fantastiques

Dossier

André Rouillard, *Réalité*, 1986.

AXOLOTL

Julio Cortázar.

L'écrivain d'origine argentine Julio Cortázar (1914-1984) est un des maîtres du récit fantastique moderne. Dans ses récits, la réalité la plus quotidienne se transforme, se modifie au point de faire naître chez les lecteurs un profond malaise. Dans *Axolotl,* par exemple, il décrit avec une précision troublante sa métamorphose en un « batracien du genre amblystome ».

Il fut une époque où je pensais beaucoup aux axolotls. J'allais les voir à l'aquarium du Jardin des Plantes et je passais des heures à les regarder, à observer leur immobilité, leurs mouvements obscurs. Et maintenant je suis un axolotl.

5   Le hasard me conduisit vers eux un matin de printemps où Paris déployait sa queue de paon après le lent hiver. Je descendis le boulevard de Port-Royal, le boulevard Saint-Marcel, celui de l'Hôpital, je vis les premiers verts parmi tout le gris et je me souvins des lions. J'étais très ami des lions et des panthères, mais je n'étais jamais entré dans l'enceinte humide et sombre des aquariums. Je laissai ma bicy-
10   clette contre les grilles et j'allai voir les tulipes. Les lions étaient laids et tristes et ma panthère dormait. Je me décidai pour les aquariums et, après avoir regardé avec indifférence des poissons ordinaires, je tombai par hasard sur les axolotls. Je passai une heure à les regarder, puis je partis, incapable de penser à autre chose.

     À la Bibliothèque Sainte-Geneviève je consultai un dictionnaire et j'appris que
15   les axolotls étaient les formes larvaires, pourvues de branchies, de batraciens du genre amblystome. Qu'ils étaient originaires du Mexique, je le savais déjà, rien qu'à voir leur petit visage aztèque. Je lus qu'on en avait trouvé des spécimens en Afrique capables de vivre hors de l'eau pendant les périodes de sécheresse et qui reprenaient leur vie normale à la saison des pluies. On donnait leur nom espagnol,

20 *ajolote,* on signalait qu'ils étaient
comestibles et qu'on utilisait leur huile
(on ne l'utilise plus) comme l'huile
de foie de morue.

　　Je ne voulus pas consulter d'ou-
25 vrages spécialisés mais je revins le jour
suivant au Jardin des Plantes. Je pris
l'habitude d'y aller tous les matins, et
parfois même matin et soir. Le gardien des aquariums souriait d'un air
30 perplexe en prenant mon ticket. Je
m'appuyais contre la barre de fer qui
borde les aquariums et je regardais les
axolotls. Il n'y avait rien d'étrange à
cela ; dès le premier instant j'avais senti
35 que quelque chose me liait à eux,
quelque chose d'infiniment lointain et
oublié qui cependant nous unissait
encore. Il m'avait suffi de m'arrêter
un matin devant cet aquarium où des
40 bulles couraient dans l'eau. Les axolotls
s'entassaient sur l'étroit et misérable
(personne mieux que moi ne sait à
quel point il est étroit et misérable)
fond de pierre et de mousse. Il y en

Gonzalo Cienfuegos (né en 1951), *Portrait*, 1990.

45 avait neuf, la plupart d'entre eux appuyaient leur tête contre la vitre et regardaient
de leurs yeux d'or ceux qui s'approchaient. Troublé, presque honteux, je trouvais
qu'il y avait de l'impudeur à se pencher sur ces formes silencieuses et immobiles
entassées au fond de l'aquarium. Mentalement j'en isolai un, un peu à l'écart sur
la droite, pour mieux l'étudier. Je vis un petit corps rose, translucide (je pensai aux
50 statuettes chinoises en verre laiteux), semblable à un petit lézard de quinze centimètres, terminé par une queue de poisson d'une extraordinaire délicatesse — c'est
la partie la plus sensible de notre corps. Sur son dos, une nageoire transparente se
rattachait à la queue ; mais ce furent les pattes qui me fascinèrent, des pattes d'une
incroyable finesse, terminées par de tout petits doigts avec des ongles — absolu-
55 ment humains, sans pourtant avoir la forme de la main humaine — mais comment
aurais-je pu ignorer qu'ils étaient humains ? C'est alors que je découvris leurs
yeux, leur visage. Un visage inexpressif sans autre trait que les yeux, deux orifices
comme des têtes d'épingle entièrement d'or transparent, sans aucune vie, mais qui
regardaient et se laissaient pénétrer par mon regard qui passait à travers le point
60 doré et se perdait dans un mystère diaphane. Un très mince halo noir entourait
l'œil et l'inscrivait dans la chair rose, dans la pierre rose de la tête vaguement triangulaire, aux contours courbes et irréguliers, qui la faisaient ressembler à une statue
rongée par le temps. La bouche était dissimulée par le plan triangulaire de la tête

et ce n'est que de profil que l'on s'apercevait qu'elle était très grande. Vue de face
65 c'était une fine rainure, comme une fissure dans de l'albâtre. De chaque côté de
la tête, à la place des oreilles, se dressaient de très petites branches rouges comme
du corail, une excroissance végétale, les branchies, je suppose. C'était la seule chose
qui eût l'air vivante dans ce corps. Chaque vingt secondes elles se dressaient,
toutes raides, puis s'abaissaient de nouveau. Parfois une patte bougeait, à peine,
70 et je voyais les doigts minuscules se poser doucement sur la mousse. C'est que nous
n'aimons pas beaucoup bouger, l'aquarium est si étroit ; si peu que nous remuions
nous heurtons la tête ou la queue d'un autre ; il s'ensuit des difficultés, des dis-
putes, de la fatigue. Le temps se sent moins si l'on reste immobile.

Ce fut leur immobilité qui me fit me pencher vers eux, fasciné, la première fois
75 que je les vis. Il me sembla comprendre obscurément leur volonté secrète : abolir
l'espace et le temps par une immobilité pleine d'indifférence. Par la suite, j'appris à mieux les comprendre, les branchies qui se contractent, les petites pattes fines
qui tâtonnent sur les pierres, leurs fuites brusques (ils nagent par une simple ondu-
lation du corps) me prouvèrent qu'ils étaient capables de s'évader de cette tor-
80 peur minérale où ils passaient des heures entières. Leurs yeux surtout m'obsédaient.
À côté d'eux, dans les autres aquariums, des poissons me montraient la stupide simplicité de leurs beaux yeux semblables aux nôtres. Les yeux des
axolotls me parlaient de la présence d'une vie différente,
d'une autre façon de regarder. Je collais mon visage à la
85 vitre (le gardien, inquiet, toussait de temps en temps) pour
mieux voir les tout petits points dorés, cette ouverture
sur le monde infiniment lent et éloigné des bêtes roses.
Inutile de frapper du doigt contre la vitre, sous leur nez,
jamais la moindre réaction. Les yeux d'or continuaient à brûler
90 de leur douce et terrible lumière, continuaient à me regarder du fond d'un abîme
insondable qui me donnait le vertige.

Et cependant les axolotls étaient proches de nous. Je le savais avant même de
devenir un axolotl. Je le sus dès le jour où je m'approchai d'eux pour la première
fois. Les traits anthropomorphiques d'un singe accusent la différence qu'il y a entre
95 lui et nous, contrairement à ce que pensent la plupart des gens. L'absence totale
de ressemblance entre un axolotl et un être humain me prouva que ma reconnaissance était valable, que je ne m'appuyais pas sur des analogies faciles. Il y avait
bien les petites mains. Mais un lézard a les mêmes mains et ne ressemble en rien
à l'homme. Je crois que tout venait de la tête des axolotls, de sa forme triangu-
100 laire rose et de ses petits yeux d'or. Cela regardait et savait. Cela réclamait. Les axolotls
n'étaient pas des animaux.

De là à tomber dans la mythologie, il n'y avait qu'un pas, facile à franchir, presque
inévitable. Je finis par voir dans les axolotls une métamorphose qui n'arrivait pas
à renoncer tout à fait à une mystérieuse humanité. Je les imaginais conscients, esclaves
105 de leur corps, condamnés indéfiniment à un silence abyssal, à une méditation déses-
pérée. Leur regard aveugle, le petit disque d'or inexpressif — et cependant terriblement lucide — me pénétrait comme un message : « Sauve-nous, sauve-nous. »

Je me surprenais en train de murmurer des paroles de consolation, de transmettre des espoirs puérils. Ils continuaient à me regarder, immobiles. Soudain les petites branches roses se dressaient sur leur tête, et je sentais à ce moment-là comme une douleur sourde. Ils me voyaient peut-être, ils captaient mes efforts pour pénétrer dans l'impénétrable de leur vie. Ce n'était pas des êtres humains mais jamais je ne m'étais senti un rapport aussi étroit entre des animaux et moi. Les axolotls étaient comme les témoins de quelque chose et parfois ils devenaient de terribles juges. Je me trouvais ignoble devant eux, il y avait dans ces yeux transparents une si effrayante pureté. C'était des larves, mais larve veut dire masque et aussi fantôme. Derrière ces visages aztèques, inexpressifs, et cependant d'une cruauté implacable, quelle image attendait son heure ?

Un axolotl.

Ils me faisaient peur. Je crois que sans la présence du gardien et des autres visiteurs je n'aurais jamais osé rester devant eux. «Vous les mangez des yeux», me disait le gardien en riant, et il devait penser que je n'étais pas tout à fait normal. Il ne se rendait pas compte que c'était eux qui me dévoraient lentement des yeux, en un cannibalisme d'or. Loin d'eux je ne pouvais penser à autre chose, comme s'ils m'influençaient à distance. Je finis par y aller tous les jours et la nuit je les imaginais immobiles dans l'obscurité, avançant lentement une petite patte qui rencontrait soudain celle d'un autre. Leurs yeux voyaient peut-être la nuit et le jour pour eux n'avait pas de fin. Les yeux des axolotls n'ont pas de paupières.

Maintenant je sais qu'il n'y a rien eu d'étrange dans tout cela, que cela devait arriver. Ils me reconnaissaient un peu plus chaque matin quand je me penchais vers l'aquarium. Ils souffraient. Chaque fibre de mon corps enregistrait cette souffrance bâillonnée, cette torture rigide au fond de l'eau. Ils épiaient quelque chose, un lointain royaume aboli, un temps de liberté où le monde avait appartenu aux axolotls. Une expression aussi terrible qui arrivait à vaincre l'impassibilité forcée de ces visages de pierre contenait sûrement un message de douleur, la preuve de cette condamnation éternelle, de cet enfer liquide qu'ils enduraient. En vain essayai-je de me persuader que c'était ma propre sensibilité qui projetait sur les axolotls une conscience qu'ils n'avaient pas. Eux et moi nous savions. C'est pour cela que ce qui arriva n'est pas étrange. Je collai mon visage à la vitre de l'aquarium, mes yeux essayèrent une fois de plus de percer le mystère de ces yeux d'or sans iris et

sans pupille. Je voyais de très près la tête d'un axolotl immobile contre la vitre. Sans transition, sans surprise, je vis mon visage contre la vitre, je le vis hors de l'aquarium, je le vis de l'autre côté de la vitre. Puis mon visage s'éloigna et je compris.
155 Une seule chose était étrange : continuer à penser comme avant, savoir. Quand j'en pris conscience, je ressentis l'horreur de celui qui s'éveille enterré vivant. Au-dehors, mon visage s'approchait à nouveau de la vitre, je voyais ma bouche aux lèvres serrées par l'effort que je faisais pour comprendre les axolotls. J'étais un axolotl et je venais de savoir en un éclair qu'aucune communication n'était possible. Il
160 était hors de l'aquarium, sa pensée était une pensée hors de l'aquarium. Tout en le connaissant, tout en étant lui-même, j'étais un axolotl et j'étais dans mon monde. L'horreur venait de ce que — je le sus instantanément — je me croyais prisonnier dans le corps d'un axolotl, transféré en lui avec ma pensée d'homme, enterré vivant dans un axolotl, condamné à me mouvoir en toute lucidité parmi des créa-
165 tures insensibles. Mais cette impression ne dura pas, une patte vint effleurer mon visage et en me tournant un peu je vis un axolotl à côté de moi qui me regardait et je compris que lui aussi savait, sans communication possible mais si clairement. Ou bien j'étais encore en l'homme, ou bien nous pensions comme des êtres humains, incapables de nous exprimer, limités à l'éclat doré de nos yeux qui regar-
170 daient ce visage d'homme collé à la vitre.

Il revint encore plusieurs fois mais il vient moins souvent à présent. Des semaines se passent sans qu'on le voie. Il est venu hier, il m'a regardé longuement et puis il est parti brusquement. Il me semble que ce n'est plus à nous qu'il s'intéresse, qu'il obéit plutôt à une habitude. Comme penser est la seule chose que je puisse faire,
175 je pense beaucoup à lui. Pendant un certain temps nous avons continué d'être en communication lui et moi, et il se sentait plus que jamais lié au mystère qui l'obsédait. Mais les ponts sont coupés à présent, car ce qui était son obsession est devenu un axolotl, étranger à sa vie d'homme. Je crois qu'au début je pouvais encore revenir

en lui, dans une certaine mesure — ah !
180 seulement dans une certaine mesure — et maintenir éveillé son désir de mieux nous connaître. Maintenant je suis définitivement un axolotl et si je pense comme un être humain c'est tout simplement parce que les
185 axolotls pensent comme les humains sous leur masque de pierre rose. Il me semble que j'étais arrivé à lui communiquer cette vérité, les premiers jours, lorsque j'étais encore en lui. Et dans cette solitude finale
190 vers laquelle il ne revient déjà plus, cela me console de penser qu'il va peut-être écrire quelque chose sur nous ; il croira qu'il invente un conte et il écrira tout cela sur les axolotls.

Julio CORTÁZAR, *Les armes secrètes*, traduction de Laure Guille-Bataillon, Paris, © Éditions Gallimard, 1963.

6ᵉ buveur :

Le fantôme de Don Carlos

L'auteur québécois Michel Tremblay est né à Montréal en 1942. Il est surtout connu en tant que dramaturge, romancier et traducteur-adaptateur. En 1966, au début de sa carrière, il publie *Contes pour buveurs attardés*. Dans *6ᵉ buveur : Le fantôme de Don Carlos*, il décrit une séance de spiritisme qui tourne à l'horreur.

Michel Tremblay.

Mon oncle Ivan était célèbre. Tout le monde le connaissait mais personne n'en parlait jamais publiquement. Mon oncle Ivan était spirite. On disait de lui qu'il pouvait communiquer avec les âmes des morts, grâce à un don que lui avait donné jadis une quelconque princesse hindoue. De fait, mon
5 oncle possédait vraiment ce don. J'ai assisté dans mon enfance — mon oncle est disparu alors que j'étais à peine âgé de quinze ans — à des séances bien extraordinaires...

Ayant perdu mes parents alors que j'étais très jeune, je fus accueilli, instruit dans les choses de la vie et chéri par mon oncle Ivan. Malgré toutes les horreurs qu'on racontait sur son compte, par exemple qu'il était homme sans foi ni loi, qu'il avait
10 vendu son âme au diable et autres stupidités du genre, mon oncle Ivan était un homme en tous points admirable.

Homme très érudit, il était le meilleur professeur qu'on puisse imaginer. Il savait expliquer les choses les plus compliquées d'une façon très simple et très claire, ce qui me permit, avec l'intelligence et les quelques talents que Dieu m'avait don-
15 nés, d'avancer assez rapidement dans tous les domaines et, surtout, dans le domaine des sciences.

Mais mon oncle refusa toujours de me parler de son don. Quand j'abordais le sujet, il se fâchait (ses colères étaient terribles) et me disait que jamais, au grand jamais, il n'accepterait de me dévoiler ses secrets. Il me semble encore l'entendre

20 crier : «Tu veux devenir un médium, comme moi ? Pauvre, pauvre enfant, tu ne sais pas ce qui t'attend... Jamais tu ne deviendras médium ! Je refuserai toujours de te transmettre mon don, car 25 c'est ce que tu veux, n'est-ce pas ? Je t'aime beaucoup trop ! Je t'aime beaucoup trop ! »

Tous les vendredis soir, pourquoi le vendredi, je ne saurais dire, un groupe de 30 six ou douze personnes envahissaient le salon de notre demeure et mon oncle invoquait les esprits. J'ai vu pendant ces séances extraordinaires des choses vraiment tragiques. J'ai vu des femmes perdre connaissance en voyant 35 paraître devant elles qui son mari, qui son fils, qui sa mère... J'ai vu des hommes pourtant très braves se lever et sortir de la maison en poussant des cris d'épouvante parce que quelqu'un, un mort qui était venu de l'autre monde, les avait touchés... J'ai même 40 vu une femme en pleurs embrasser passionnément l'image de son mari défunt. Mais la chose la plus effrayante, la chose la plus terrible et la plus terrifiante qu'il m'ait été donné de voir dans ce salon maudit, fut le fantôme de Don Carlos.

*
* *

Isabelle del Mancio, une des femmes les plus riches et, disait-on, la plus belle femme d'Espagne, était venue un jour visiter notre petit pays. En homme distingué 45 qu'il était, le premier ministre avait préparé un grand dîner en l'honneur de cette noble dame. Malheureusement pour lui, mon oncle Ivan fut invité à la fête. Mon oncle Ivan, malgré qu'il fût, comme je l'ai déjà dit, un homme admirable, était très peu sociable. Il n'était vraiment pas fait pour vivre en société. Aussi avait-il la réputation d'être un grand sauvage et c'était vrai. Mon oncle préférait la compagnie de 50 ses livres et, je puis le dire sans fausse modestie, ma compagnie à celle de ces «insoutenables aristocrates», comme il se plaisait à les appeler. L'invitation du premier ministre lui fut donc très peu agréable. «Tu devrais te sentir flatté, lui dis-je, qu'un premier ministre t'invite à dîner en compagnie de la plus belle femme d'Espagne ! » Mon oncle Ivan sourit et dit doucement : «La plus belle femme d'Espagne, mon garçon, 55 ce n'est pas Isabelle del Mancio. La plus belle femme d'Espagne... » Mon oncle ferma les yeux et me dit tout bas : «Je te la ferai voir, un jour. »

Mon oncle Ivan déclina l'invitation. Une mauvaise migraine...

Mais Isabelle del Mancio était une enragée de spiritisme. Elle avait entendu parler de mon oncle Ivan et tenait absolument à faire sa connaissance. Quand 60 elle vit que mon oncle n'était pas présent à la fête offerte en son honneur, elle fut très vexée.

Tout de suite après le dîner, elle exigea qu'on fît venir sur-le-champ le « malade ». « J'ai parcouru des milliers de milles pour rencontrer ce médium (ici, le premier ministre fut un peu froissé) ; j'arrive enfin dans ce pays de malheur et on me dit que ce monsieur ne veut pas me voir sous prétexte qu'il a une grosse migraine ! On ne sait donc pas vivre, dans ce pays ? »

Mon oncle Ivan refusa catégoriquement de se rendre chez le premier ministre. Cependant, il accepta d'inviter Isabelle del Mancio à la séance de spiritisme du vendredi suivant. Ce soir-là, avant de se coucher, mon oncle Ivan eut de bien étranges propos. « J'espère, me dit-il, que cette Isabelle del Mancio ne connaît pas le fantôme de Don Carlos. »

*
* *

La première chose dont Isabelle del Mancio parla le vendredi suivant fut le fantôme de Don Carlos.

*
* *

Mon oncle pâlit et les muscles de sa joue tressaillirent, ce qui marquait chez lui une profonde nervosité. Isabelle del Mancio s'en aperçut. Ce fantôme devait être bien terrible pour faire pâlir mon oncle Ivan ! Mais je vais tenter de rapporter le plus fidèlement possible la conversation qui s'engagea alors entre Isabelle del Mancio et mon oncle.

« Je vois, dit-elle, que la réputation de Don Carlos n'est plus à faire. Tous les médiums semblent le connaître et tous refusent d'entrer en relation avec lui. J'ose espérer cependant que vous, qui êtes peut-être le plus...

— Je vous prie, madame, coupa mon oncle, de ne pas me demander...

— Mais Don Carlos ne doit pas être si terrible !

— Si, madame, il l'est.

— Comment pouvez-vous le savoir ? Vous l'avez vu ?

— Je l'ai vu. Et même si je ne l'avais pas vu je refuserais quand même de le contacter. Don Carlos est un nom tabou dans le domaine du spiritisme. On ne peut le faire apparaître qu'une fois et... Comme vous le disiez à l'instant, tous les médiums le connaissent, mais aucun ne veut avoir affaire à lui.

— Comment se fait-il, alors, que vous l'ayez vu ?

— Ce serait une histoire trop longue à raconter. D'ailleurs, j'aime mieux l'oublier. Ou, du moins, je veux essayer. Car on n'oublie pas Don Carlos lorsqu'on l'a vu, ne serait-ce qu'une fois dans sa vie.

— Dites-moi comment il est, au moins !

— Je vous en prie, madame, insister me vexerait. »

Isabelle n'insista pas. La séance commença et ne fut pas un grand succès. Isabelle del Mancio avait assisté à un nombre incroyable de séances de cette sorte et rien ne pouvait plus l'intéresser, rien sauf le fantôme de Don Carlos. Mon oncle Ivan le vit bien et sembla en proie à une grande inquiétude durant toute

100 la soirée. La séance se termina sur l'apparition de l'âme du père d'Isabelle. Mais celle-ci n'adressa même pas la parole à son père ; elle l'avait vu tellement de fois depuis sa mort qu'elle n'avait plus rien à lui dire...

Avant que les invités ne partissent, je vis mon oncle s'approcher de l'Espagnole et lui demander quelque chose. De grosses sueurs perlaient sur son front et sa voix 105 était défaillante.

Isabelle sourit et vint s'asseoir à côté de moi, sur un gros divan près de la cheminée. «Votre oncle semble bien nerveux», me dit-elle d'un ton badin. Je sentis que quelque chose d'horrible allait se passer à cause de cette femme. C'est alors que je commençai à la détester.

110 Quand tout le monde fut parti, mon oncle Ivan vint nous rejoindre sur le divan. Il prit les mains de la belle Espagnole entre les siennes. «Je peux vous faire voir le fantôme de Don Carlos, si vous le voulez, dit-il. Je suis vieux maintenant et le spiritisme commence à m'ennuyer. Voyez-vous, le fantôme de Don Carlos est la dernière chose qu'un médium peut faire apparaître. Quand il reçoit son don, le médium s'en-115 gage à communiquer avec ce fantôme une fois dans sa vie, et il est obligé de tenir sa promesse. Ensuite, tout est fini pour lui.»

Je pensais à ce moment-là qu'un médium perdait son pouvoir quand il faisait apparaître le fantôme de Don Carlos... Oh ! si j'avais su ! Si j'avais su !

«Ma carrière tire à sa fin, continua mon oncle, et j'ai décidé ce soir de la couron-120 ner en faisant apparaître pour vous le fantôme de Don Carlos. J'ai tenu à le faire en secret parce qu'on ne peut montrer le fantôme de Don Carlos à n'importe qui. Il faut posséder une immense dose de sang-froid pour faire face à ce fantôme. Je sais, madame, que vous possédez ce sang-froid. Si vous voulez voir Don Carlos, vous le verrez. Mais je vous avertis : ce que vous verrez sera épouvantable !» Et Isabelle 125 del Mancio se mit à rire. «Il n'y a rien qui puisse me faire peur, dit-elle. Pas même le diable en personne !»

J'essayai de dissuader mon oncle de mettre son projet à exécution mais ce fut en vain. J'eus beau lui dire qu'il serait dommage de perdre son don à cause d'une Espagnole un peu trop belle qui ne saurait même pas le remercier... rien n'y fit. 130 «Le temps est venu pour moi de faire apparaître Don Carlos», me répondit-il.

Isabelle del Mancio semblait très heureuse à la perspective de pouvoir enfin contempler le fameux fantôme de Don Carlos. Que lui importait le prix de cette apparition ? «Depuis le temps que j'en entends parler !» Et un sourire passa sur ses lèvres sensuelles. «On dit qu'il est très beau...

135 — Non, cria mon oncle Ivan, Don Carlos n'est pas beau !»

Mon oncle Ivan me dit d'éteindre toutes les lumières de la maison et de fermer toutes les portes et toutes les fenêtres. Nous habitions une immense maison au bord de la mer, une grande maison isolée qui pouvait avoir trois ou quatre cents ans... «Quand tu seras revenu au salon, dit-il, ferme la porte derrière toi, éteins 140 toutes les lumières, sauf celle qui se trouve au-dessus de la table ronde, et cache-toi dans le coin le plus sombre de la pièce. Surtout, ne te montre pas ! Sous aucun prétexte, tu m'entends ? Sous aucun prétexte !»

Quand je revins au salon, mon oncle Ivan se tenait debout au milieu de la pièce et regardait l'immense glace qui pendait au-dessus de la cheminée. « C'est par là,
145 dit-il enfin, qu'arrivera Don Carlos. »

Isabelle se mit à rire (elle ne savait que rire, cette femme !) et déclara qu'elle voulait absolument acheter le miroir quand tout serait fini. « Je veux emporter Don Carlos avec moi ! » déclara-t-elle. Mon oncle la regarda sévèrement. « Quand vous aurez vu Don
150 Carlos, dit-il, vous ne voudrez certainement pas l'emporter avec vous ! »

Je me dissimulai derrière une tenture, dans un coin très sombre du salon, pendant que mon oncle Ivan et Isabelle del Mancio s'asseyaient à
155 la table ronde. « Avant de commencer, chuchota mon oncle, je dois vous prévenir d'une chose. Il ne faut pas que Don Carlos sache que nous sommes ici. Il ne faut pas que Don Carlos nous voie ! Lorsque vous le verrez, ne faites pas
160 de bruit. Surtout, ne parlez pas.

— Comme c'est dommage, déclara Isabelle en rejetant sa tête en arrière, moi qui voulais séduire votre fantôme ! »

Comme je haïssais cette femme ! Comme je la haïssais !

165 Mon oncle étendit ses mains sur la table ronde et dit à l'Espagnole de joindre ses doigts aux siens. Il proféra alors des mots que je ne compris pas et qu'Isabelle sembla trouver très drôles. Je la voyais qui riait en regardant mon oncle faire ses incantations... Si j'avais pu à ce moment-là prévoir ce qui allait se passer, j'aurais tué Isabelle del Mancio et j'aurais sauvé mon oncle Ivan !

*
* *

170 Je n'entendis, tout d'abord, qu'un léger bruit. Bruit presque imperceptible, qui semblait venir d'au-dessus de la cheminée. Mon oncle Ivan se pencha vers Isabelle et lui chuchota : « Ne regardez pas le miroir tout de suite. Je vous avertirai quand vous pourrez regarder. » Isabelle détourna la tête mais, moi, je continuai à regarder dans la direction du miroir. Le même faible bruit se répéta à plusieurs reprises et
175 une douce lumière orangée illumina soudain la glace. Mon oncle continuait toujours à marmonner des paroles incohérentes. Il ne regardait pas lui non plus dans la direction du miroir. Mais, moi, je regardais !

Tout à coup, mon oncle Ivan se leva précipitamment et se jeta sur moi comme un fou. « Ne regarde pas le miroir, cria-t-il. Ne regarde pas le miroir ! Il pourrait
180 te tuer ! Don Carlos pourrait te tuer ! »

Au même moment, un bruit épouvantable emplit toute la pièce et le miroir vola en éclats. Un coup de vent formidable souleva les draperies pendant qu'un sifflement perçant me déchirait les oreilles. « Malheur ! cria mon oncle Ivan, le miroir est brisé ! Le miroir est brisé ! Don Carlos ne pourra plus repartir ! »

185 Une longue traînée de fumée bleuâtre était suspendue au milieu de la pièce. « Il est déjà là, dit mon oncle Ivan. Surtout, ne faites pas de bruit ! Sous aucun prétexte ! » Il alla s'asseoir à sa place, sous le lustre allumé, près d'Isabelle del Mancio. Celle-ci semblait s'amuser énormément.

La fumée tournoyait dans le salon en formant une longue spirale qui partait
190 du plafond et qui se terminait au plancher. La spirale tournait de plus en plus rapidement. On entendait comme le sifflement d'un ouragan éloigné qui se rapprochait de seconde en seconde. À un certain moment, la fumée tournait tellement vite qu'on ne la vit plus. Elle était devenue une sorte de lumière transparente et bleue. Alors, j'entendis le plus formidable hennissement qu'on puisse imaginer. Cela
195 tenait à la fois du cri d'un animal et du bruit du tonnerre.

Dans la lumière bleuâtre, la forme indécise d'un cheval blanc se mouvait. C'était un cheval magnifique, à la crinière extrêmement longue et à la queue superbe. « Quel beau cheval, chuchota Isabelle del Mancio.

— Taisez-vous, répondit mon oncle. Vous voulez notre perte ? »
200 Le cheval hennit de nouveau et se mit à trotter dans le salon. Il fit le tour de la pièce deux ou trois fois, puis revint se placer dans la lumière bleue. Il leva alors la tête vers le plafond et hennit tout doucement.

Je vis alors apparaître l'être le plus extraordinaire et le plus répugnant à la fois qu'il ait été donné à un humain de voir. Ce n'était pas un homme, c'était un véri-
205 table titan. Assis sur son cheval, Don Carlos paraissait encore plus grand qu'il ne devait l'être en vérité. Sa tête touchait presque le plafond. Je n'avais jamais vu figure si laide et regard si hargneux... Je ne puis décrire ici l'horreur que ce géant m'inspirait. Il était laid, d'une laideur quasi insupportable et sa grandeur extraordinaire ajoutait encore à cette laideur. Il regardait autour de lui comme s'il eût cherché
210 quelque chose qu'il ne pouvait trouver. Son front était plissé et il semblait en colère. Il descendit de cheval et fit le tour du salon, comme l'avait fait le cheval auparavant.

Isabelle del Mancio ne riait plus. Elle était extrêmement pâle et s'agrippait aux épaules de mon oncle Ivan.
215 Don Carlos semblait de plus en plus furieux. Il remonta sur son cheval. Ce dernier se dirigea d'un pas lent vers le miroir. Mais soudain Isabelle se leva et s'approcha du cheval. Mon oncle et moi ne pûmes réprimer un cri de stupeur. Nous criâmes juste comme Isabelle touchait le cheval du bout des doigts. Le cheval se cabra comme si une main de feu l'eût touché. Don Carlos se tourna vers Isabelle, sembla
220 l'apercevoir pour la première fois et se pencha vers elle. Il la regardait droit dans les yeux. Isabelle semblait hypnotisée par son regard et ne bougeait plus. Don Carlos enleva lentement son gant droit et appliqua sa main sur la figure d'Isabelle. Ses ongles pénétrèrent dans la chair de la jeune femme et, pendant qu'Isabelle hurlait de douleur, cinq filets de sang coulèrent sur son visage.
225 N'y tenant plus, mon oncle Ivan se jeta sur Isabelle del Mancio. Il tenta de toutes ses forces de la soustraire à l'étreinte du fantôme, mais sans résultat. Il courut alors à la cheminée, s'empara d'un énorme chandelier et frappa Don Carlos au bras gauche. Don Carlos ouvrit la bouche mais aucun son n'en sortit. Il lâcha

enfin la pauvre Isabelle qui s'écroula sur le plancher. Quelques morceaux de chair
230   restèrent accrochés aux ongles de Don Carlos. Mon oncle laissa tomber le chandelier en criant : « Sauve-toi ! Sauve-toi, avant qu'il ne soit trop tard ! Don Carlos
nous a vus ! Nous sommes perdus !... Non, pourtant... il nous reste encore une
chance... Ouvre, ouvre la fenêtre toute grande, Don Carlos croira que c'est le miroir
et s'y précipitera ! »

235   Pendant ce temps, Don Carlos, qui était descendu de cheval, s'était dirigé vers
le miroir et s'était rendu compte que celui-ci était brisé. Il se retourna lentement
et regarda mon oncle, toujours en se tenant le bras gauche. « Vite, dépêche-toi ! »
cria mon oncle.

Je me précipitai vers la fenêtre la plus proche et l'ouvris toute grande. Le vent
240   s'engouffra dans la pièce et effraya le cheval de Don Carlos. La bête sembla
effrayée à un point incroyable. Elle se mit à courir en tous sens dans la pièce, renversant tout sur son passage. Don Carlos la saisit par la crinière et grimpa dessus.
Mon oncle s'était plaqué contre le mur pour éviter le cheval. « Sauve-toi ! Sauve-
toi ! Don Carlos est en colère ! Rien ne pourra l'arrêter, maintenant ! Le miroir est
245   brisé ! Don Carlos ne pourra plus repartir ! »

J'assistai alors au spectacle le plus horrible de ma vie. Vision atroce qui laisse en
moi un vertige infini de peine et d'horreur. Le cheval de Don Carlos galopait en
tous sens dans la pièce pendant que son maître se retournait sans cesse pour ne pas
perdre mon oncle Ivan de vue. Mon oncle,
250   lui, courait pour éviter de se faire piétiner par
la bête folle. Le corps d'Isabelle del Mancio
gisait, écrasé et sanglant, près de la cheminée.
Moi, j'étais dissimulé derrière ma tenture et
ne pouvais bouger, paralysé par toutes les
255   horreurs que je voyais.

À un moment donné, le cheval passa très
près de mon oncle Ivan ; Don Carlos souleva
ce dernier de terre en se penchant et le
plaça de travers, devant le pommeau. Je
260   lançai un grand cri et me précipitai sur la
bête. Mais il était trop tard. Don Carlos
avait vu la fenêtre et déjà son cheval l'avait
franchie. « Adieu ! cria mon oncle, adieu ! Je
t'aimais trop pour... »

265   Le lendemain, au village, un pêcheur
jura avoir vu galoper un cheval sur la mer.
Deux hommes étaient sur ce cheval. L'un
paraissait très grand. L'autre ne bougeait
pas. Il semblait mort.

Michel TREMBLAY, *Contes pour buveurs attardés*,
Montréal, Leméac Éditeur, 1996.

Gustave Moreau (1826-1898), *Le cavalier*,
Musée national Gustave Moreau, Paris.

L'AVENTURE DE L'ÉTUDIANT ALLEMAND

L'auteur américain Washington Irving (1783-1859) a touché à divers genres littéraires : essais, romans historiques, récits inspirés de légendes anciennes ou de récits fantastiques allemands, etc. Dans *L'aventure de l'étudiant allemand,* il allie amour, idéal et horreur. Washington Irving est considéré comme le précurseur du maître de la littérature fantastique, Edgar Allan Poe.

Washington Irving.

Par une nuit d'orage, dans les temps troublés de la Révolution française, un jeune Allemand traversait le vieux Paris à une heure tardive, dans l'intention de regagner son logis. Les éclairs illuminaient le ciel et les coups de tonnerre retentissaient par les rues étroites et tortueuses — mais il faut
5 tout d'abord que je vous parle de ce jeune étranger.

Gottfried Wolfgang était un jeune homme de bonne famille. Il avait pendant quelque temps étudié à Göttingen, mais, marqué par un caractère visionnaire et enthousiaste, il s'était livré à ces folles et conjecturales doctrines qui ont si souvent égaré la jeunesse estudiantine d'Allemagne. La vie retirée qu'il menait, son
10 intense application aux études, et la singulière nature de celles-ci, avaient affecté ses facultés mentales aussi bien que son corps. Sa santé s'était altérée, son imagination tournait au morbide. Il avait poussé si loin ses rêveries fantastiques sur les essences spirituelles, qu'il avait fini, comme Swedenborg, par faire graviter un monde idéal autour du sien propre. Il s'était persuadé, pour je ne sais quelle rai-
15 son, qu'une influence maligne était suspendue au-dessus de sa tête ; qu'un mauvais génie, qu'un esprit malfaisant s'efforçait de le prendre au piège et de consommer sa perte. Une pareille idée, se conjuguant avec son tempérament mélancolique, produisit sur lui les plus déplorables effets. Ses traits prirent une expression farouche

et il tomba dans le plus morne découragement. Découvrant la maladie mentale
20 dont il souffrait, ses amis estimèrent que, pour lui, le meilleur remède serait un
changement d'atmosphère. On l'avait donc envoyé terminer ses études au milieu
des splendeurs et des gaietés de Paris.

Wolfgang arriva dans la capitale de la France au moment où éclatait la révolution. Tout d'abord gagné par la contagion du délire populaire, il fut séduit par
25 les théories politiques et philosophiques du jour ; mais les scènes sanglantes qui
suivirent choquèrent sa nature sensible et firent de lui, plus que jamais, un reclus.
Il se cloîtra dans un solitaire petit logement du Quartier latin, le quartier des étudiants. Là, dans une obscure rue sise non loin des monastiques murs de la Sorbonne,
il poursuivait ses spéculations favorites. Il lui arrivait aussi d'aller passer des heures
30 dans les grandes bibliothèques parisiennes, ces catacombes pour auteurs défunts,
où il effectuait des fouilles parmi les vieilles réserves d'œuvres poussiéreuses et suran-
nées, en quête d'une nourriture propre à satisfaire son appétit malsain. C'était,
en quelque sorte, un vampire littéraire se repaissant au charnier de la littérature
en décomposition.

35 Malgré son penchant pour la solitude et la retraite, Wolfgang était pourvu d'un
tempérament ardent, mais qui, d'ordinaire, n'agissait guère que sur son imagination. Il était trop timide et trop ignorant du monde pour faire des avances au sexe,
mais ce n'en était pas moins un admi-
rateur passionné de la beauté fémi-
40 nine. Dans la solitude de sa chambre,
souvent il se perdait en rêveries sur les
formes et les visages qu'il avait vus, et
son imagination lui créait des idoles
qu'elle ornait de perfections surpassant
45 de loin la réalité.

Tandis que son esprit se trouvait
dans cet état de surexcitation et de
sublimation, il eut un rêve qui produisit
sur lui un effet extraordinaire. Ce songe
50 lui avait représenté un visage féminin
d'une transcendante beauté. Si forte
fut l'impression qu'avait faite sur lui
cette image, qu'il la revoyait sans cesse,
à toute heure, en tout lieu. Elle han-
55 tait ses pensées diurnes aussi bien que
son sommeil nocturne. À la fin, il s'e-
namoura passionnément de cette
ombre onirique. Cette toquade dura
si longtemps, que cela devint une de
60 ces idées fixes qui hantent les esprits des
hommes mélancoliques et que l'on
confond parfois avec la folie.

Pietro Antonio Rotari (1707-1762), *Portrait d'une jeune femme*,
Musée Cummer, Jacksonville, Floride.

Tel était Gottfried Wolfgang, et telle sa situation à l'époque dont j'ai parlé. Il rentrait chez lui à une heure tardive, un soir d'orage, à travers les vieilles et som-
65 bres rues du Marais, l'un des vieux quartiers de Paris. Les sourds grondements du tonnerre se faisaient entendre parmi les hautes maisons des rues étroites. Il arriva à la place de Grève, l'endroit où avaient lieu les exécutions publiques. Les éclairs crépitaient au-dessus des toits du vieil Hôtel de Ville, et jetaient des lueurs clignotantes sur l'espace libre qui se trouve en face de celui-ci. Comme Wolfgang traversait la
70 place, il sursauta d'horreur en s'apercevant qu'il passait tout près de la guillotine. On était à l'apogée du règne de la Terreur, alors que cet affreux instrument de mort se dressait, toujours prêt, et que son échafaud voyait couler sans interruption le sang des braves et des vertueux. Elle avait, ce même jour, été activement employée à son œuvre de carnage, et elle se dressait là, dans son sinistre appareil, attendant de
75 nouvelles victimes au milieu d'une ville endormie et silencieuse.

Wolfgang sentit son cœur se soulever, et il se détournait en frissonnant de l'horrible machine à tuer, lorsqu'il aperçut, accroupie au pied des marches qui menaient à la guillotine, une forme sombre. Une succession de vifs éclairs la lui révéla plus distinctement. C'était une femme vêtue de noir. Elle était
80 assise sur l'une des marches les plus basses de l'échafaud, penchée en avant, le visage enfoui entre ses genoux, et ses longs cheveux en désordre pendants jusqu'au sol, ruisselants de la pluie qui tombait à torrents. Wolfgang s'arrêta. Il y avait quelque chose d'affreux dans ce solitaire monument du malheur. La jeune femme donnait l'im-
85 pression d'être une personne au-dessus du commun.

Il savait que les temps étaient pleins de vicissitudes et que mainte jolie tête qui avait jadis connu les douceurs du duvet errait maintenant sans logis. Peut-être celle-ci était-elle quelque pauvre âme que l'effroyable couteau avait rendue solitaire et qui était venue s'échouer là, le cœur brisé, sur la grève de l'existence, d'où tout
90 ce qui lui était cher avait été lancé dans l'éternité.

Il s'approcha, et s'adressa à elle sur un ton de profonde sympathie. Elle leva la tête et le regarda d'un air égaré. Quel ne fut pas l'étonnement de Wolfgang en reconnaissant, à la vive lueur des éclairs, le visage même qui avait si longtemps hanté ses rêves. Ce visage était pâle et désolé, mais d'une ravissante beauté.

95 En proie aux émotions les plus violentes et les plus contradictoires, Wolfgang, tremblant, lui adressa derechef la parole. Il lui dit son étonnement de la voir exposée à pareille heure aux furies d'un tel orage, et il lui proposa de la reconduire chez ses amis. Mais elle, désignant d'un geste épouvantablement significatif la guillotine, répondit :

100 « Je n'ai pas d'amis sur terre ! »

« Mais vous avez bien une demeure », dit Wolfgang.

« Oui, dans la tombe ! »

L'étudiant se sentit défaillir en entendant ces mots.

« Si, dit-il, un étranger osait, sans crainte d'être mal compris, faire une offre,
105 je proposerais l'abri de mon humble demeure, et mon bras comme celui d'un ami dévoué. Étranger à la France, je me trouve moi-même à Paris sans amis ; mais si ma vie peut être de quelque utilité, elle est à votre disposition et sera sacrifiée avant qu'aucun mal ou qu'aucun affront vous puisse atteindre. »

Il y avait dans les manières du jeune homme une expression d'honnêteté qui
110 produisit son effet. Son accent étranger, lui aussi, plaida en sa faveur ; il montrait qu'il ne s'agissait pas d'un Parisien quelconque. En vérité, il est, dans le véritable enthousiasme, une éloquence qu'on ne peut récuser. L'étrangère sans logis se confia implicitement à la protection de l'étudiant.

Il aida ses pas chancelants à traverser le Pont-Neuf ainsi que la place où la statue
115 de Henri IV avait été jetée bas par la populace. L'orage s'était calmé et le tonnerre ne grondait plus que dans le lointain. Paris tout entier reposait, tranquille ; le grand volcan des passions humaines s'était, un instant, assoupi, afin de rassembler de nouvelles forces pour l'éruption du lendemain. Par les vieilles rues du Quartier latin, et le long des sombres murs de la Sorbonne, l'étudiant conduisit sa protégée,
120 au grand hôtel délabré où il habitait. La vieille portière qui les y reçut ouvrit de grands yeux devant le spectacle inhabituel qu'offrait le mélancolique Wolfgang en compagnie d'une femme.

En entrant dans son logement, l'étudiant, pour la première fois, rougit de l'exiguïté et de la médiocrité de son habitat. Il n'avait qu'une seule pièce — un salon
125 démodé — fantastiquement meublée à l'aide des épaves d'une ancienne magnificence, car c'était l'un de ces hôtels du quartier du palais du Luxembourg, qui avaient

autrefois appartenu à la noblesse. La chambre de Wolfgang était encombrée de livres et de paperasses, et de tout ce qu'on trouve d'ordinaire chez un étudiant, et son 130 lit était placé dans une alcôve sise à l'une des extrémités de la pièce.

Lorsqu'on apporta la lumière et que Wolfgang eut une meilleure occasion de contempler l'étrangère, il fut plus que jamais subjugué par sa 135 vénusté. Son visage était pâle, mais d'une éblouissante beauté, que relevait la profusion d'une chevelure d'un noir de jais suspendue en boucles autour de son visage. Ses yeux, grands et brûlants, avaient une singulière expression qui les faisait paraître presque 140 hagards. Dans la mesure où son vêtement noir laissait deviner les formes de son corps, celles-ci étaient d'une parfaite symétrie. Encore qu'elle fût vêtue dans le style le plus simple, l'ensemble de son apparence était très remarquable. Le seul objet qu'elle portât, ressemblant à un ornement, était, autour du cou, un large ruban noir retenu par une agrafe de dia- 145 mants.

Une certaine perplexité s'empara de l'étudiant lorsqu'il se demanda ce qu'il allait faire de la créature seule au monde qu'il avait prise sous sa protection. Il songea à lui abandonner sa chambre et à se mettre pour lui-même en quête d'un autre abri. Pourtant, il était tellement fasciné par ses charmes, ceux-ci semblaient avoir 150 un tel pouvoir sur ses pensées et sur ses sens, qu'il ne parvenait pas à s'arracher à sa présence. Par ailleurs, ses manières étaient singulières et inexplicables. Elle ne parlait plus de la guillotine. Son chagrin s'était apaisé. Les attentions de l'étudiant avaient gagné d'abord sa confiance, puis, selon toute apparence, son cœur. C'était évidemment, comme lui-même, une enthousiaste, et les enthousiastes ont tôt fait 155 de se comprendre l'un l'autre.

Dans la violence d'un engouement instantané, Wolfgang lui avoua la passion qu'elle lui inspirait. Il lui raconta l'histoire de son mystérieux rêve et lui dit comment elle avait possédé son cœur avant même qu'il l'eût vue. Elle fut étrangement impressionnée par ce récit et reconnut avoir ressenti pour lui une attirance 160 également inexplicable. C'était le temps des théories et des actions folles. Les vieux préjugés et les vieilles superstitions étaient rejetés ; tout était gouverné par la « Déesse Raison ». Parmi d'autres balivernes des anciens temps, les formes et les cérémonies du mariage commençaient à être considérées par les bons esprits comme des liens superflus. Les unions libres étaient en vogue. Wolfgang était trop imbu 165 des théories nouvelles pour n'être pas teinté par les doctrines libérales du jour.

« Pourquoi nous séparer ? dit-il ; nos cœurs sont unis ; aux yeux de la raison et de l'honneur nous ne faisons qu'un. Quel besoin est-il de ces dérisoires formalités pour unir deux grandes âmes ? »

L'étrangère, avec émotion, écouta ces paroles ; elle avait, de toute évidence,
170 reçu les lumières à la même école.

« Vous n'avez, poursuivit-il, ni maison ni famille ; permettez-moi d'être tout pour
vous, ou plutôt soyons tout l'un pour l'autre. Si des formes sont nécessaires, observons ces formes. Voici ma main. Je m'engage à vous pour toujours. »

« Pour toujours ? » dit l'étrangère, solennellement.

175 « Pour toujours ! » répéta Wolfgang.

L'étrangère étreignit la main qu'il lui tendait : « Alors je suis vôtre », murmura-
t-elle en s'abandonnant sur la poitrine du jeune homme.

Le matin suivant l'étudiant quitta sa jeune épousée endormie, et sortit à une
heure matinale pour chercher un appartement plus spacieux, en rapport avec son
180 changement de situation. À son retour il trouva l'étrangère étendue, la tête ren-
versée au bord du lit, un bras jeté en travers de celui-ci. Il lui parla mais ne reçut
point de réponse. Il s'avança pour l'éveiller en la tirant de sa position incommode.
Prenant sa main, il s'aperçut qu'elle était froide. Son pouls était nul ; son visage
était livide. En un mot, c'était un cadavre.

185 Horrifié, fou de désespoir, il appela au secours. Une scène de confusion s'en-
suivit. On appela la police. Un officier de paix entra dans la pièce. Il sursauta en
apercevant le corps sans vie.

« Grand Dieu ! s'écria-t-il, comment cette femme
est-elle venue là ? »

190 « La connaissez-vous ? » demanda Wolfgang
avec impétuosité.

« Si je la connais ? s'exclama l'officier : elle
a été guillotinée hier.

Il s'avança, défit le noir collier qui ornait
195 le cou de la morte, dont la tête roula sur
le sol !

L'étudiant fut pris d'un accès de délire :
« Le démon ! Le démon s'est emparé de
moi ! s'écria-t-il. Je suis perdu à jamais. »

200 On essaya, mais en vain, de le calmer. Il
était possédé par l'effrayante conviction qu'un
mauvais esprit avait ranimé la suppliciée afin
de le prendre lui-même au piège. Il avait perdu
la raison et il mourut dans une maison de fous.

Washington IRVING
Tiré de *La grande anthologie du fantastique 3*, établie par Jacques
Goimard et Roland Stragliati, Paris, Omnibus, 1997.

Le talisman

La femme de lettres espagnole Emilia Pardo Bazán (1851-1921) a été tour à tour éditrice de revue, auteure, traductrice, enseignante, etc. Elle a publié dans les journaux une centaine de récits, dont *Le talisman*. Dans ce texte, elle exploite, comme de nombreux auteurs du 19e siècle, le thème de la mandragore.

Emilia Pardo Bazán.

Cette histoire, bien que véridique, ne peut se lire à la clarté du soleil. Je tiens à vous avertir, lecteur, n'allez pas vous plaindre d'avoir été trompé : éclairez-vous, mais n'utilisez ni électricité, ni gaz, ni pétrole. Allumez une de ces sympathiques lampes à huile si typiques et d'allure si gracieuse, qui
5 éclairent à peine, laissant dans l'ombre la plus grande partie de la pièce. Ou mieux encore, n'allumez rien ; précipitez-vous au jardin, et près de l'étang, dans les effluves enivrantes des magnolias, sous les rayons argentés de la lune, écoutez le conte de la mandragore et du baron de Hélynagy.

J'ai connu cet étranger (et je ne le dis pas pour la vraisemblance de ce conte, mais
10 parce que je l'ai réellement connu) de la façon la plus simple et la moins romanesque qui soit : il me fut présenté à l'une des nombreuses fêtes que donna l'ambassadeur d'Autriche. C'était le baron, premier secrétaire d'ambassade ; mais ni le poste qu'il occupait, ni son allure, ni sa conversation semblable à celle de la plupart des personnes que l'on rencontre habituellement dans de tels salons, ne justifiaient réellement le ton mys-
15 térieux et les phrases réticentes avec lesquels on m'annonça qu'on allait me le présenter, tout comme s'il s'agissait de l'annonce d'un événement important.

Ma curiosité aiguisée, je me proposai d'observer attentivement le baron. Il me parut fin, de cette finesse apprêtée des diplomates, et beau, de cette beauté un peu impersonnelle des hommes de salon, toujours aux mains d'un valet de chambre, d'un tailleur

20 et d'un coiffeur (qui lui aussi veille à l'élégance et embellit tout). Quant à ce que valait le baron sur le plan moral et intellectuel, il était difficile de s'en faire une idée dans des circonstances aussi ordinaires. Après une demi-heure, je pensai en mon for intérieur : « Eh bien, je me demande pourquoi on fait tant de mystères autour de cet homme. »

À peine avais-je terminé ma conversation avec le baron que je m'efforçai de
25 me renseigner de tous côtés, et ce que j'appris en substance ne fit qu'augmenter ma curiosité et mon intérêt. J'appris ainsi que le baron était possesseur d'un talisman. Oui, un véritable talisman ; un objet qui, à l'imitation de la peau de chagrin, lui permettait de réaliser tous ses désirs et de réussir brillamment tout ce qu'il entreprenait. On me narra des coups de chance inexplicables, si ce n'est par l'in-
30 fluence magique du talisman. Le baron était hongrois et bien qu'il se vantât de descendre de Tacsonio, le glorieux chef magyar, le dernier rejeton de la famille Hélynagy devait en fait se rendre compte qu'il végétait à l'étroit, confiné là-bas dans son manoir vétuste niché dans la montagne. Du jour au lendemain, une série de hasards étranges concentra dans ses mains une fortune considérable ; certains
35 parents riches moururent opportunément, le laissant seul héritier et, de plus, certains travaux effectués au vieux château de Hélynagy permirent de trouver un trésor composé de pièces d'or et de joyaux. Le baron se présenta alors à la cour de

Alfred Edward Emslie (1848-1918), *Dîner à la résidence Haddo*, 1884, Galerie nationale des portraits, Londres.

Vienne, comme il convenait à son rang. Là, apparurent de nouveaux signes de cette chance extraordinaire difficilement explicable, si ce n'est par une protection mys-
40 térieuse. Si le baron se mettait à jouer, il était certain qu'il remporterait toutes les mises ; s'il fixait ses yeux sur une dame, sur la plus vertueuse, on pouvait parier que la dame succomberait.

Il eut trois duels, et il blessa chaque fois son adversaire ; le dernier combat entraîna la mort de son rival, ce qui fut un signe du destin à l'intention de ses futurs rivaux.
45 Lorsque le caprice lui prit de suivre ses ambitions politiques, les portes de la Diète s'ouvrirent devant lui et le secrétariat de l'ambassade à Madrid lui servait aujour-d'hui de tremplin en vue d'accéder ensuite à de plus hautes fonctions. On chu-chotait déjà qu'il serait nommé ministre plénipotentiaire l'hiver prochain.

Si tout cela semblait véridique, il aurait effectivement valu la peine de faire
50 une enquête sur ce talisman qui permettait d'obtenir des succès aussi enviables ; je me proposai donc de me lancer dans cette enquête car j'ai toujours prôné le principe que, dans le fantastique et le merveilleux, il fallait faire preuve d'une foi ardente. Par contre, celui qui ne croit pas à l'existence du merveilleux — du moins entre onze heures du soir et cinq heures du matin — témoigne d'un esprit obtus
55 ou borné.

Pour arriver à mes fins, je fis tout le contraire de ce qui se fait d'habitude dans ces circonstances ; j'essayai de parler au baron en de maintes occasions et avec fran-chise, mais je ne fis jamais allusion au talisman. Probablement fatigué de conquêtes amoureuses, il était tout disposé à ne pas se montrer présomptueux et à devenir
60 un ami, rien de plus que l'ami d'une femme qui le traite avec une franchise ami-cale. Néanmoins, ma stratégie n'eut pas d'effet pendant un certain temps ; le baron ne parlait pas à cœur ouvert et je perçus même en lui quelque chose de plus que l'insolente joie de celui à qui tout réussit, un arrière-goût de tristesse et d'inquiétude, une espèce de pessimisme noir. D'un autre côté, ses allusions répétées à des temps
65 passés, temps modestes et obscurs et à une brusque ascension, à une éblouissante vague de bonheur confirmaient les bruits qui couraient. La nouvelle que le baron avait été appelé à Vienne et que son départ était imminent me fit perdre l'espoir d'en savoir davantage.

Une après-midi, je pensais à ces choses lorsqu'on m'annonça précisément le
70 baron. Il venait sans doute faire ses adieux et portait en mains un objet qu'il déposa sur la petite table à côté de lui. Il s'assit ensuite et parcourut la pièce du regard comme pour s'assurer que nous étions bien seuls. Je ressentis une émotion pro-fonde car je devinais avec une rapidité intuitive, féminine, qu'il s'agirait du talis-man.

75 — Madame, dit le baron, je viens vous demander une faveur inestimable pour moi. Vous savez sans doute que je suis appelé dans mon pays et je pense que le voya-ge sera court et précipité. Je possède un objet... une espèce de relique... et je crains qu'on me le vole car il est très convoité et les gens lui attribuent des vertus extra-ordinaires. La nouvelle de mon voyage s'est divulguée ; il est possible qu'il se trame
80 même quelque complot pour me le dérober. C'est à vous que je le confie ; con-servez-le jusqu'à mon retour ; je vous serai redevable d'une reconnaissance infinie.

De sorte que cette amulette rare, ce fameux talisman si précieux était là, à deux pas, posé sur ce meuble et il allait être provisoirement en ma possession !

— Soyez certain que si je le garde, il sera bien gardé, répondis-je avec véhé-
85 mence, mais avant d'accepter cette charge, je veux savoir ce que vous me con-
fiez. Bien que je ne vous aie jamais posé de questions indiscrètes, je sais ce qui se raconte, et je crois comprendre que vous êtes en possession d'un talisman prodigieux qui vous a procuré toutes sortes de bonheurs. Je ne le garderai point sans savoir en quoi il consiste et s'il mérite réellement autant d'intérêt.

90 Le baron hésita. Je vis qu'il était perplexe et qu'il se demandait s'il devait révéler toute la vérité et parler en toute franchise. Finalement la sincérité l'emporta, et non sans quelque effort, il dit :

— Vous avez ravivé, Madame, une profonde blessure non cicatrisée. Ma peine et mon tourment constant proviennent du doute dans lequel je vis et je n'arrive pas
95 à déceler si je possède réellement un trésor aux vertus magiques ou si je suis attaché superstitieusement à un fétiche insignifiant. À notre époque, la foi dans le surnaturel est un édifice fragile ; la moindre brise le renverse. On me croit « heureux » et je ne suis en réalité que « chanceux » ; je serais heureux si j'avais la certitude que ce que je recèle ici est en effet un talisman qui réalise mes désirs et me protège des coups
100 de l'adversité ; mais je n'arrive pas à éclaircir ce point. Que puis-je vous dire ? J'étais très pauvre et personne ne me prenait en considération. C'est alors qu'un Israélite, venu de Palestine, passa une après-midi par Hélynagy et s'acharna à me vendre ceci, m'assurant que cela m'apporterait des bonheurs sans nombre. Je l'achetai... comme on achète des babioles inutiles... et je le jetai dans une caisse. Peu de temps après,
105 certains événements survinrent qui changèrent ma destinée, mais ils peuvent tous s'expliquer sans faire appel à des miracles. (Ici le baron sourit et son sourire fut communicatif.) Chaque jour, poursuivit-il mélancoliquement, nous voyons des gens qui remportent dans tous les domaines un succès conforme à leur mérite... et il est courant
110 et usuel que des duellistes inexpérimentés vainquent de fines lames renommées. Si j'avais ma conviction qu'il existe des talismans, je jouirais tranquillement de ma prospérité. Ce qui m'afflige et me déprime, c'est l'idée que je puisse vivre en
115 étant le jouet d'une apparence trompeuse et que le jour où je m'y attends le moins, le sort funeste de ma lignée et de ma race s'abatte sur moi. Voyez comme ils ont tort, ceux qui me portent envie et comment l'an-
120 goisse de l'avenir assombrit ces bonheurs tant vantés. Malgré tout, pour peu que j'y croie, je vous demande que vous preniez grand soin de la petite boîte... car le plus grand malheur d'un homme est de ne pas être totalement sceptique ni
125 de croire aveuglément.

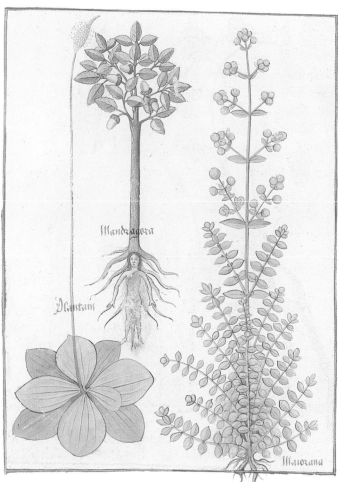

Le plantain, la marjolaine et la mandragore.
Illustration tirée du *Livre des simples médecines*, 15ᵉ siècle.

Cette confession sincère m'expliqua la tristesse que j'avais perçue sur le visage du baron. Son état moral me parut digne de compassion, car dans ses
130 plus grands bonheurs le manque de confiance, qui flétrit et amoindrit toute chose, lui rongeait l'âme.

Les grands hommes puisent toujours leur assurance dans la confiance
135 qu'ils ont en leur étoile, et le baron de Hélynagy, incapable de croire, était dès lors incapable de triompher.

Le baron se leva, prit le paquet qu'il avait apporté, déballa une étoffe
140 de satin et j'aperçus un écrin de cristal de roche aux arêtes et à la fermeture en argent. Il souleva le couvercle et sur un linceul en toile garni de dentelles, que le baron écarta délicatement, je
145 distinguai une chose horrible : une figurine grotesque, noirâtre, minuscule qui représentait en miniature le corps d'un homme. Mon mouvement de répulsion ne surprit pas le baron.

150 — Mais quelle est cette horreur ? ne puis-je m'empêcher de lui demander.

— Ceci, répliqua le diplomate, est une merveille de la nature : ceci n'est ni une imitation ni une contrefaçon, c'est
155 la racine même de la mandragore, telle qu'elle se forme au sein de la terre. Vieille comme le monde, elle fait l'objet d'une superstition qui attribue à la mandragore anthropomorphe les vertus les plus étranges. On dit qu'elle provient du sang des suppliciés et c'est pour cela que pendant la nuit, aux petites heures, on entend gémir la mandragore comme si au-dedans d'elle vivait captive une âme en détresse.
160 Ah ! veillez, bon Dieu, à la tenir toujours enveloppée dans un linceul de soie ou de lin ; ce n'est qu'ainsi que la mandragore dispense la protection.

— Et vous croyez tout cela, m'exclamai-je en regardant le baron fixement.

— Plût au ciel qu'il en soit ainsi ! répondit-il d'un ton si amer que je ne sus répondre tout de suite.

165 Peu de temps après, le baron prit congé, me suppliant encore de prendre le plus grand soin de l'écrin et de son contenu à cause des conséquences que leur perte pourrait entraîner. Il m'avertit qu'il rentrerait un mois plus tard et qu'il viendrait alors reprendre son bien.

C'est ainsi que le talisman tomba sous ma surveillance et vous pouvez vous imaginer que je le regardai avec plus d'attention ; je confesse que si toute la légende de la mandragore me paraissait une utopie, une vile superstition orientale, la perfection étrange avec laquelle cette racine imitait le corps humain continua à me fasciner. Je pensai que c'était peut-être une silhouette humaine contrefaite. Cependant, en la regardant de près, je fus convaincue de ce que la main de l'homme n'avait pas pris part à sa création et que «l'homunculus» était bien naturel, c'était bien la racine telle qu'elle avait été arrachée du sol. J'interrogeai à ce sujet certaines personnes sérieuses qui avaient résidé longtemps en Palestine. Celles-ci m'assurèrent qu'il était impossible de contrefaire une mandragore et que les pasteurs des monts de Galaad et des plaines de Jéricho la déterraient et la vendaient telle que l'avait modelée la nature.

C'est sans doute le caractère insolite de cette expérience totalement inconnue pour moi qui exalta inopportunément mon imagination. Je commençai effectivement à éprouver de la crainte ou du moins à ressentir une répulsion invincible envers le maudit talisman. Je l'avais gardé avec mes bijoux dans le coffre-fort de ma chambre. Je fus dès lors saisie d'insomnie et d'agitation fébrile et lorsque le silence enveloppait la nuit, j'appréhendais dans l'angoisse que cette maudite mandragore exhale un gémissement lugubre susceptible de me glacer le sang dans les veines ; le bruit le plus insignifiant me réveillait toute tremblante et parfois quand le vent faisait vibrer les vitres et frémir les tentures, j'avais l'impression que c'était la mandragore qui se plaignait d'une voix d'outre-tombe...

Finalement je n'arrivai plus à vivre à cause de cette horreur et je me décidai à la retirer de ma chambre et à la déposer dans une vitrine du salon où je conservais des pièces de monnaie, des médailles et quelques bibelots anciens. Et ce fut là l'origine de mes remords éternels, des regrets qui me poursuivront toute la vie. En effet la fatalité voulut qu'un nouveau domestique tenté par les pièces de monnaie exposées dans la vitrine en rompit les vitres, et tout en emportant les monnaies et les bibelots il prit aussi l'écrin qui renfermait le talisman. Ce fut pour moi un coup terrible. J'avertis la police qui retourna ciel et terre ; le voleur fut retrouvé, oui monsieur, retrouvé, ainsi que les pièces de monnaie, l'écrin et le linceul... ; mais quant au talisman, confessa notre homme, il l'avait jeté dans une bouche d'égoût et il n'y avait aucun moyen de le retrouver, même au prix des recherches les plus minutieuses et les mieux rémunérées du monde.

— Et le baron de Hélynagy ? demandai-je à la dame qui m'avait relaté cette étrange aventure.

— Il mourut dans une collision de trains à son retour de voyage, répondit celle-ci, plus pâle que de coutume et tournant la tête.

— De sorte que ce talisman était bien véritable ?

— Bon Dieu ! répliqua-t-elle, ne voulez-vous donc rien attribuer au hasard ?

Emilia Pardo BAZÁN
Traduction de Bernard Goorden et Gaëtane de Brauwer, Bruxelles. Tous droits réservés.

LES DOIGTS EXTRAVAGANTS

L'auteure québécoise Andrée Maillet (1921-1995) est originaire de Montréal. Elle a été correspondante de guerre, journaliste, directrice de revue, poète, romancière, dramaturge, etc. Dans le récit fantastique *Les doigts extravagants,* Andrée Maillet décrit dans un style dynamique et original l'horreur causée par « cinq morbides objets qu'un lacet de bottine retenait ensemble ».

Andrée Maillet.

La Quatorzième Rue est un chemin qui mène à l'East River.

Un soir, à dix heures, la foule avait un visage de plâtre et des souliers morts. Millième aspect d'une civilisation synthétique.

La rue, aussi sombre qu'un corridor de couvent. Quelques gens allaient vers
5 l'exit, de l'est à l'ouest ou en sens contraire, à un rendez-vous, à un gîte ; allaient nulle part.

Le décor, réaliste à l'excès ; littéraire.

À gauche, des couleurs jaunes, rouge brique, brunes, délimitées par des lignes noires qui leur donnaient des formes, des formes de maisons.

10 Tout cela me semblait assez vague, car je marchais à droite. De mon côté, dans un sous-sol, une boutique de barbier, illuminée, une taverne écœurante et pleine de confusion. Plus loin, des murs de bois placardés, un enclos que dépassait la tête d'un arbre. Des affiches déchiquetées annonçant un film ancien et célèbre : *« Mädchen in Uniform ».*

15 Je ne pensais pas. J'absorbais goulûment toutes les impressions et observations qui s'imposaient à mon esprit vacant.

Au coin de la Première Avenue, un individu s'arrêta. Il alluma une cigarette comme si elle lui avait été indispensable pour traverser l'avenue. Moi, je la fran-chis sans halte et je vis que derrière l'homme à la cibiche s'avançait un drôle de
20 type dont je pus voir la figure grâce au néon d'une vitrine de chaussures.

Il marchait rapidement et tenait un paletot. Son bras gauche levé en équerre devant lui se terminait par un gant de boxe.

Quand nous fumes parallèles, il s'arrêta, voyant que je le regardais non sans quelque étonnement. Ses yeux gros roulaient dans sa face. Il me lança le manteau
25 qu'il tenait et s'enfuit en silence, le poing ganté toujours brandi en l'air et le regard hagard.

Que faire d'un paletot d'homme ?

« S'il me paraît assez propre, me dis-je, je l'enverrai à l'U.N.R.A. »

Au loin, les réverbères brillaient et bordaient la rivière. Bientôt mon fardeau
30 me pesa. J'eus un instant la tentation de l'abandonner sur un des bancs qui longeaient la berge.

Je ne sais ce qui me retint d'y obéir. Mon démon, sans doute.

Des cargos sans beauté tiraient sur leurs amarres ou traçaient des circonférences autour de leurs ancres.

35 Des gamins exécrables se poursuivaient. La racaille n'est nulle part aussi déplaisante qu'à New York.

Que ferais-je bien de ce paletot ? Ah ! Oui. Le donner à l'U.N.R.A. Ou l'ex-pédier moi-même à quelque ami, en France. Non. Trop compliqué. Pas encore permis d'envoyer des vêtements.

40 Des îlots, dans la nuit, arrivaient des cris, des lumières bleues, vertes. Ajoutons la lune au décor, et sur le parapet une fille assise jambes pendantes, et près d'elle un garçon, pas beau, pas laid, ordinaire.

Un ouvrier passa. Il n'avait pas non plus le genre que j'aime. Il portait une boîte en fer et un grand bout de tuyau.

Eric Isenburger (1902-1994), *Le pont Queensborough*, 1945.

45 Malgré les taches d'huile et les déchets qui flottaient sur l'eau, l'air sentait bon, peut-être à cause de la brise marine.

Marine est une hypothèse. Je supposais que le vent venait de l'océan. L'illusion, si cela en était une, était assez forte pour que je puisse goûter le sel en passant ma langue sur mes lèvres.

50 Je parcourus deux *blocs* ou trois et puis, enfin lasse, je repris la route de mon logis.

Tout à coup, des suppositions effarantes me vinrent à l'esprit.

Un homme donnait un manteau, comme ça, en pleine rue, à moi, une étrangère, et sans ajouter au geste une seule parole. Pourquoi?

55 Le vêtement était-il *chaud,* comme on dit aux États-Unis, quand on désigne un objet volé?

Recelait-il en ses poches une arme à feu, un trésor ou un crotale? Appartenait-il à un bandit qu'un adversaire venait d'abattre, prenant bien soin de détruire ou d'enlever tout ce qui pouvait identifier la victime?

60 Mon donateur de fortune avait des gants de boxe. Deux gants de boxe ou un seul? Je ne me souvenais que d'un seul; celui qu'il brandissait avec une sorte d'exaspération. Sans doute était-il un boxeur. Il avait assommé, peut-être tué l'autre pugiliste et fuyait la justice. Peut-être. Alors, embarrassé de ce lourd paletot, (le paletot de qui?) il l'avait jeté à la première personne venue.

65 Explication non plausible. Étais-je le premier passant venu? Non. Plusieurs autres avant moi avaient dû croiser cet homme au poing de cuir, et de plus, j'étais une passante. Il avait donné le manteau d'homme à une jeune femme. Pourquoi?

J'arrivai à mon domicile, à bout de conjectures.

Le foyer d'étudiants qui m'abritait, moi et mes rêves et mes efforts d'artiste, offrait 70 une apparence fort convenable. On y accédait de la Douzième Rue, par sept marches de pierre.

À l'intérieur, lamentable, la pension entretenait outre des étudiants aussi pauvres que moi, des blattes, des rats, et parfois des Polonais.

Ma chambre, sous les combles, au cinquième étage, me semblait belle quand 75 j'y arrivais le soir par les longs escaliers aux paliers incertains, après mes cours, après un long voyage à travers les longues rues.

Ce soir-là dont je parle, j'entrai dans ma chambre avec le manteau d'homme. D'un coup de poing, j'ouvris la fenêtre.

Je dois dire que je cultivais avec soin tout ce que ma nature m'inspirait de réflexes 80 virils, voulant par là équilibrer la féminité excessive de mon extérieur. Mon idéalité de l'époque était qu'un être parfait doit être moitié homme, moitié femme. Je ne ménageai pas non plus les jurons.

J'ouvris donc cette fenêtre d'un coup de poing, et les côtés s'écartèrent l'un de l'autre vers l'extérieur, c'est-à-dire qu'il fallait que je les tire à moi pour les remet-85 tre ensemble. Les Américains donnent à ce genre d'ouverture le nom de fenêtre française.

Et puis, je tombai sur mon lit. Soupirs. Détente. Calme. Les impressions du jour affluèrent.

90 Le paletot, mal placé sur le dos de la chaise, glissa. Un peu de la lumière de la rue se répandait dans ma chambre, assez pour que je puisse distinguer les objets, pas assez pour leur faire subir un examen.

J'allumai donc la monstrueuse applique qui balançait au-dessus de mon nez, sa chaîne allongée d'une ficelle. Aussitôt les cancrelats (chez nous on dit les coquerelles) qui jouaient dans ma cuvette disparurent le long des boyaux de 95 fonte. Je me levai. Le sommier chanta. Il berçait chaque nuit mes cauchemars.

J'examinai le manteau.

C'était un polo en poil de chameau ocre clair. Encore très propre, il avait une large ceinture et deux poches en biais. Je glissai ma main dans l'une des poches pour savoir ce qu'elle contenait. J'en sortis quelque chose dont le premier con-100 tact m'émut jusqu'au cœur.

Ce que ma main avait retiré de la poche, elle le jeta sur la table et mes yeux virent l'horrible chose.

Mes yeux virent les cinq doigts d'une main gauche d'homme, coupés au-dessus des pha-105 langes et reliés entre eux par un lacet.

J'eus deux réflexes auxquels j'obéis sans hésitation. D'abord, je vomis dans le lavabo et puis, je pris l'extrémité du lacet et je lançai l'horreur par la fenêtre.

110 Un grelottement me secoua. Je ne refoulai pas les hoquets. Durant les dix minutes suivantes, je crus mourir. Je n'avais heureusement pas dîné ; mon estomac se calma rapidement après quelques convulsions douloureuses.

Décidément, ce soir, je n'irai pas au petit bar où se réu-115 nissaient mes camarades du Greenwich Village : quelques pein-tres en mal de talent, une actrice déchue, des poétesses pleines d'espoir. Les plus veinards offraient aux rapins de ma sorte, un sand-wich rassis, un café au cognac.

Cette boîte pseudo-française, située dans une cave, s'appelait *Le* 120 *Plat du chat*, et les habitués n'étaient guère mieux pourvus, mieux léchés que des chats de gouttière.

Je dégrafais ma blouse avec des gestes lents, lorsque me tournant vers la fenêtre, j'aperçus les ongles de ces 125 affreux doigts qui avaient grimpé tout le mur de la maison jusqu'à ma croisée.

Horreur ! Horreur !

Je pris mon soulier, à coups de talon je leur fis lâcher prise. Ils retombèrent et
130 je fermai vivement la fenêtre.

Étais-je en pleine hallucination ?

Saisissant le paletot, je sortis de ma chambre et descendis chez la concierge.

— J'ai trouvé ce vêtement sur un banc près de l'East River, lui dis-je. Donnez-le à votre mari. Il ne m'est d'aucun service.

135 — C'est un très beau polo, répondit-elle, et vous auriez pu le vendre. Je diminuerai votre note.

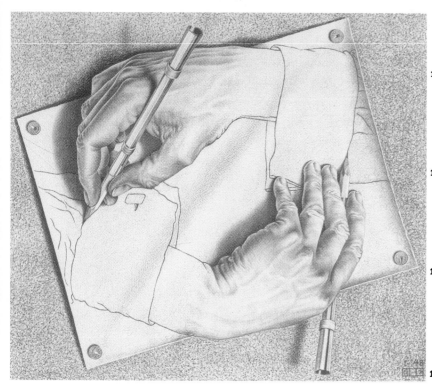

Maurits
Cornelis
Escher
(1898-1972),
*Les mains qui
dessinent*,
1948.

Je remontai chez moi. Peut-être maintenant aurai-je la paix.

140 Je ne comprenais rien à ce qui arrivait. Et vous, l'eussiez-vous compris ?

Dès que je fus dans ma chambre, mon cœur
145 remonta dans ma gorge. Les doigts, les maudits doigts tambourinaient sur la vitre comme pour se faire ouvrir.

150 Je poussai les battants.

— Entrez ! criai-je. Entrez ! Finissons-en !

Les doigts descen-
155 dirent sur le parquet. Ils martelèrent très fort le parquet, s'avançant d'une bonne vitesse, d'une allure assurée vers la table. Ils se cramponnèrent fortement au pied de la table de bois. Ils montèrent en glissant le long du pied de la table.

160 Quel abominable esprit les guidait !

Ils s'affaissèrent sur la table. Sidérée, debout au pied du lit, je les regardais agir, sans argument, sans aucune curiosité, sans me donner la peine de chercher une raison à cette horreur que je voyais. Sans argument devant ma folie, si toutefois ce que je voyais était l'image de ma folie. Sans raisonnement pour calmer mon hor-
165 reur.

Or, les doigts, s'étant reposés, bousculèrent le carton à dessin, le réceptacle à fusain, tirèrent de dessous un cahier, des feuilles blanches.

Ils se crispèrent autour de ma plume et ils écrivirent. Un invisible métacarpe extrêmement alerte les faisait se mouvoir d'un côté à l'autre de la page.

170 L'angoisse grandissait en mon âme. L'air se densifiait. Les bruits s'intensifiaient. À peine pouvais-je respirer.

D'où j'étais, je voyais très bien ce qu'ils écrivaient.

« Nous fûmes les habiles instruments d'un homme gaucher que son ennemi mutila. L'homme mourut ce soir. Il n'est plus que par nous et nous ne subsisterons
175 *que par toi. »*

Une buée épaisse et noire obscurcit mon regard un instant. Tandis que les doigts coupés écrivaient, je remis mon gilet, mon béret. Je dévalai l'escalier.

Je courus dans la rue. Je courus. Je courus. Je compris que la peur, que l'horreur s'étaient pour toujours implantés dans ma vie. En courant je me dis : « La Quatorzième
180 Rue… est un chemin qui mène à l'East River… où il n'y a pas d'effroi… »

Le parapet n'était pas très élevé. Je l'enjambai. Une force inattendue me retint en arrière. Le vent marin balaya sur ma face le rictus qu'y avait mis l'angoisse. Je m'assis sur un banc tandis que s'en allaient du fond de mon cœur les dernières révoltes. N'y resta qu'une pesante résignation.

185 Les doigts qui m'avaient retenue du suicide gisaient à mes pieds. Je ne me demandai point comment ils m'avaient suivie.

Je les pris et les mis dans mon béret que je tins dans ma main tout le long du retour.

Chez moi, je secouai mon couvre-chef au-dessus de la table. Les doigts
190 s'écrasèrent avec un ploc !

— Exprimez-vous, dis-je à cette chose.

Ils se nouèrent derechef autour du stylo et moulèrent ces mots :

« Nous ferons ta fortune. »

— Moyennant quoi ?

195 *« Garde-nous. Sans âme nous nous désagrégerons. Prête-nous la tienne. Les êtres sont immortels dans la mesure du souvenir ou de l'amour qu'on leur conserve. Être conscient d'une présence, c'est déjà l'aimer. Nous ne demandons rien d'autre que l'appui de ta pensée. Prête-nous ta vie, nous ferons ta fortune. »*

Quel pacte satanique me présentaient-ils là ? Et pourtant j'acquiesçai. Je le
200 signai en quelque sorte, d'un mot.

— Restez. Et j'ajoutai, voulant me garder une porte de sortie : Vous êtes exécrables. Je ne vous tolérerai jamais qu'avec répugnance.

Les doigts s'agitèrent avec impatience et puis se mirent à l'œuvre.

Je ne vous dirai pas que cette nuit-là je dormis.

205 Dans l'obscurité de ma cambuse, j'entendais gratter, gratter sur le papier, la plume guidée sans relâche par les doigts.

Le lendemain, j'empruntai une machine à écrire et les doigts recopièrent le texte. Le jour suivant, manuscrit sous le bras, les doigts dans la poche de mon gilet, je les sentais contre moi, j'entrai à Random House où le président m'accueillit.

210　Il jeta à peine les yeux sur le tas de feuilles que je posai devant lui, et m'offrit un contrat magnifique que j'acceptai ainsi qu'une avance de dix mille dollars sur mes royautés à venir.

Il m'imposa un agent visqueux qui me trouva, sur le parc, un appartement meublé, agrémenté d'un jardin suspendu.

215　Un grand magasin renouvela ma garde-robe. Un coiffeur de renom modifia ma tête. Plusieurs photographes la fixèrent, et j'eus la surprise de la voir dans tous les journaux et revues d'Amérique, reproduite maintes fois avec maints commentaires toujours flatteurs.

Cet agent nommé Steiner me promena dans tous les restaurants et théâtres
220　de la ville et ne parlait de moi qu'avec la plus grande vénération. À mon nom vint s'ajouter l'épithète de génie.

Moi, je savais quel était mon génie : cinq morbides objets qu'un lacet de bottine retenait ensemble.

Quand les doigts écrivirent mon second chef-d'œuvre, j'étais plus connue
225　qu'Einstein, plus célèbre qu'une étoile de cinéma.

Parfois, si j'étais seule, je tâchais de retrouver ma figure véritable. Je dessinais. Mes croquis, pour malhabiles qu'ils fussent, étaient miens, venaient de moi.

Bientôt, on me coupa cette porte d'évasion.

Steiner m'ayant surprise en train de dessiner les gratte-ciel, saisit un paquet
230　d'esquisses et s'en servit pour fin de publicité.

On se les arracha et l'on parla beaucoup d'eux comme étant « le passe-temps favori d'une femme géniale ».

Je conçois que les hommes sont pis que les cancrelats. Ils infestent mon existence, et le paradis faux que m'ont donné les doigts vivants de cet homme mort
235　est plus effroyable que l'enfer.

Ils vivent par moi, ces doigts extravagants, je ne suis plus qu'un être sans vie propre.

La nuit, ils fabriquent des romans, des articles, des élégies. Comme je ne dors plus, je les entends écrire.

240　Au petit jour, ils se laissent choir sur le tapis et viennent dans ma chambre. Ils s'agrippent à la courtine du lit. Et puis, je les sens près de mon cou, glacés, immobiles.

Lorsque je n'en puis plus d'horreur, je me lève. Je fais jouer des disques. Je m'enivre souvent quoique je hais l'alcool.

245　Je ne jetterai pas les doigts par la fenêtre. Ils reviendraient. Je ne leur dis rien. Un jour, peut-être, je les brûlerai. Je les détruirai avec des acides.

Je perçois que bientôt il me sera impossible de subir leur présence. Or, ils m'aiment et devinent sans doute ma plus secrète pensée.

N'ont-ils pas, ce matin, encerclé ma gorge avec plus de vigueur ?

Andrée MAILLET, *Le lendemain n'est pas sans amour* (contes et nouvelles), Montréal,
Éditions Beauchemin, 1963.

Pourquoi?

Gros plan d'un cactus.

Dossier 2

Sommaire

Pourquoi le centre de la Terre est-il chaud?

La structure de notre planète est comparable à celle d'un oignon, avec ses couches successives. Mais, alors que ces dernières sont très similaires, on note des différences
5 considérables entre les quatre principales couches de la Terre: la croûte, le manteau, le noyau externe et le noyau central, ou graine. Proportionnellement, la croûte est bien plus fine qu'une pelure d'oignon et forme à peu
10 près 1 % du total.

Au-dessous se trouve le manteau. Il représente 82 % du volume de la Terre et descend sur près de 3000 km jusqu'au noyau externe, en fusion. Environ 2000 km plus bas se
15 trouve la graine, le cœur de la planète.

C'est peu de dire que ce noyau central est chaud: il présente la chaleur infernale d'un réacteur nucléaire, car ce n'est rien d'autre qu'une boule d'énergie produite par la décomposition
20 d'éléments radioactifs. Les géophysiciens estiment sa chaleur à 4000 °C au centre. Elle diminue ensuite progressivement, pour atteindre environ 3000 °C à la limite entre le noyau externe et le manteau. Mais la décomposition radioactive
25 n'est pas seule en cause. D'après certains scientifiques, l'essentiel de cette fournaise aurait été engendré lors de la naissance de la Terre, à partir d'un immense tourbillon de gaz. Selon toute probabilité, celui-ci a formé des planétésimes,
30 corps de petite taille dont la brutale agglomération a dégagé une énorme énergie cinétique — et donc de la chaleur — tout en constituant les planètes du système solaire, dont la nôtre.

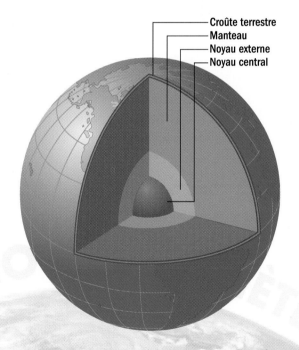

Croûte terrestre
Manteau
Noyau externe
Noyau central

Cette coupe de la Terre montre ses quatre couches principales. Le noyau central ou graine est un réacteur nucléaire naturel dégageant une chaleur prodigieuse.

Extraits de *Tous les pourquoi du monde*, © 1995, Sélection du Reader's Digest (Canada) Ltée, Montréal, p. 44, reproduits avec autorisation.

THIERRY PIANTANIDA

La Terre
n'est pas ronde...

La gravitation aplatit les pôles et gonfle l'équateur

S oumise aux lois de la gravitation universelle, la Terre est sphérique, comme
5 toutes les planètes d'une certaine importance. Mais elle n'est pas ronde pour autant : la force centrifuge aplatit les pôles et forme un bourrelet au niveau de l'équateur. Plus finement, les satellites ont décelé des
10 plateaux et des dépressions à la surface des océans. Des reliefs dus à la différence de densité du manteau : l'eau est attirée par les régions de forte densité, formant des trous. Au contraire, dans les zones de moindre densité, des
15 bosses apparaissent.

Le globe terrestre reconstitué par ordinateur d'après des données obtenues par satellite (les irrégularités y sont accentuées).

Le choc des plaques fait « pousser » les montagnes et creuse les fosses abyssales

20 *Les plaques rigides qui forment la croûte terrestre n'arrêtent pas de bouger. Ces glissements progressifs expliquent pourquoi le relief*
25 *de la Terre est si accidenté.*

Comment expliquer l'incroyable variété du relief de notre planète ? La réponse se trouve dans les profondeurs de la Terre et au fond des mers. Océans

30 et continents confondus, la croûte terrestre, épaisse d'une cinquantaine de kilomètres, est en effet composée d'une douzaine de plaques rigides posées sur un « manteau », plus souple et chaud, qui s'étend jusqu'à 3000 km de profondeur.
35 L'ensemble peut être comparé à une casserole de lait chaud sur lequel flotte une peau. Chacune de ces gigantes-
40 ques plaques avance de quelques centimètres par an, un peu à

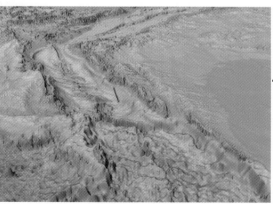

Aux confins de l'Arabie, un nouvel océan en formation
Cette image montre la région du golfe d'Aden (au 1er plan) et de la mer Rouge (au fond). Une dorsale active (en bleu-vert) les élargit, faisant naître, au rythme de 1 à 2 cm par an, un nouvel océan qui écarte les plaques arabique (à dr.) et africaine (à g.).

la manière d'un tapis roulant. Lorsque deux
45 d'entre elles s'entrechoquent, elles se plissent,
se brisent, formant une chaîne de montagnes.
La rencontre de l'Afrique et de l'Europe a ainsi
enfanté les Alpes. De même, l'Inde s'est détachée
de l'Afrique, a remonté vers le nord pour per-
50 cuter l'Asie, formant la chaîne de l'Himalaya et
du Tibet. Malgré la poussée due au choc des
plaques, ces montagnes ne deviennent pas de
plus en plus hautes au fil du temps : au-delà de
8000 à 9000 m, elles ont tendance à s'effondrer
55 sur elles-mêmes et à être victimes de l'érosion,
qui s'accentue avec l'altitude.

Sous le bleu des océans, des tempêtes de magma remodèlent en permanence
60 le sol

Parallèlement, des chaînes de montagnes
encore plus imposantes se forment sous les
mers : ce sont les dorsales océaniques.
Surplombant de 2000 m les plaines abyssales,
65 elles s'étirent à travers les océans sur plus de
60 000 km, couvrant plus du quart des fonds
marins. Là se déroule un phénomène, l'expansion
océanique, révélé il y a à peine plus de 25 ans,
qui conditionne en grande partie le relief de
70 notre planète [...]. Ces dorsales se sont formées le long de lignes de fracture de l'écorce terrestre, par lesquelles remontent des profondeurs
du manteau d'énormes quantités de magma.
C'est le phénomène d'accrétion. De part et
75 d'autre, celui-ci se déroule comme un tapis, au
rythme de 1 à 20 cm par an, créant un nouveau
sol océanique. Cela ne signifie pas pour autant
que la Terre grossit : aux zones d'apport de nouveaux matériaux correspondent des zones d'en-
80 fouissement, par lesquelles une quantité probablement équivalente retourne dans le manteau.

Ces zones se situent au point de confronta-
tion entre plaques océaniques et continentales.
Les premières, plus lourdes, se glissent générale-
85 ment sous les secondes et le plancher océanique
retourne au magma dont il est issu en s'en-
fonçant dans les entrailles de la Terre. Ce sont
des zones de subduction, qui forment les grandes
fosses marines. N'allez pas cependant imaginer
90 que celles-ci se creusent au fil des millénaires : elles
ont au contraire tendance à se combler en raison de l'apport de sédiments. Bref, sur notre
planète, de même que les bosses ne deviennent
pas plus hautes, les trous ne deviennent pas plus
95 profonds !

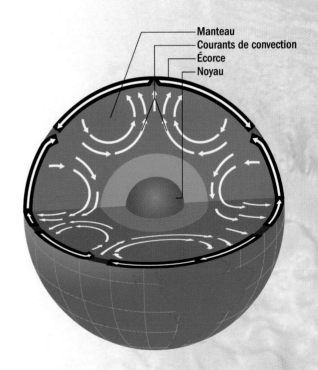

Le magma, à l'intérieur du manteau, est affecté par
de lents mouvements, appelés mouvements de convection, qui
sont responsables des déplacements
des plaques rigides composant l'écorce terrestre.

Extraits adaptés de *Ça m'intéresse*, n° 200,
octobre 1997, p. 10-15.

La découverte de l'orogenèse

QUI A ÉTÉ LE PREMIER ?

par SERGE LATHIÈRE

Orogenèse, un nom compliqué pour une question simple : comment se forment les montagnes ?

5 *Depuis une vingtaine d'années, on connaît la réponse. Après plus de vingt siècles de recherches !*

Les torrents usent les montagnes. Pourtant, elles sont encore là…

Un problème insoluble

4ᵉ avant J.-C. Les Grecs, qui faisaient du mont
10 Olympe la demeure des dieux, se sont les premiers interrogés sur l'origine des montagnes. Aristote observe que rivières et torrents charrient d'énormes quantités de boue après un orage. Puisque toute cette terre a été arrachée
15 aux pentes des montagnes, pourquoi les reliefs n'ont-ils pas été totalement arasés au fil du temps ? Le philosophe grec est persuadé, en effet, que le monde existe de toute éternité. Il lui faut donc supposer que notre planète a les
20 moyens de régénérer ses montagnes. Comment ? Mystère ! Aristote n'en souffle mot…

Vieille croûte

1644 Vingt siècles plus tard, Descartes s'interroge à son tour. Il connaît les idées d'Aristote
25 mais elles sont incompatibles avec la doctrine chrétienne, qui affirme que le monde n'a pas changé depuis sa création par Dieu. Pour ne pas brusquer l'Église, le philosophe français imagine donc que les montagnes ont été formées au
30 moment de la Genèse. À l'origine, explique-t-il, une épaisse croûte de pierres, d'argile, de sable et de limons recouvrait un vaste océan qui occupait la
35 totalité du globe. Sous la chaleur du Soleil, cette croûte s'est disloquée en plaques énormes qui sont tombées

D'après Descartes, la croûte extérieure se serait effondrée pour former continents et montagnes.

dans l'eau. Comme l'océan occupait une surface plus petite, les plaques se sont chevauchées, donnant ainsi naissance aux continents et aux montagnes.

Des montagnes sous la mer

1748 Dès 1669, un jeune naturaliste danois, Nicolas Stenon, comprend que les coquilles qui pullulent dans certaines couches de sol sont, en fait, les restes d'anciens animaux marins. Mais comment expliquer leur présence à 2000 m d'altitude et plus? Et leur répartition curieuse: les sommets les plus hauts en sont dépourvus, semble-t-il. Quatre-vingts ans plus tard, un diplomate français, Benoît de Maillet, propose une solution ingénieuse au problème: l'océan recouvrait autrefois tous les reliefs du globe. Au cours du temps, le niveau de l'eau a baissé et les montagnes ont émergé. La vie s'est installée sur les pentes et a formé, par accumulation successive de débris, des montagnes secondaires où l'on retrouve aujourd'hui des fossiles marins.

Boule de feu

1749 La théorie de Maillet suppose que des montagnes aussi hautes que le mont Blanc aient été un jour submergées par les eaux. Une histoire difficile à avaler pour le naturaliste Buffon. Le niveau des mers n'a pas descendu, prétend-il, mais monté! La Terre, à l'origine, était une boule de feu. Au cours de son refroidissement, se sont formées à sa surface des aspérités semblables à celles que l'on observe sur une boule de métal. Ces petits picots correspondent à nos montagnes. Et les coquillages, alors? Simple: les vapeurs d'eau présentes dans l'atmosphère originelle, en se condensant, ont donné les océans qui ont inondé la Terre à l'exception des plus hauts sommets. Puis l'eau est redescendue, abandonnant à la cime des montagnes les cadavres des animaux marins.

L'étude des sédiments donne enfin une piste tangible à l'orogenèse. Le plissement des couches montre qu'elles ont été soulevées.

Les sédiments parlent

1785 La théorie de Buffon, comme celle de Descartes, est une pure construction de l'esprit. Voilà qui ne saurait satisfaire James Hutton, un géologue de terrain. En 1785, il monte une expédition au cœur de l'Écosse dans les gorges de la rivière Tilt. Il observe que du granite en fusion s'est insinué au beau milieu des couches bien empilées de sédiments. Ces couches sont inclinées comme si elles avaient été soulevées par la montée du granite des profondeurs de la Terre. Le géologue écossais est persuadé qu'il tient là le mécanisme de formation des montagnes.

Buffon pense que les montagnes sont des aspérités solidifiées lors du refroidissement de la Terre.

Pomme ridée

100 **1852** Hutton avait remarqué que les couches de sédiments empilés n'ont pas toutes la même inclinaison. Ce qui signifie qu'elles ont été soulevées à plusieurs reprises. Quelle force pouvait être assez puissante et constante au long des siècles
105 pour produire de tels bouleversements ? Un changement de température, propose Elie de Beaumont en 1829. Selon le géologue français, l'intérieur de la Terre se refroidit toujours et se contracte comme une vieille pomme. Privée d'appui,
110 la croûte terrestre, solide, s'effondre de temps à autre, et forme des reliefs et des continents nouveaux. La découverte de la radioactivité naturelle, à la fin du 19e s., portera un coup fatal à cette théorie : l'intérieur de la Terre ne se refroidit pas
115 parce que les roches radioactives produisent de la chaleur en permanence.

Des collisions qui font des vagues

1970 Et si, au lieu de s'effondrer, les continents se contentaient de glisser sur le fond des océans ?
120 L'idée, audacieuse, est avancée en 1912 par un savant allemand : Alfred Wegener. Il faudra attendre la fin des années 1960 pour qu'elle soit vérifiée. On sait aujourd'hui que la Terre est composée d'une quinzaine de plaques qui flottent comme
125 autant de radeaux, non pas sur le fond des océans, mais sur une couche de matière plus dense, le manteau. Quand deux plaques se rentrent dedans, l'une s'enfonce au-dessous de l'autre ; les frictions et les compressions engendrées par la collision
130 provoquent la formation des chaînes de montagnes.

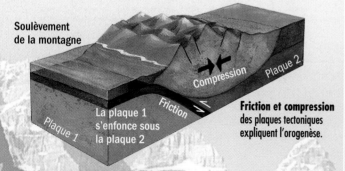

Soulèvement de la montagne

Plaque 1

La plaque 1 s'enfonce sous la plaque 2

Compression

Plaque 2

Friction

Friction et compression des plaques tectoniques expliquent l'orogenèse.

40 *Science & Vie Junior*, n° 96, septembre 1997, p. 78-79.

SIGNATURES RECUEIL DE TEXTES

CLIMATOLOGIE

Dans le creuset des climats

C ertains se demandent parfois pourquoi nous n'avons pas le même temps en permanence, puisque l'atmosphère de la Terre tourne
5 à la même vitesse qu'elle. Mais, fort heureusement pour nous, son évolution est constante.

Notre climat
10 est régi par l'interaction de quatre facteurs. Le premier est le Soleil, dont la taille
15 est supérieure de 1,3 million de fois à celle de la Terre. Le cœur de ce prodigieux réacteur nucléaire sécrète une température
20 de quelque 15 millions de degrés. Bien qu'il se trouve à 150 millions de kilomètres de nous, il nous transmet à chaque heure qui passe quelque 281 000 milliards de kilojoules (environ
25 78 000 milliards de kW/h), soit à peu près

Le Soleil est un prodigieux réacteur nucléaire qui fournit une température de quelques millions de degrés (photographie en fausses couleurs d'une protubérance solaire).

l'énergie consommée en un an dans le monde entier. Encore cette débauche de puissance n'est-elle estimée qu'aux deux milliardièmes d'une production totale défiant l'imagination.

30 Le deuxième élément est la Terre. Elle tourne non seulement autour du Soleil, mais aussi sur elle-même, d'ouest en est et à une vitesse de 1670 km/h à l'équateur. Cette rotation crée la « force de Coriolis », du nom du mathématicien
35 français Gaspard Coriolis. En 1835 il observa qu'un objet en mouvement sur une surface qui tourne, dévie à gauche ou à droite, selon le sens de cette rotation. Si la Terre ne tournait pas sur elle-même, les vents alizés
40 souffleraient verticalement des tropiques vers l'équateur.

Sur sa trajectoire orbitale, la Terre conserve toujours la même inclinaison (un angle de 23,5° par rapport au plan
45 de son orbite). Une partie de la planète est donc plus proche du Soleil, et l'autre un peu plus loin. Cette inclinaison explique le mécanisme des saisons, les différentes régions de la
50 Terre recevant plus ou moins d'énergie solaire selon leur position.

Troisième facteur, essentiel à la vie même : l'atmosphère terrestre. Cette couche d'air joue un rôle de couverture et maintient la planète
55 au chaud.

Mais l'atmosphère ne se contente pas d'assurer la respiration de tout ce qui vit ou pousse : c'est aussi un excellent isolant. Sans elle, la température de certains points du globe serait portée à plus de 80 °C
60 par les rayons solaires le jour et chuterait à environ −140 °C la nuit.

La gravité, en empêchant qu'il ne se disperse dans l'espace, maintient fermement en place ce mélange gazeux, formé d'à peu près 4/5 d'azote et
65 de 1/5 d'oxygène. Parmi ses composants minoritaires, le gaz carbonique joue un rôle essentiel en contribuant à stabiliser les températures près du sol et en haute atmosphère.

Si nous prévoyons de mieux en mieux inondations, périodes de sécheresse et tornades, nous pouvons rarement les éviter.

L'influence la plus importante de l'atmosphère sur
70 notre climat provient de son énorme réserve d'eau, qui monte jusqu'à plus de 8000 m d'altitude sous forme de vapeur, de gouttes et de cristaux de glace.

Il y a environ 13 000 à 15 000 km³ d'eau dans l'atmosphère. La couverture atmosphérique est
75 composée de plusieurs couches. La plus basse est la troposphère, dont l'épaisseur varie entre quelque 8 km sur les pôles et le double sur l'équateur. Ce n'est qu'une mince pellicule par rapport à la hauteur de l'atmosphère, mais elle représente 80 % de son poids
80 total et renferme la quasi-totalité de sa vapeur d'eau.

L'air de la troposphère est plus froid et plus lourd, et ses molécules sont plus denses. C'est pourquoi son épaisseur varie selon la température. C'est un véritable creuset planétaire, et c'est en elle que se fabri-
85 quent les climats du monde. Près de l'équateur et au-dessus des déserts, la température atteint 40 °C. Dans ces régions tropicales, l'air chaud monte et crée de gigantesques courants ascendants. Aux pôles, où la température peut chuter à −70 °C, l'air est plus
90 lourd. D'énormes masses d'air sec et froid dévalent vers la Terre et, dans le hurlement furieux des tempêtes, traversent les immensités glacées à des vitesses terrifiantes en direction de l'équateur. En effet, bien que près de 20 000 km séparent les régions les plus
95 chaudes des régions les plus froides de la planète, les échanges thermiques sont constants entre elles, sur les ailes des vents.

Le dernier facteur influençant le climat de la Terre est son relief, constitué de longues chaînes de
100 montagnes, de vastes plaines, d'océans et de lacs. L'eau se réchauffe lentement et se refroidit plus lentement encore. C'est pourquoi les riverains des mers et des grands lacs jouissent d'étés frais et d'hivers cléments. Les courants chauds, tel le Gulf
105 Stream de l'Atlantique, protègent beaucoup d'endroits des rigueurs de l'hiver. De même, les chaînes de montagnes barrent la route à la bise et préservent certaines régions de la neige et de la glace. Elles sont souvent cause de pluies fines sur un versant,
110 tandis que des vents secs et brûlants balaient l'autre.

Nous n'avons pas encore appris à contrôler le temps, mais du moins savons-nous de mieux en mieux le prévoir grâce à toute une gamme d'instruments météorologiques, de satellites d'observa-
115 tion et de sondes spatiales. Ils nous avertissent de la terrible imminence d'un cyclone ou d'une tempête tropicale et nous font aussi mieux connaître, année par année, les arcanes du climat en nous permettant de percer peu à peu tous ses secrets.

Extraits adaptés de *Tous les pourquoi du monde*, © 1995, Sélection du Reader's Digest (Canada) Ltée, Montréal, p. 54-55, reproduits avec autorisation.

On parle beaucoup de réchauffement planétaire, qu'en est-il exactement ?

Réponse de Robert Sadourny, physicien au laboratoire CNRS de météorologie dynamique de l'École normale supérieure, à Paris

« Aujourd'hui, il est à peu près certain qu'un réchauffement planétaire est en cours. La raison est imputable à l'accumulation, dans l'atmosphère, des gaz à effet de serre comme le dioxyde
5 de carbone (CO_2), le méthane (CH_4) et le protoxyde d'azote (N_2O), ainsi que des halocarbures (les chlorofluorocarbones, ou CFC). Pour expliquer ce qu'est l'effet de serre, il faut rappeler que la Terre est chauffée par le rayonnement
10 solaire : la plus grande partie des rayons traverse l'atmosphère sans être absorbée et vient chauffer les océans et les terres émergées. En retour, ces derniers renvoient de la chaleur vers l'espace sous forme d'un rayonnement infrarouge. Or une
15 partie de cette chaleur est absorbée par les gaz à effet de serre présents dans l'atmosphère. De l'énergie émise par la surface terrestre reste donc piégée dans les basses couches de l'atmosphère. C'est ce réchauffement des basses couches que
20 l'on appelle effet de serre. C'est même grâce à ce phénomène naturel que la vie a pu se développer sur Terre puisque, sans lui, la température moyenne à la surface du globe serait de −18 °C, contre +15 °C actuellement.

Un changement climatique provoqué par l'activité humaine

Qu'est-ce qui trouble aujourd'hui cet équilibre naturel ? Les causes sont multiples. La population terrestre a subi une croissance exponentielle, le développement s'est accru, principalement marqué par la révolution industrielle dans les pays développés. Résultat : les transports, l'activité industrielle, le chauffage, la combustion domestique et le brûlage des forêts tropicales injectent dans l'atmosphère, sous la forme de CO_2, 7 milliards de tonnes de carbone par an. Le CO_2 atmosphérique a augmenté de presque un tiers en un siècle, et sa progression s'accélère. Par ailleurs, l'intensification de l'élevage bovin et de la culture du riz a fait doubler la teneur atmosphérique en méthane. Quant à l'accumulation de protoxyde d'azote, elle est due essentiellement à l'usage intensif des engrais azotés, à l'industrie du froid et des mousses en plastique.

Le résultat de cet amoncellement de gaz à effet de serre, dont l'émission est en pleine croissance dans les pays en développement, est une tendance au réchauffement qui va s'accentuer dans les prochaines décennies. On ne pourra vraisemblablement pas éviter un doublement du CO_2 atmosphérique avant la fin du siècle prochain, et même un quadruplement par la suite.

Le CO_2 atmosphérique a augmenté de presque un tiers en un siècle.

Les conséquences sont multiples : un doublement du CO_2 se traduirait par un réchauffement estimé de 1,5 °C à 3 °C en moyenne, qui entraînerait d'importants effets climatiques régionaux, comme des précipitations plus violentes ou des sécheresses plus intenses.

Et, contrairement aux changements climatiques naturels passés, celui-ci serait très rapide, puisqu'il se produirait sur un siècle environ, contre plusieurs millénaires pour les changements naturels d'importance analogue : de ce fait, certains écosystèmes, telles les forêts, auront beaucoup de mal à s'adapter. Les régions sensibles — le pourtour méditerranéen ou les tropiques — souffriront de fortes perturbations des ressources en eau.

Autre conséquence, l'élévation du niveau des mers par la fonte des glaces et la dilatation de l'océan : elle est estimée entre 50 cm et 1 mètre pour un doublement du CO_2. Le Bangladesh, les Maldives et de nombreux atolls du Pacifique seront alors en situation délicate. »

Propos recueillis par Pedro LIMA
Extrait du magazine scientifique *Eurêka*,
Numéro spécial — « Vos 100 questions de science »,
Hors-série 1997, p. 36-37.

Un réchauffement de 1,5 °C à 3 °C en moyenne entraînerait la fonte des glaces et donc une élévation du niveau des mers.

Pourquoi les feuilles tombent-elles ?

Dans nombre de régions du monde, la splendeur de l'automne constitue un des plus beaux spectacles de la nature. Les arbres abandonnent le
5 vert estival pour se parer de somptueuses couleurs jaunes, orange et rouges, avant de perdre leurs feuilles, qui viennent tapisser le sol. Certaines espèces, tels les érables, sont réputées pour la richesse et l'éclat de leur palette. Lorsque
10 l'hiver arrive, les arbres à feuilles caduques — une large variété d'espèces comprenant notamment le chêne, l'orme, le saule et le bouleau — sont complètement nus. Les essences à feuillage persistant, tels le houx, l'épicéa, le pin et l'eu-
15 calyptus, perdent leurs feuilles ou aiguilles tout au long de l'année.

En hiver, sous les climats tempérés, les racines perdent leur pouvoir absorbant et ne parviennent plus à tirer suffisamment d'eau
20 des sols souvent gelés. L'évaporation étant importante au niveau des feuilles, l'arbre ne peut survivre qu'en se débarrassant de son feuillage. En outre, les feuilles qui tombent emportent les toxines et les déchets accumulés durant
25 la saison de végétation.

La chute des feuilles n'est pas déterminée uniquement par la chute de la température. L'été indien, arrière-saison chaude de l'Amérique du Nord, n'empêche pas les feuilles de tomber.
30 De même, les arbres d'Europe transplantés dans des régions ne connaissant pas de saison froide se dépouilleront néanmoins de leur feuillage. La chute des feuilles, en effet, se déclenche avec le raccourcissement des jours signalant l'ap-
35 proche de l'hiver. En ville, les arbres qui poussent près des réverbères gardent leurs feuilles un peu plus longtemps que ceux qui sont situés dans les zones non éclairées.

À l'automne, les tissus du point d'abscission
40 — le point de séparation entre le pétiole et la tige — commencent à se désagréger. Le pigment

vert — la chlorophylle — se décompose, laissant apparaître les autres pigments présents dans le limbe, et la feuille change de couleur. L'arbre retire des feuilles toutes les substances nutritives et y dépose ses toxines et autres déchets. Enfin, une couche de cellules liégeuses charnues vient se former dans la zone d'abscission afin de protéger la cicatrice laissée par la chute de la feuille.

Recouvertes d'une cuticule (épiderme externe) très mince, les feuilles des arbres à feuillage caduc ne peuvent limiter les pertes d'eau dues à l'évaporation, à la différence de celles des arbres à feuillage persistant. Les aiguilles des pins présentent une surface réduite qui prévient l'évaporation excessive. Les feuilles du houx ont un épiderme épais et lustré, celles de l'eucalyptus sont recouvertes d'un vernis cireux qui les protège du Soleil et d'une sécheresse éventuelle.

En captant la lumière, les feuilles fournissent à l'arbre ses substances nutritives. Les arbres à feuillage persistant bénéficient d'une alimentation continue tout au long de l'année.

Extrait de *Tous les pourquoi du monde*, © 1995, Sélection du Reader's Digest (Canada) Ltée, Montréal, p. 322-323, reproduit avec autorisation.

Des arbres antigel

ême par grand froid, il arrive souvent que le sol ne gèle pas autour des arbres, car ils émettent des rayons infrarouges.

Il peut paraître étrange qu'un arbre froid et nu dégage de la chaleur. Mais c'est le cas de toute chose, sous forme d'ondes de fréquences différentes : ondes radio, micro-ondes, rayons infrarouges et même lumière visible.

Les micro-ondes d'un arbre sont trop faibles pour cuire quoi que ce soit et sa lumière bien trop ténue pour être visible. Mais il s'illuminerait tout entier si nos yeux voyaient les infrarouges. Ce serait d'ailleurs la même chose pour la plupart des objets, car leur rayonnement se situe surtout dans cette fréquence.

Tout comme l'arbre envoie sa chaleur infrarouge à l'herbe, celle-ci la lui renvoie et un échange mutuel de chaleur s'opère. L'herbe d'un terrain découvert émet des rayons infrarouges, mais, sans arbre pour les réverbérer, la chaleur dégagée ne suffit pas à éviter le gel.

Extrait de *Tous les pourquoi du monde*, © 1995, Sélection du Reader's Digest (Canada) Ltée, Montréal, p. 58, reproduit avec autorisation.

Le *feu*, cet indissociable ami de la *forêt boréale*

Par Yves Bergeron et Danielle Charron

Le passage d'un feu dans une magnifique forêt de 250 ans ressemble, à première vue, à une catastrophe. Sous cet aspect peu reluisant se cachent néanmoins une multitude d'effets positifs.

Le feu, ses causes et son importance

Au Québec, au cours de l'année 1990, il y a eu 851 incendies en forêt pour une superficie brûlée de 83 342 hec-
5 tares. Ces feux ont principalement lieu dans la forêt boréale et au cours des mois d'été. On reconnaît deux causes d'incendies en forêt : les sources d'allumage naturelles et les sources
10 artificielles. Ces dernières découlent en majorité d'erreurs humaines tandis que la foudre est la source des feux d'origine naturelle.

Le feu, un sylviculteur

En forêt boréale, on retrouve princi-
15 palement deux types de feux. Les feux de surface, moins dommageables pour les arbres, restent au niveau du sol, consomment la litière et la matière organique accumulées au fil des ans et s'attaquent aussi aux plantes
20 herbacées et aux arbustes. Les feux de couronne, pour leur part, atteignent une plus grande intensité en se propageant d'un arbre à

l'autre et en dévorant tout sur des kilomètres : feuilles, branches, matières organiques au sol et, parfois même, le tronc des arbres. Ils tuent la très grande majorité des arbres, induisant ainsi un remplacement total du peuplement. Certaines espèces arborescentes se sont très bien adaptées à vivre en interaction avec les feux. Les pins rouges et blancs (*Pinus resinosa* et *P. strobus*), par exemple, possèdent une écorce épaisse et peu de branches basses. Lors du passage d'un feu de surface intense, ils seront peu touchés et une cicatrice se formera là où le cambium a été endommagé. D'autres espèces, telles le pin gris (*Pinus banksiana*) et, dans une moindre mesure, l'épinette noire (*Picea mariana*), possèdent en majorité des cônes recouverts d'une cire. Ces cônes, dits sérotineux, renferment et protègent les graines. Ils les protègent tellement bien qu'il faut généralement la chaleur intense d'un feu pour les faire ouvrir et libérer les semences. En éliminant complètement le couvert forestier, le passage du feu réduit la compétition, augmente l'intensité lumineuse disponible et permet aux nouveaux semis de s'enraciner directement dans le sol minéral. Les jeunes semis d'espèces intolérantes à l'ombre (pin, peuplier, bouleau, etc.) en profiteront.

Deux espèces feuillues se retrouvent en abondance en forêt boréale, le peuplier faux-tremble (*Populus tremuloides*) et le bouleau à papier (*Betula papyrifera*). Ces deux espèces peuvent recoloniser un site à partir de zones préservées du feu grâce à une production abondante de graines transportées par le vent vers les sites brûlés. Mais ce qui fait leur force, c'est qu'elles peuvent aussi se régénérer végétativement après le passage de la perturbation. Cette régénération végétative consiste en des rejets issus de la souche pour le bouleau ou à partir des racines pour le peuplier faux-tremble. La régénération peut avoir lieu peu de temps après le passage du feu, leur conférant un avantage certain sur les espèces arrivant par graines. La régénération du peuplier par voie végétative donne lieu à l'apparition de clones (arbre ayant le même bagage génétique) pouvant couvrir plusieurs hectares.

Chez les plantes herbacées, plusieurs stratégies sont possibles. Les rhizomes et autres organes souterrains, en résistant au feu, demeurent en place pour recoloniser rapidement le milieu ; par exemple : aster à grandes feuilles (*Aster macrophyllus*). Certaines espèces opportunistes ont opté pour une grande production de graines dispersées par le vent. C'est le cas de l'épilobe à feuilles étroites (*Epilobium angustifolium*) qui envahit rapidement les milieux laissés ouverts par le passage du feu. En anglais, on la connaît d'ailleurs sous l'appellation de *fireweed*. D'autres espèces possèdent une banque de graines persistantes dans le sol. Ces graines peuvent s'accumuler durant des années et demeurer viables. À la suite de l'ouverture du milieu, l'augmentation importante de la quantité de lumière et parfois même le choc thermique stimuleront la germination ; par exemple : géranium de Bicknell (*Geranium bicknellii*).

Cône sérotineux sur un rameau de pin gris (*Pinus banksiana*). Une chaleur intense est généralement nécessaire pour permettre l'ouverture du cône, libérant ainsi les graines qui recoloniseront le territoire.

Le feu, un jardinier

L es feux de forêt sont souvent spectaculaires et peuvent transformer une forêt luxuriante en un désert de cendres. Paradoxalement, ce désert visuel se révèle

très riche en éléments nutritifs. Avant le passage
105 du feu, les éléments nutritifs nécessaires à la croissance des plantes sont principalement emmagasinés dans la biomasse végétale vivante, herbacées, arbustes et arbres. Ils retournent au sol par la chute des feuilles et se décom-
110 posent sous l'action des micro-organismes dans la litière. C'est cette décomposition qui remet les éléments nutritifs en circulation dans le système. Les sols acides et les températures froides de la forêt boréale ralentissent considérable-
115 ment cette décomposition. Le passage d'un feu rend tous les éléments nutritifs, ceux des plantes vivantes et ceux de la litière, disponibles pour la régénération.

Le feu, un architecte
120 *du paysage*

La forêt boréale, qui couvre 259 millions d'hectares au Canada, forme en fait une grande mosaïque de forêts de composition et d'âge variables. Certaines sec-
125 tions auront brûlé il y a 100 ans, d'autres il y a 40 ans et quelques-unes, il y a plus de 260 ans. En parcourant quelques kilomètres à vol d'oiseau, on peut traverser toute une panoplie de peuplements variés allant d'une jeune forêt
130 de peupliers faux-trembles à une vieille forêt de conifères. Cette forêt boréale, somme toute assez pauvre en espèces végétales en comparaison avec d'autres écosystèmes (par exemple : forêt tropicale) est en fait très diversifiée
135 spatialement.

Yves Bergeron est directeur du Groupe de recherche en écologie forestière (GREF) et professeur au département des sciences biologiques de l'UQAM.
Danielle Charron travaille au GREF comme assistante de recherche en dendroécologie.
Extraits de *Quatre-Temps*, vol. 19, n° 3, p. 24-26.

Par SERGE BEAUCHER

Être aux oiseaux

L'oiseau qui plantait des arbres

Le geai bleu, c'est l'Elzéard Bouffier des oiseaux. Vous vous rappelez ? L'homme qui plantait des arbres, dans le récit de Jean Giono[1]. Ou, si vous voulez, dans le dessin animé
5 qu'en a tiré Frédéric Back[2]. À force de planter des glands de chêne, le vieux Bouffier avait redonné vie à toute une vallée. Le geai bleu, lui, en semant des glands, aurait été le principal responsable de l'expansion nordique rapide des
10 chênes en Amérique du Nord, après le retrait des glaciers voilà une douzaine de milliers d'années. Et son rôle ne s'est pas arrêté là.

Ceux qui ont des mangeoires le savent : comme les écureuils, les geais bleus sont d'in-
15 fatigables thésauriseurs. Offrez-leur un sac d'arachides ; après en avoir avalé quelques-unes, ils auront tôt fait d'aller enfouir le reste un peu partout sur leur territoire. En forêt, ils font la même chose avec les glands et les faînes de
20 hêtres. Un seul oiseau disperserait ainsi quelques milliers de noix en une saison. Le geai, explique Michel Gosselin du Musée canadien de la nature, peut stocker des glands dans son œsophage pour les régurgiter sur le terrain de son choix.

1. Jean Giono (1895-1970) : écrivain français dont l'œuvre célèbre la nature et la vie paysanne.

2. Frédéric Back (né en 1925) : cinéaste d'animation, décorateur et réalisateur de films.

25 Combien de ces fruits, oubliés ou abandonnés là, finiront par donner naissance à de nouveaux arbres ? Une proportion infime sans doute, mais suffisante pour expliquer une partie de la reproduction des arbres. D'autant plus
30 que les oiseaux savent choisir les glands encore comestibles, donc viables, et qu'ils vont souvent les cacher aux lisières des forêts, où la croissance des jeunes plants sera favorisée.

Vite et loin

35 Contrairement aux arbres qui produisent des graines légères […], les chênes et les hêtres ne peuvent pas compter sur le vent pour disséminer leur descendance. Les noix
40 tombent au sol et, à moins d'une intervention extérieure, c'est là qu'elles germeront. Pas
45 question, par exemple, de coloniser un flanc de montagne à partir d'une
50 vallée.

Heureusement, il y a les écureuils et autres petits rongeurs, dont le rôle dans la reproduction des arbres à gros fruits est aussi reconnu. Mais ces mam-
55 mifères ne transportent jamais leur butin au-delà de quelques centaines de mètres. Et cela est insuffisant pour expliquer la rapidité avec laquelle toutes les espèces de chênes ont agrandi leur territoire vers le nord, lorsque la planète
60 a commencé à se réchauffer après la dernière période glaciaire.

C'est du moins ce que soutiennent deux biologistes américains, dans un article paru en 1989 dans le *Journal of Biogeography* (Oxford).
65 Selon eux, les chênes ont monté au nord aussi rapidement (en 5000 ans !) que les arbres à graines légères, et cela ne peut être dû qu'au geai bleu. Il n'est pas rare en effet que notre beau piailleur transporte ses fruits à plus de quatre
70 kilomètres avant de les enfouir. Multiplié par le nombre de glands, multiplié par le nombre de geais, cela donne un sacré coup de pouce vert à l'avancée d'une chênaie ! Les hêtres aussi ont profité du transport que leur offraient les geais,
75 mais comme ils étaient plus capricieux pour le climat, leur progression a été moins rapide.

Une autre poussée ?

Quant aux chênes, ils ont atteint leur limite de tolérance au froid et ont cessé leur
80 équipée nordique voilà bien longtemps. Même s'il y a des geais en petit nombre dans la forêt conifèrienne, ils n'ont pas été capables d'y emporter les feuillus avec eux.

Extraits adaptés de *Franc-Vert*, vol. 14, n° 5, octobre-novembre 1997, p. 13.

Le geai bleu, spécialiste de l'enfouissage de graines, serait à l'origine de la progression nordique des forêts de chênes.

PASCAL LAPOINTE
Agence Science-Presse

Que d'eau, que d'eau !

Ainsi donc, Tintin avait raison : il y a de la glace sur la Lune.

Et ça ne s'arrête pas là : au cours des dernières années, on a détecté de la vapeur d'eau, au milieu
10 d'un tas de composés chimiques moins sympathiques, dans les nuages de Jupiter ; de la glace sur deux autres
15 lunes de Jupiter ; dans les anneaux de Saturne ; sur des lunes de Saturne ; et sur des lunes d'Uranus. S'ajoutent à cela les comètes, en bonne partie composées de glace. Et enfin, Mars, sur laquelle de l'eau, jadis, a apparemment coulé à
20 torrents.

Plus spectaculaire encore : on a confirmé en 1997 la présence de vapeur d'eau dans notre Soleil ! Et les astronomes ont détecté des molécules d'eau voguant au sein de nuages inter-
25 stellaires, au plus profond du cosmos. Bref : il y a de l'eau aux quatre coins de l'Univers. Plus souvent qu'autrement, certes, cette eau est en fait de la glace — à moins 200 degrés Celsius, le contraire eût été étonnant ! Mais c'est tout de même
30 de la bonne vieille eau, comme la nôtre : H_2O, ce qui signifie deux atomes d'hydrogène liés avec un atome d'oxygène.

Mais pourquoi l'eau ? Qu'a donc ce « composé chimique » d'aussi spécial pour se retrouver
35 partout ? Et si l'eau est partout.. cela augmente-t-il les chances de mettre le doigt sur une forme de vie extraterrestre ?

Pourquoi de l'eau ?

Il faut d'abord se rappeler que l'un des deux
40 composants de l'eau, l'hydrogène, est l'élément le plus commun de l'Univers. On estime que l'hydrogène représente, à lui seul, 90 % des éléments chimiques présents dans l'Univers. La centaine d'autres éléments, de l'hélium à l'ura-
45 nium en passant par le mercure ou le fer, se partagent les 10 % qui restent.

Ce n'est pas tout : l'hydrogène a la particularité de créer facilement des liens avec les autres atomes. Cela donne, outre l'eau, des molécules
50 dont les astronomes trouvent des traces, là aussi, aux quatre coins du cosmos : ammoniac (hydrogène et azote), méthane et hydrocarbures (hydrogène et car-
55 bone). Les chimistes ont même un nom pour ce lien : le « pont-hydrogène ».

L'oxygène est lui aussi très « sociable ». Il s'associe, par
60 exemple, avec les métaux (fer, aluminium, magnésium, etc.) : cela donne les oxydes. Il se lie d'amitié avec l'hydrogène. Et le résultat, c'est
65 l'eau. Donnez à ces molécules d'eau, ou plutôt de glace, quelques milliards d'années, et vous les retrouvez agglutinées à des grains
70 de poussière se baladant dans le cosmos. Rassemblez ces grains dans un immense nuage de gaz et de poussières, et vous verrez celui-ci se contracter sous l'effet de la gravité, et donner naissance aux planètes
75 et à leurs lunes — chacune avec sa cargaison de glace.

Structure moléculaire d'une goutte d'eau gelée. Chaque molécule d'eau est constituée d'un atome d'oxygène (bleu clair) et de deux atomes d'hydrogène (blanc). Lorsque l'eau est gelée, les molécules forment un cristal ; c'est pourquoi on peut voir sur la photo l'hydrogène et l'oxygène reliés par un lien bleu foncé.

Extraits de *La Presse*, 15 mars 1998, p. B 12.

La vie de château

OLIVIER FÈVRE

Pas de poutres ni de mortier… Rien que de l'eau. Et pourtant il tient bon. Qu'est-ce qui assure la solidité d'un château de SABLE ?

5 Quelle est la première chose qu'apprend un enfant armé d'une pelle et d'un seau sur la plage ? Qu'il vaut mieux utiliser de l'eau pour bâtir un château de sable. D'accord, ça paraît évident : le sable sec vous glisse désespérément entre les 10 doigts. Tandis qu'avec du sable mouillé, vous pouvez espérer sculpter le château de Versailles, voire la tour Eiffel. Oui, mais pourquoi ? Quel est le secret de la cohésion du sable humide ?

C'est ce que viennent justement de découvrir 15 Peter Schiffer et Albert-Laszlo Barabasi, deux chercheurs américains de l'université de Notre-Dame (Indiana).

Pour obtenir des mesures très précises, ils ont monté une expérience avec des ingrédients plus 20 adaptés. À la place des grains de sable, trop irréguliers et de tailles variables, ils ont ainsi utilisé de minuscules billes de polystyrène d'à peine 0,8 mm de diamètre. De même l'eau, qui a une fâcheuse tendance à s'évaporer à tout bout 25 de champ, a été remplacée par de l'huile. Enfin, clou du dispositif : un seau. Pas pour faire des pâtés ! Mais pour mesurer précisément « l'angle de repos ». Traduisez : la pente maximale selon laquelle une matière granuleuse — sable, 30 sucre en poudre, farine, etc. — reste stable.

Une fois les ingrédients réunis, les chercheurs ont versé les micro-billes dans le seau, ajouté une 35 infime quantité d'huile, mélangé le tout pour répartir l'humidité… puis percé un petit trou au fond du seau. En s'écoulant 40 par l'orifice, les grains ont donc formé un cratère dont les scientifiques ont pu 45 mesurer le fameux angle

de repos *(voir dessin ci-dessous)*. Et en répétant plusieurs fois l'expérience, ils ont découvert que la pente augmentait proportionnellement à la

50 quantité d'huile ajoutée. Par quel mystère ? C'est le microscope qui l'a révélé : l'huile (ou l'eau) crée en fait de petits « ponts » stabilisateurs qui relient chaque grain à ses voisins. Et une infime quantité de liquide permet de renforcer la cohésion :

55 un pont de 10 millionièmes de millimètre d'épaisseur suffit ! Ensuite, les ponts s'avèrent d'autant plus solides que l'humidité augmente. Mieux, au-delà de 30 millionièmes de millimètre d'épaisseur, « les grains cessent soudain de se

60 comporter individuellement, et se groupent en masse compacte », explique Peter Schiffer. Autrement dit, les petits ponts deviennent suffisamment solides pour qu'on puisse sculpter un tas de sable… sans craindre qu'il ne s'effondre. À ce

65 stade, augmenter encore la quantité de liquide n'apporte rien : l'eau excédentaire se contente d'envelopper les grains. Et au maximum d'humidité — c'est-à-dire juste avant que le sable ne soit complètement noyé dans le liquide et perde

70 sa forme compacte — seule une goutte d'eau sur mille sert effectivement à jeter des ponts entre eux ! Ce qui explique aussi pourquoi les pâtés peuvent rester longtemps intacts en plein Soleil. Car l'évaporation pompe surtout l'eau excédentaire, lais-

75 sant durablement les ponts intacts.

Alors, au prochain concours de châteaux de sable, n'oubliez pas le compte-gouttes !

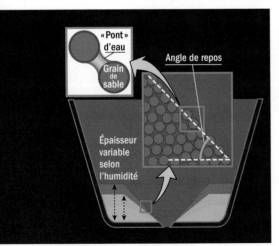

Plus le sable est humide, plus les grains forment une pente raide : l'« angle de repos ». Le secret de cette stabilité ? De minuscules « ponts » d'eau qui relient les grains deux à deux !

Science & Vie Junior, n° 95, août 1997, p. 30.

Arcs-en-ciel

Éblouissant,
éphémère,
longtemps perçu
comme magique,
5 l'arc-en-ciel
n'a trouvé
son explication
scientifique
qu'à la fin
10 des années 1660.

Arc-en-ciel : illustration parue dans un manuel scolaire français datant de 1890.

Au cours d'une expérience classique, Newton a montré qu'un rai de lumière passant à travers un prisme en verre était réfracté et décomposé en un spectre de

15 couleurs. Il en a déduit que la lumière blanche était en réalité la combinaison de toutes les couleurs du spectre visible. Cette expérience a permis d'expliquer la formation de l'arc-en-ciel : les gouttes de pluie forment des millions de

20 prismes minuscules qui diffractent les rayons du Soleil dans leurs couleurs successives.

Quand la lumière rencontre une goutte de pluie, elle la traverse presque entièrement, mais la lumière qui borde la goutte de pluie est réfrac-

25 tée dans les couleurs du spectre, puis réfléchie deux fois à l'intérieur de la goutte. Cette réfraction de la lumière place la goutte de pluie à un angle d'environ 42° par rapport aux rayons projetés. Chaque couleur apparaît dans un angle

30 légèrement différent, selon sa fréquence.

On ne peut voir qu'une couleur à la fois dans une goutte de pluie, en fonction de l'angle d'où on l'observe. L'observateur au sol voit à la fois

la réfraction et la réflexion de la

35 lumière à partir de millions de gouttes qui forment des bandes de couleurs différentes : du rouge, avec la plus grande longueur d'onde, à l'extérieur, jusqu'au vio-

40 let à l'intérieur.

L'arc-en-ciel dépend du mouvement des gouttes de pluie et de la position du Soleil et de l'observateur au sol. Du fait de ces varia-

45 bles, il n'y a pas deux personnes qui voient le même arc-en-ciel.

L'arc-en-ciel est plus grand quand le Soleil est proche de l'horizon. Plus le Soleil est haut,

50 plus l'arc-en-ciel est plat, jusqu'à ce que le Soleil s'élève à plus de 42° au-dessus de l'horizon, au moment même où disparaît l'arc-en-ciel. S'il n'y avait pas

55 l'horizon, l'arc-en-ciel formerait un cercle complet, comme on l'observe parfois d'avion.

60 Comme la formation des arcs-en-ciel dépend de la proximité du Soleil par rapport à l'horizon,

65 ces derniers se produisent plus souvent le matin et l'après-midi qu'en milieu de journée. Ils sont aussi plus fréquents en hiver qu'en été, et à de hautes ou

70 moyennes latitudes que sous les tropiques.

ARCS-EN-CIEL

Très répandus, surtout le matin et l'après-midi

◆

Rayon angulaire à 42° au-dessus de l'horizon

◆

Réfraction et réflexion des rayons solaires par des gouttes de pluie

◆

Alternance d'averses et de ciel clair

Extraits de *Guide pratique de la météorologie*, Paris, Sélection du Reader's Digest, 1996, p. 256-257 ; traduction de *The Nature Company Guides : Weather* © Weldon Owen Pty Ltd.

Baie ensablée de la rivière Saguenay (Québec).
Sables mouvants ? Difficile à dire…

LES SABLES MOUVANTS

DAVID POUILLOUX

En bord de mer, sur les rives d'un fleuve ou près d'un marécage :
5 les sables mouvants sont des **pièges mortels.** Explication de leur **appétit.**

La mort jaune rôde.
10 Moult explorateurs, soldats, scientifiques, touristes et autres aventuriers pourraient en témoigner. S'ils
15 n'avaient été englou-tis. Les sables mou-vants existent. Où ça ? Quasiment partout. La planète n'en est certes pas couverte comme la Lune de cratères. Mais les
20 sables avaleurs sont légions. De la France à la Chine, de la Finlande au Cameroun. Qu'importe le climat (tempéré, continental, polaire ou tro-pical), pourvu qu'on ait les ingrédients de base : du sable et de l'eau. Néanmoins, vous avez pu
25 le constater sur les plages, tout sable humide ne se goinfre pas de baigneurs. Car pour faire un bon sable mouvant, il faut des conditions bien spéciales.

Dans les années cinquante, le professeur
30 Ernest Rice Smith, un géologue américain, prit sa pelle et son seau, et remplit ce dernier d'une bonne louche de sables mouvants. Ses

conclusions : ni la forme des grains, ni la présence de vase ne sont responsables du phénomène,
35 tout est question d'eau. Et l'important, ce n'est pas que le sable soit humide — on peut rouler avec un 32 tonnes sur la majorité des plages sans risquer l'engloutissement —, mais c'est la façon dont l'eau mouille les grains.

40 Le meilleur dispositif pour expliquer les sables mouvants sera conçu par l'un de ses collègues, le professeur Jorj Ostenberg. Le dispositif com-prenait un immense bac rempli de sable où arrivaient et repartaient des conduites d'eau.
45 On pouvait faire circuler le liquide du bas vers le haut du bac, ou l'inverse. Bourrée de plomb afin que sa densité (rapport de son volume sur sa masse) soit proche de celle du corps humain, une poupée servait de cobaye, allongée ou debout
50 sur le sable.

Miracle : quand l'eau part du fond du réser-voir vers la surface, le pantin de chiffon et de plomb coule à pic. Pourquoi sombre-t-il ? En fait, l'eau, en remontant, écarte les grains les uns des
55 autres. Chacun sur son coussin d'eau, les grains de sable n'ont plus aucune cohésion entre eux.

Et plus les grains sont fins, moins le sable a besoin d'eau pour devenir mouvant! Dans la nature, le courant ascendant peut être l'eau d'une
60 source.

En théorie, il est possible de flotter sur les sables mouvants : leur densité (autour de 1,8) est supérieure à celle du corps humain (proche de
65 1). Pourtant, on coule. Le mode de circulation de l'eau et du sable expliquerait la chute fatale *(voir dessin ci-dessous).*

Il existe d'autres sables mouvants — beaucoup plus rares et dans les déserts —, sans eau mais avec de l'air. Là, les grains de sable ne sont pas
70 en suspension. Ils se touchent, forment des voûtes et des trous. Des études récentes, menées par le physicien américain R. A. Bagnold, ont montré que des grains suffisamment fins (10 à 20 microns, autour de 1/100 à 1/50 de mm de
75 diamètre) pouvaient former, en se déposant au hasard, un véritable gruyère de sable. Pleine

d'air, à la moindre pression du pied, cette véritable poudre s'effondre sur elle-même comme un château de cartes. La poudre se tasse sous les
80 pieds du marcheur qui s'enfonce dans le désert.

DRÔLE D'ÉTAT

Le sable n'est ni vraiment un solide, ni vraiment un liquide. Encore moins un gaz. C'est un matériau granulaire, comme le blé ou la poudre à canon. Les physiciens parlent ainsi souvent d'un état particulier de la matière, l'état granulaire.

Les matériaux en grains ont un comportement étrange. Parfois digne d'un solide : suffisamment stables, ils peuvent, par exemple, porter un corps plus dense qu'eux (une boule de pétanque en acier ne coule pas dans du sable sec ou de la farine de maïs !). Et parfois digne d'un liquide : ils s'écoulent, comme l'eau, l'huile ou l'alcool. Regardez les grains de café. Quant aux sables mouvants, les physiciens parlent de «solides liquéfiés» ! Encore un autre état.

Certains sédiments gorgés d'eau (sable ou vase) sont dits «thixotropes» : ils peuvent perdre pendant quelques secondes leur capacité portante en devenant «fluides», lors d'un choc ou d'une vibration (séisme, par exemple). Au-dessus, les maisons vacillent et s'enfoncent.

Sable mouillé

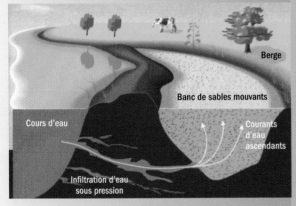

Un cours d'eau, souterrain et sous pression, entraîne les grains de sable du bas vers le haut ; par gravité, ils retombent et se trouvent à nouveau entraînés par la pression (dessin de droite). En surface, le sable mouvant peut être recouvert d'un film d'eau ou former une croûte en apparence solide.

La poupée qui sombre

Poupée lestée de plomb ayant la densité du corps humain

Trop-plein d'eau

Courant ascendant

Courant descendant

Expérience de JORJ OSTENBERG (schéma de principe)

Cette expérience expliquerait les sables mouvants. Avec la circulation de l'eau et du sable selon un mouvement de convection (courant ascendant, puis courant descendant), la poupée est entraînée vers le fond du bac. Debout ou allongée, elle coule. Mais dans la position horizontale, son poids est réparti sur une surface plus grande, ce qui ralentit le processus de chute. Un promeneur pris dans les sables mouvants aura donc intérêt à s'allonger.

Arrivée d'eau — Milieu du bac : le sable et l'eau redescendent. La poupée est «aspirée» vers le fond.

Extraits de *Science & Vie Junior*, n° 96, septembre 1997, p. 68-69.

Les pouvoirs stupéfiants de la lumière

La lumière visible est constituée de toutes les couleurs de l'arc-en-ciel. Chacune d'elles a une gamme de longueurs d'onde distincte. Celles du rouge et
5 du violet sont respectivement d'environ 700 et 400 nanomètres (ou milliardièmes de mètre). Les autres couleurs visibles se situent entre les deux.

Nous ne pouvons voir ni les rayons infrarouges
10 ni les rayons ultraviolets, dont les longueurs d'onde sont supérieures au rouge pour les premières, et inférieures au violet pour les secondes. Ces deux catégories sont néanmoins très impor-
15 tantes. La longueur d'onde des infrarouges, qui dégagent de la chaleur, va de 700 nanomètres à près de 1 mm. De 1 mm à environ
20 10 cm, on trouve les micro-ondes, utilisées non seulement dans les appareils ménagers, mais aussi dans les radars et de nombreux
25 dispositifs de télécommunication, notamment les relais de télévision.

La lumière ultraviolette, parfois appelée lumière noire, peut tuer les microbes, donner des coups de soleil et rendre certains matériaux fluo-
30 rescents, en différentes couleurs (notamment des encres spéciales utilisées en imprimerie et dans le textile, des minéraux et des phosphores). Cette propriété permet des effets spéciaux au théâtre : tout est noir, mais les objets fluores-
35 cents exposés aux ultraviolets émettent une lueur fantomatique.

Les rayons X, dont la longueur d'onde est inférieure, traversent plus facilement les muscles et les viscères que les os, ce qui permet de
40 diagnostiquer les fractures, mais aussi dans l'industrie de contrôler l'état interne des pièces mécaniques. Les rayons gamma, plus courts encore, peuvent traverser un mur de béton de 1 m d'épaisseur.

45 Ces différentes formes de lumière se déplacent toutes à environ 300 000 km/s.

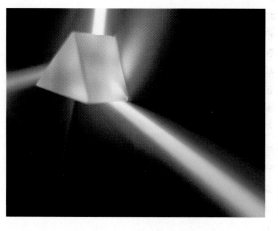

Un rayon de lumière blanche décomposé par un prisme révèle un arc-en-ciel. Chaque couleur a une longueur d'onde différente, le rouge ayant la plus longue, et le violet la plus courte.

Extraits de *Tous les pourquoi du monde*, © 1995, Sélection du Reader's Digest (Canada) Ltée, Montréal, p. 72, reproduits avec autorisation.

Aurore polaire...

... Le cinéma des ours blancs

Par Ève Christian

Qu'est-ce qu'une aurore polaire ?

Les aurores polaires 5 ne dépendent aucunement de l'activité humaine, mais plutôt de celle du Soleil et du champ magnétique terrestre !

10 L'aurore n'est pas, comme on l'a cru longtemps (jusqu'à il y a 70 ans), causée pas la réflexion de la lumière solaire sur les glaces de l'Arctique.

Toutefois, c'est effectivement le Soleil qui est responsable des aurores polaires. En effet, la 15 surface turbulente du Soleil rejette dans l'espace des atomes et des particules subatomiques (protons, électrons). Lors de violentes tempêtes solaires, une grande quantité d'électrons et de protons issus du Soleil arrivent dans l'atmo- 20 sphère terrestre et excitent les atomes d'oxygène et d'azote. Ces derniers deviennent subitement lumineux et produisent les magnifiques voiles (rubans ou rideaux) de lumière colorée que sont les aurores polaires. On les nomme *polaires* 25 parce que les particules subatomiques, une fois arrivées dans l'atmosphère terrestre, sont prises au piège par le champ magnétique qui les force à se diriger vers les pôles magnétiques nord (*aurore boréale*) et sud (*aurore australe*).

30 L'aurore a la forme d'une mince bande elliptique — l'ovale auroral — dont la grandeur dépend de l'activité solaire : plus le Soleil est « silencieux » et le vent solaire calme, moins l'ovale est grand ; au contraire, plus le vent solaire 35 frappe le champ magnétique terrestre avec force et rafale, plus l'aurore s'élargit et s'étend.

Le vent solaire est particulièrement fort et dense lorsqu'il provient des régions actives du Soleil, comme les taches ou les protubérances 40 solaires.

Historique des aurores polaires

En 593 avant J.-C., le 45 grec Anaximène aurait aperçu des « nuages de gaz enflammé ». Il semble bien qu'il s'agissait d'une aurore polaire. Vers le 15e siècle, les astronomes chinois avaient 50 remarqué les taches solaires.

Au 17e siècle, Galilée aurait été le premier à utiliser l'expression « aurore boréale » pour nommer ce phénomène, mais il semble qu'il n'en avait pas encore trouvé l'explication. Il avait remarqué les taches solaires (taches sombres, plus froides que le reste de la surface solaire, dont le champ magnétique est très élevé).

Au cours du 19ᵉ siècle, quelque 27 théories scientifiques ont tenté d'expliquer, sans succès, le phénomène des aurores. Certains astronomes avaient toutefois associé les taches solaires aux aurores qui étaient anormalement intenses.

Au cours de la première moitié du 20ᵉ siècle, un Norvégien, Olaf Birkeland, a associé les aurores à des courants électriques créés dans l'atmosphère par des particules solaires.

Depuis les 30 dernières années, les instruments de mesure par satellites ont permis de comprendre la relation de cause à effet entre les taches solaires et les aurores. Plus les taches sont nombreuses, plus les aurores deviennent visibles.

Couleur des aurores polaires

Certaines aurores sont rouges avec un soupçon de vert, de bleu, de jaune et de blanc. Mais de façon plus générale, les aurores paraissent blanchâtres avec quelques reflets verts et rarement des reflets rougeâtres. Mais à cause de la faible luminosité des aurores et de la noirceur de la nuit, notre œil perçoit mal les couleurs. Dans le sud du Canada et dans le nord des États-Unis, on observe surtout des aurores boréales de couleur verte.

Quand et où observe-t-on les aurores boréales ?

Nulle saison ne privilégie la fréquence des aurores boréales. On peut les voir à n'importe quelle époque. Elles sont toutefois plus fréquentes environ tous les 11 ans, ce qui correspond au maximum d'activité des taches solaires. Cependant, comme elles ne sont visibles que la nuit, on a plus de chance de les voir l'hiver et plus fréquemment autour de minuit (en fait, entre 22 heures et 3 heures du matin). Si par hasard, on observe une aurore tôt en soirée, il est fort possible qu'une autre suivra quelques heures plus tard.

Les aurores polaires peuvent enflammer le ciel pendant plusieurs minutes et même parfois pendant plusieurs heures. Le plus souvent, elles surgissent dans la direction du nord, mais de pâles rubans lumineux traversent parfois le ciel d'est en ouest.

Les aurores polaires et les légendes

Les aurores ont toujours inspiré les êtres humains. Dans les pays nordiques, le folklore regorge de croyances et légendes à ce propos.

Les shamans inuits du centre du Canada, par exemple, prétendaient effectuer des voyages spirituels au sein des aurores pour y puiser des conseils sur le traitement des malades.

Selon les cultures, les aurores peuvent être associées à la mort, à la fécondité, à la chance ou au malheur.

Un mythe algonquin raconte que, lorsque le créateur de la Terre (Nanahbozho) eut fini son travail, il a voyagé vers le nord, endroit où il habite. Il y ferait de grands feux pour rappeler aux gens qu'il ne les oublie pas. Les aurores seraient le reflet de ces feux.

Irisation

L'irisation apparaît sous forme de taches de couleur irrégulières dans les nuages de moyenne altitude autour du Soleil ou de la Lune. C'est en quelque sorte une couronne partielle ou imparfaite,
5 qui est due au phénomène de diffraction de la lumière sur les gouttes de pluie.

Les couleurs d'une irisation dépendent de la grosseur des gouttes à l'intérieur du nuage et de l'angle où se place l'observateur. Le bleu, qui forme l'anneau intérieur de la couronne, est la couleur dominante, mais le rouge et le vert sont aussi visibles. Les couleurs sont d'autant plus vives que les gouttes d'eau dans le nuage sont nombreuses et qu'elles sont de taille
10 identique. Comme pour les couronnes, ce sont les petites gouttes uniformes qui produisent les plus beaux effets optiques, et ce sont, par conséquent, les altostratus ou les altocumulus nouvellement formés qui offrent les meilleures conditions d'irisation.

15 Bien qu'inhabituelle, l'irisation se produit un peu partout dans le monde, mais elle est plus fréquente en hiver au-dessus des montagnes.

IRISATIONS

Rares apparitions mais très répandues ; très fréquentes en hiver au-dessus des montagnes

◆

Associées en général à des nuages de moyenne altitude

◆

Diffraction de la lumière venant du Soleil ou de la Lune

◆

Temps variable associé à de minces altostratus ou altocumulus

Extraits de *Guide pratique de la météorologie*, Paris, Sélection du Reader's Digest, 1996, p. 259 ; traduction de *The Nature Company Guides : Weather* © Weldon Owen Pty Ltd.

Irisation avec presque toutes les couleurs du spectre.

COURONNES

Une couronne est formée d'un ou plusieurs disques lumineux, qui apparaissent occasionnellement autour du Soleil ou de la Lune. Elle se produit quand
5 ces derniers sont voilés par une mince couche nuageuse composée de gouttelettes d'eau.

La couronne est due à une légère diffraction — dévia-
10 tion des rayons lumineux au voisinage d'un corps opaque. Ce phénomène entraîne la dispersion des couleurs qui donnent une
15 lumière blanche, car chacune d'elles a une longueur d'onde et des angles différents. Ce sont les gouttes d'eau qui diffractent la lumière à travers le nuage, donnant ainsi
20 naissance à une couronne.

Couronne autour du Soleil.

La diffraction de la lumière bleue, la plus importante, apparaît à l'intérieur de la couronne, tandis que le rouge est à l'extérieur. L'orange, le jaune et le vert sont visibles dans des couronnes
25 brillantes, mais le bleu et le rouge sont les couleurs prédominantes. On voit parfois plusieurs anneaux qui pâlissent à mesure qu'ils s'éloignent du centre. Il est préférable d'observer une couronne quand la lumière vient de la Lune
30 plutôt que du Soleil, dont l'éclat a tendance à masquer les effets subtils de la diffraction.

Extraits de *Guide pratique de la météorologie*, Paris, Sélection du Reader's Digest, 1996, p. 258 ; traduction de *The Nature Company Guides : Weather* © Owen Pty Ltd.

PARHÉLIES

Les parhélies, que l'on appelle aussi faux soleils, apparaissent sous l'aspect de

Sous les climats polaires, comme dans l'Antarctique, les cristaux de glace qui se forment près du sol peuvent produire des parhélies.

5 deux points lumineux incolores, situés de chaque côté du Soleil, ce qui donne l'impression étrange de voir trois Soleils dans le ciel. Ils surgissent souvent en même temps qu'un halo de 22° et se développent dans les mêmes conditions.
10 Ce phénomène est dû au passage des rayons solaires dans un voile de cristaux de glace qui se trouvent à l'intérieur de cirrus ou qui tombent aux étages inférieurs. Les parhélies ne se produisent que lorsque les cristaux de glace hexagonaux sont orien-
15 tés dans le sens horizontal — les côtés larges et plats tournés vers le bas —, de sorte qu'il en faut une grande quantité pour que dure un parhélie. Une fois bien développés, les deux parhélies peuvent sembler légèrement teintés de rouge à l'intérieur et de
20 bleu à l'extérieur. Il n'y a parfois qu'un seul faux soleil, ou l'un est beaucoup plus éclatant que l'autre.

Parfois, les parhélies prennent de l'altitude avec le Soleil en cours de journée, bien qu'ils ne soient visibles que jusqu'à un angle de 45° au-dessus de
25 l'horizon. Une fois que le Soleil s'est élevé à cette altitude, la lumière réfractée est invisible pour l'observateur au sol.

Extraits de *Guide pratique de la météorologie*, Paris, Sélection du Reader's Digest, 1996, p. 261 ; traduction de *The Nature Company Guides : Weather* © Owen Pty Ltd.

L'eau vive ne gèle pas

En hiver, regardez donc une rivière dont le courant est rapide. Ses rives ont beau être enneigées et ses bords couverts de glace, elle coule toujours aussi vite en son centre. Il y a trois raisons à cela. D'abord, un courant rapide contient davantage d'air qu'un courant lent. Cela abaisse son point de congélation, comme le ferait d'ailleurs n'importe quelle autre substance dissoute dans l'eau, par exemple le sel. C'est pour cette raison que la mer gèle plus lentement et que l'on sale les routes en hiver pour empêcher le verglas. D'autre part, l'eau vive a tendance à briser les cristaux de glace à mesure qu'ils se forment. Si l'eau du bord des rivières gèle la première, c'est parce qu'elle stagne. Enfin, l'eau coule sous l'effet d'une énergie produite soit par la force de gravitation, soit par une hélice ou une pagaie. On peut tirer profit de cette agitation pour augmenter sa température : si vous la brassez vigoureusement, l'eau se réchauffera, mais cela exige beaucoup d'efforts. De l'eau tombant en cascade sera sans doute légèrement moins froide que celle contenue dans un creux de rocher voisin. Par grand froid, vous n'aurez plus besoin d'un thermomètre pour le vérifier : l'eau du creux de rocher sera gelée, mais pas la cascade.

Extrait adapté de *Tous les pourquoi du monde*, © 1995, Sélection du Reader's Digest (Canada) Ltée, Montréal, p. 61, reproduit avec autorisation.

En hiver, une rivière ne gèlera pas si son débit est rapide, car son énergie la réchauffe.

Les couleurs du ciel

Les couleurs changeantes du ciel résultent de l'interaction de la vapeur d'eau et des particules de poussière
5 **en suspension dans l'atmosphère avec les couleurs de la lumière solaire.**

La diffusion de la lumière est la cause à la fois du bleu du ciel et de la blancheur des nuages. Dans le cas des nuages, les gouttelettes d'eau diffusent pareillement toutes les couleurs du spectre ; la lumière blanche est ainsi reconstituée, et les nuages apparaissent blancs.

Les couleurs sous la forme de pigments n'existent pas dans le ciel. En fait, les
10 couleurs que nous y voyons résultent de phénomènes physiques tels que la diffusion, la réfraction et la diffraction de la lumière solaire par des particules dans l'atmosphère.

Couleur et lumière
Les rayons solaires se
15 propagent dans le système solaire sous forme d'ondes rectilignes invisibles. Cette lumière « blanche » est un mélange des couleurs de la partie visible du spectre électromagnétique : rouge, orange, jaune, vert,
20 bleu, indigo et violet. Chaque couleur du spectre visible se propage avec une longueur d'onde distincte : le rouge et l'orange ont les plus longues longueurs d'onde, tandis que l'indigo et le violet ont les plus courtes. Quand la
25 lumière solaire frappe l'atmosphère, chaque type de longueurs d'onde est diffusé dans une direction distincte par les particules de poussière et les molécules d'air. Les ondes les plus courtes, le violet et l'indigo, sont diffusées
30 plus efficacement que les ondes plus longues, comme l'orange et le rouge. Un mélange de violet, d'indigo, de bleu, de vert et une petite fraction des autres couleurs sont diffusés dans tout le ciel. Le résultat est ce bleu ciel si fami
35 lier. La nuance exacte de ce bleu varie suivant la quantité de poussières et de vapeur d'eau dans l'air. Les gouttes d'eau et les poussières amplifient la diffusion, augmentant la proportion de vert et de jaune et faisant virer le ciel
40 au bleu plus clair. C'est pourquoi le ciel estival des pays européens, densément peuplés, est plus pâle que celui des vastes contrées peu peuplées d'Australie et d'Afrique.

45 La couleur des nuages
Les nuages sont blancs car toutes les couleurs du spectre sont diffusées par les gouttelettes d'eau dont ils sont formés et que le mélange des
50 couleurs diffusées reconstitue la lumière blanche. Si la lumière ne peut les traverser jusqu'à l'observateur, ou si un autre nuage projette son ombre dessus, les nuages paraissent gris.

Le bleu du ciel L'atmosphère diffuse les couleurs de la lumière solaire une à une, en commençant par l'extrémité violette du spectre visible. Quand le Soleil est haut dans le ciel, seuls le violet, l'indigo, le bleu et un peu de vert sont diffusés, donnant un ciel bleu.

Les couchers de soleil rouges Quand le Soleil est bas sur l'horizon, le chemin parcouru par sa lumière dans l'atmosphère est plus long, et les couleurs jaune, orange et rouge sont intensément diffusées à proximité du sol.

Extrait de *Guide pratique de la météorologie*, Paris, Sélection du Reader's Digest, 1996, p. 56-57 ; traduction de *The Nature Company Guides : Weather* © Weldon Owen Pty Ltd.

Pourquoi le ciel change-t-il de couleur lorsque le Soleil se couche ?

Réponse de Michel Cabane, physicien-planétologue, maître de conférences à l'Université Pierre-et-Marie-Curie, à Paris

« Le soir, lorsque le Soleil se couche à l'horizon, nous ne percevons que la composante rouge de ses rayons. Pour comprendre ce phénomène, il faut savoir que la lumière est formée d'une superposition d'ondes électromagnétiques de différentes couleurs, qui se distinguent les unes des autres par leurs différentes longueurs d'onde. Notre œil perçoit les longueurs d'onde comprises entre 0,4 micromètre pour le violet à 0,8 micromètre pour le rouge. Mais il ne peut les voir quand elles sont mélangées, ce qui donne la sensation de lumière blanche. Ce phénomène est identique à celui qui se produit lorsqu'on regarde un disque peint avec toutes les couleurs de l'arc-en-ciel, et que celui-ci tourne à très grande vitesse : la rétine ne peut plus distinguer les teintes et on ne voit plus que du blanc.

La diffusion des couleurs naît de la rencontre de la lumière et de la matière

Lorsque l'onde électromagnétique rencontre de la matière, elle est absorbée puis réémise dans toutes les directions, ce que l'on appelle la diffusion. Quand l'objet éclairé est massif, comme la majorité des objets constituant notre environnement visuel, l'onde électromagnétique est diffusée dans une direction privilégiée, ce qui permet à notre rétine de créer une sensation de vision de l'objet.

Les phénomènes de diffusion se manifestent tout autrement quand la lumière traverse notre atmosphère formée de molécules de très petites tailles, de l'ordre du milliardième de mètre. La réémission de l'onde absorbée obéit alors à une autre loi physique, la loi de Rayleigh, qui implique fortement la longueur d'onde : une molécule éclairée en lumière bleue diffusera ainsi seize fois plus le rayon lumineux que si la lumière qui l'éclaire est rouge.

Résultat : lorsqu'un rayon solaire, qui est constitué des différentes couleurs du prisme, traverse les 10 kilomètres qui composent notre atmosphère, c'est sa composante bleue qui va être vue par les observateurs, puisqu'elle sera réémise seize fois plus par les particules atmosphériques que sa composante rouge. Voilà pourquoi le ciel est bleu la plus grande partie de la journée.

En revanche, le soir, les rayons du Soleil traversent, pour nous atteindre, une épaisseur atmosphérique de plusieurs centaines de kilomètres. Leur lumière bleue, à force d'être diffusée, ne nous parvient plus. Résultat : nous voyons un ciel rouge, "dépouillé", de notre point de vue, de sa composante bleue. »

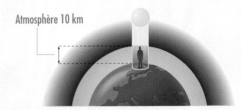

Atmosphère 10 km

Dans la journée, lorsque le Soleil est au zénith, nous ne percevons que la composante bleue du rayonnement solaire.

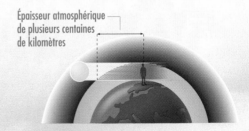

Épaisseur atmosphérique de plusieurs centaines de kilomètres

En revanche, lorsque le Soleil se couche à l'horizon, les rayons solaires traversent plusieurs centaines de kilomètres pour nous atteindre. À force d'être diffusée, la lumière bleue ne nous parvient plus et le rouge devient visible.

Propos recueillis par Pedro LIMA
Extrait du magazine scientifique *Eurêka*,
Numéro spécial—« Vos 100 questions de science »,
Hors-série 1997, p. 62.

Les tourbillons de vent

Des petits tourbillons de poussière jusqu'aux plus violents d'entre eux : les tornades.

5 Les vents tourbillonnaires comprennent les trombes d'eau, les tourbillons de poussière et, bien sûr, les tornades. Tous se caractérisent par une colonne d'air en rotation, mais ils se forment de diverses façons. Les tourbillons de 10 poussière et les faibles vents tourbillonnants sont créés par un échauffement local intense du sol entraînant l'ascension de l'air, tandis que les tornades résultent de l'interaction de courants aériens chauds et froids en altitude 15 et sont toujours associées à des orages sérieux.

Terribles tornades

Les tornades sont, de loin, les vents tourbillonnaires les plus caractéristiques et les plus destructeurs. Leur vitesse peut dépasser 20 500 km/h. Elles ravagent tout sur leur passage, arrachant de gros objets comme des toits et des voitures, et les emportant dans les airs ; elles constituent une réelle menace.

C'est aux États-Unis et en Australie que les 25 tornades sont le plus fréquentes, mais elles surviennent également parfois dans d'autres régions, comme au Canada et en France, où on en recense 100 par an.

La formation d'une tornade

30 Les tornades se développent toujours à partir d'orages violents [...]. Le mouvement tourbillonnaire s'amorce habituellement quand des vents de haute altitude soufflant plus fort et dans une direction différente de celle des 35 vents de basse altitude provoquent la rotation de l'ensemble du système orageux. Tout objet en rotation accélère cette dernière lorsqu'il est étiré suivant son axe de rotation.

Aussi, à mesure que la dépression de la zone 40 principale de courants ascendants de l'orage attire à elle des vents, ceux-ci tourbillonnent de plus en plus vite.

Dans certains cas, la rotation est amplifiée par une puissante colonne d'air ascendant et 45 tourbillonnant au cœur de la tempête. Ce méso-cyclone est causé par l'interaction de courants aériens chauds et froids dans une zone donnée de l'orage. Parfois, le mésocyclone engendre un nuage annulaire à la base du nuage d'orage, 50 signe indéniable de tornade en formation.

À mesure que le mouvement tourbillonnaire au centre de la tempête s'accélère, il commence à se frayer un chemin le long du courant ascendant principal en direction du sol. Pour 55 comprendre ce processus, imaginez que vous

L'échelle de Fujita

Cette échelle fournit la mesure de la force d'une tornade. Elle a été développée en 1981 par le Dr Theodore Fujita, de l'université de Chicago, qui étudie les tornades depuis des décennies.

Force	Vitesse des vents (km/h)	Niveau des dommages
F0	60-110	Léger
F1	110-170	Modéré
F2	170-240	Considérable
F3	240-320	Sévère
F4	320-410	Dévastateur
F5	supérieure à 410	Exceptionnel

tenez un élastique tendu verticalement. Si vous tordez en vissant le haut de l'élastique, vous verrez les torsions se déplacer vers le bas. Finalement, une colonne d'air en rotation rapide
60 émerge de la base du nuage. Cette colonne peut devenir visible sous la forme d'un nuage en entonnoir si la pression y est assez basse pour qu'il y ait condensation.

Quand l'entonnoir (ou tuba) touche le sol, la
65 tornade est complètement opérationnelle. Ses contours seront soulignés par les débris qu'elle aspire, et la tornade peut alors prendre des formes diverses, depuis une fine corde blanche jusqu'à une épaisse masse noire.

70 ## Dans le vortex

L a tornade va se déplacer horizontalement avec la formation orageuse qui lui a donné naissance à une vitesse moyenne de 55 km/h, bien que certaines tornades aient atteint 105
75 km/h. Elle peut faire entre 90 et 800 m de large, et effectuer un parcours destructeur de quelques mètres à plusieurs centaines de kilomètres.

Les tornades provoquent de graves dégâts comme ici, à Maskinongé (Québec).

La vitesse des vents à l'intérieur de la tor-
80 nade est difficile à mesurer car... les instruments de mesure sont généralement détruits ! Mais les vents au sommet sont estimés à environ 500 km/h, tandis que les courants aériens ascendants atteindraient 300 km/h.

85 La durée de vie d'une tornade varie de quelques minutes à une heure, mais la plupart durent environ quinze minutes. Après que la tornade a atteint son intensité maximale, l'entonnoir (ou tuba) rétrécit et s'incline à l'hori-
90 zontale, et la largeur de la zone de destruction diminue. L'entonnoir prend la forme d'une corde puis se déforme, et finit par mourir.

Comment se forme une tornade
Les vents de grande vitesse, aux hautes altitudes du nuage orageux, mettent celui-ci en rotation (ci-dessous). La vitesse de rotation sera bien plus grande au centre de la tempête, près de l'arrivée principale d'air chaud. Une colonne d'air tourbillonnant descend à travers la région de courants ascendants et émerge sous la base du nuage (voir les détails à droite). Quand elle atteint le sol, une tornade se forme. Ses vents furieux, spiralants, et ses courants ascendants intenses détruiront tout sur son passage.

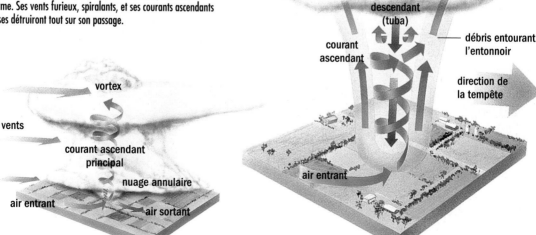

Extraits de *Guide pratique de la météorologie*, Paris, Sélection du Reader's Digest, 1996, p. 52-53 ; traduction de *The Nature Company Guides : Weather* © Weldon Owen Pty Ltd.

Tornades

Une tornade
est un violent
tourbillon d'air
qui s'étend de la base
5 d'un nuage d'orage ou
cumulonimbus jus-
qu'au sol. Elle est liée
à une forte perturba-
tion orageuse, et ses
10 effets sont parmi les
plus destructeurs, puisqu'elle peut s'accompagner de vents de plus de 500 km/h dans les cas
extrêmes. Des tornades exceptionnelles peuvent durer des heures sur des centaines de kilo-
15 mètres. Mais la plupart ne sont pas aussi violentes ; certaines durent seulement quelques
secondes avec des vents à moins de 80 km/h.
Une tornade peut être un phénomène isolé ou
se produire en série.

20 Les tempêtes assez fortes pour déclencher des
tornades se produisent plutôt sous des latitudes tempérées.

Les États-Unis sont de loin le pays le plus
exposé au monde, avec quelque 750 tornades
25 par an. Des tornades se déclenchent aussi
régulièrement en Australie et, de temps en
temps, dans d'autres pays comme le Royaume-
Uni ou la France.

Une tornade suit souvent un parcours
30 irrégulier qui crée un axe destructeur cycloïdal
(comme une toupie qui tourne sur une surface
plane). C'est pourquoi elle peut détruire des
habitations en laissant l'un des pans intact.

Indices météo

Là où il y a de l'orage

De la base
d'un cumulonimbus
jusqu'au niveau du sol

Tourbillon d'air ascendant
à l'intérieur d'un orage

Vents de surface
destructeurs

Danger pour les vies humaines
et les biens matériels

Extraits de *Guide pratique de la météorologie*, Paris,
Sélection du Reader's Digest, 1996, p. 244-245 ;
traduction de *The Nature Company Guides :
Weather* © Weldon Owen Pty Ltd.

Le philosophe et la rosée

Aristote a donné une définition assez juste de la rosée. Elle n'apparaît, a-t-il dit, que par temps serein et dans des endroits calmes. Même si on a l'impression (surtout en regardant ses chaussures…) que l'herbe du matin est toujours couverte de rosée, il n'en est rien. La vraie rosée exige plusieurs conditions.

Elle ne se forme qu'après une journée belle et chaude, suivie d'une soirée et d'une nuit tranquilles et fraîches, par ciel clair ou très peu nuageux. Si vous sortez alors au crépuscule, sur une pelouse ou un pré, tenez donc un objet froid (un miroir) juste au-dessus du sol. Vous le verrez se couvrir de gouttelettes d'eau formées par la condensation de la vapeur.

Par nuit claire, le sol irradie vers le ciel la chaleur reçue le jour. Il se rafraîchit, si bien que la vapeur se condense. Si le ciel est couvert, les nuages renvoient la chaleur au sol, qui ne se refroidit pas assez pour former de la rosée.

Mais pourquoi celle-ci n'apparaît-elle que sur une pelouse et non, par exemple, sous des parterres de fleurs ? Ce n'est pas parce que l'herbe attire la rosée, mais parce que les massifs conservent à la terre sa chaleur. On peut le vérifier en abritant un carré d'herbe. Il suffit pour cela d'un morceau de coton — une nappe fera l'affaire — et de quelques baguettes. Un soir où les conditions semblent réunies, tendez la nappe sur les baguettes à environ 30 cm de la pelouse. Le lendemain matin, avant que le Soleil n'ait tout asséché, vous verrez que l'herbe est entièrement couverte de rosée, sauf sous la nappe.

Et pourquoi trouve-t-on parfois une gelée blanche ? Parce qu'il a fait de plus en plus froid au cours de la nuit. Une couche d'air froid, donc lourd, s'est formée au niveau du sol et a transformé en gelée blanche la vapeur d'eau qui, dans d'autres conditions, serait devenue rosée.

Extrait de *Tous les pourquoi du monde*, © 1995, Sélection du Reader's Digest (Canada) Ltée, Montréal, p. 53, reproduit avec autorisation.

La rosée scintille sur l'herbe dans la lueur de l'aurore. Les perles de rosée sont dues à la vapeur de l'atmosphère, et non à l'humidité des plantes.

Éclairs entre nuages et terre

Un éclair blanc entre les nuages et la terre indique le faible taux d'humidité de l'air. C'est donc ce type d'éclair qui risque le plus de déclencher des incendies.

L es éclairs sont dus à une décharge électrique au sein ou autour d'un orage. Les éclairs entre les nuages et la terre (en langage courant : la foudre) se produisent quand la
5 décharge passe de la base du nuage, chargée négativement, à la terre, chargée positivement. Avec ses zébrures qui déchirent le ciel, ce type d'éclair est très
10 spectaculaire.

Un éclair dure une fraction de seconde. Il en faut parfois une série pour décharger toute l'électricité accumulée, ce qui donne
15 l'impression que les éclairs vacillent. La terre et presque tous les objets solides en prise avec le sol sont meilleurs conducteurs d'électricité que l'air. C'est
20 pourquoi les reliefs montagneux et les hautes structures comme les immeubles et les arbres attirent la foudre.

La couleur de l'éclair indique le contenu de l'air
25 environnant.

INDICES MÉTÉO

Partout, sauf en Antarctique ; fréquents sous les tropiques

Se produisent de la base des nuages vers la terre, rarement à partir du sommet

Décharge électrique

Fortes pluies ou grêle, vents forts dus aux nuages d'orage

La foudre peut blesser ou tuer et provoquer des incendies

L'éclair est rouge s'il y a de la pluie dans le nuage et bleu s'il y a de la grêle. La présence d'un volume important de poussière dans l'atmosphère donne un éclair jaune.
30 L'éclair blanc indique un faible taux d'humidité ; c'est ce type d'éclair qui risque le plus de déclencher des incendies au sol.

La foudre

Bien que seulement 20 % d'éclairs atteignent
35 le sol, des coups de foudre se produisent plus de cent fois par seconde à travers le monde. Quand la foudre tombe sur un immeuble, elle a tendance à suivre les circuits électriques et les canalisations, c'est pourquoi il faut éviter de toucher des tuyaux
40 métalliques et d'utiliser du matériel électrique, un téléphone ou un ordinateur pendant un orage.

Les expériences de Franklin sur la foudre

Benjamin Franklin (1706-1790), auteur, inventeur, savant et diplomate américain, proposa une série d'expériences conduites en France en 1752, qui prouvèrent que la foudre est une décharge électrique. Au cours de cette même année, à Philadelphie, Franklin mena une expérience lors d'un orage avec un cerf-volant relié à un fil conducteur au bout duquel était attachée une clé. Quand il lança le cerf-volant, un éclair frappa ce dernier, se propagea le long du fil et électrifia la clé. Franklin eut de la chance de n'avoir pas été tué. Plusieurs années auparavant, il avait imaginé qu'une longue et fine tige métallique fixée en haut d'un toit et raccordée à un fil plongeant dans le sol hors du bâtiment conduirait le courant électrique de la foudre en toute sécurité jusque dans le sol. Cette invention, présentée au public en 1753, est le paratonnerre, devenu depuis un équipement standard de tous les immeubles.

Extraits de *Guide pratique de la météorologie*, Paris, Sélection du Reader's Digest, 1996, p. 51 et p. 240-241 ; traduction de *The Nature Company Guides: Weather* © Weldon Owen Pty Ltd.

Le temps est-il prévisible à plus de cinq jours ?

Réponse de Patrick Mascart,
physicien (CNRS)
au laboratoire d'aérologie
de l'Université Paul–Sabatier,
à Toulouse

« Cela dépend en fait des éléments du temps que l'on cherche à prévoir. Pour les tendances météorologiques générales, comme l'évolution de la température, les changements de force et de direction des vents, les prévisions peuvent aller au-delà d'une semaine. En général, les organismes météorologiques ne produisent pas de prévisions au-delà de dix jours.

En revanche, certains éléments ne sont pas prévisibles à plus de deux ou trois jours, voire moins. C'est le cas des précipitations, surtout en situation orageuse. Ainsi, certains orages d'été, qui apparaissent de façon presque instantanée, ne sont prévisibles que quelques heures auparavant, grâce à des observations radar.

Pourquoi cette différence entre la pluie et les autres principaux éléments météorologiques ? La pluie est difficile à prévoir car elle constitue l'aboutissement d'une série de phénomènes atmosphériques eux-mêmes complexes : les mouvements verticaux de l'air, plus difficiles à évaluer que les mouvements horizontaux, ainsi que la température et l'humidité. De plus, la formation de pluie est très locale, contrairement aux autres phénomènes qui se produisent à plus grande échelle.

À l'heure actuelle, les centres de prévision météorologique, comme Météo France ou le Centre européen de prévisions météorologiques à moyen terme (CEPMMT), s'intéressent à de nouvelles méthodes dites de « prévisions d'ensemble ». Au lieu d'établir une seule prévision à partir des observations, on réalise un grand nombre de prévisions différentes — 33 pour le moment — afin de tenir compte des erreurs d'observation.

Si toutes ces prévisions restent groupées en un seul scénario d'évolution du temps, la prévision est fiable. Si, au contraire, les prévisions se séparent en plusieurs scénarios divergents, alors la prévision est moins fiable, et on peut calculer la probabilité de chaque scénario. »

Propos recueillis par Pedro LIMA
Extrait du magazine scientifique *Eurêka*,
Numéro spécial — « Vos 100 questions de science »,
Hors série 1997, p. 87.

El Niño

par Ève Christian

L'enfant terrible de la **météo**

Le courant chaud El Niño est le plus important changement climatique terrestre après les quatre saisons. Ce phénomène, résultat de l'interaction entre l'océan et l'atmosphère, se fait sentir d'un
5 bout à l'autre de la planète, de l'Australie aux régions tropicales de l'Amérique, modifiant aussi bien la mousson en Inde que le climat en Afrique et la température du Sud-Est canadien.

El Niño — l'Enfant Jésus, en espagnol — a été
10 nommé ainsi par les pêcheurs du Pérou. Ils avaient observé que ce courant chaud de l'océan Pacifique se manifestait au printemps ou à l'été dans l'hémisphère Nord, atteignait son maximum vers Noël et ne cessait qu'en mai ou juin de l'année
15 suivante. Son arrivée ne passait pas inaperçue : à mesure qu'il progressait, les eaux de la région étaient désertées par les poissons, qui se déplaçaient vers le Chili ou mouraient, victimes du réchauffement des eaux.
20 Comment se développe un courant El Niño ? Pour le comprendre, il faut d'abord savoir ce qui se passe lorsqu'il n'y en a pas (schéma 1).

En temps normal, de forts vents, appelés alizés, soufflent de l'est vers
25 l'ouest au-dessus du Pacifique, «accumulant» de l'eau chaude à la surface du Pacifique ouest. L'eau chaude
30 prend alors tellement d'expansion que la surface de la mer est environ 50 cm plus haute à l'ouest; à l'est, l'eau est

35 plus froide de près de 8 °C : en raison du brassage des courants marins, les eaux froides remontent des profondeurs. Cela a pour effet de
40 refroidir l'air, qui devient trop dense pour s'élever et causer de la convection. La partie est de l'océan demeure donc sans nuage, alors qu'à l'ouest l'eau chaude fournit suffisamment d'énergie
45 et d'humidité pour créer une large zone d'orages intenses, notamment près de l'Indonésie.

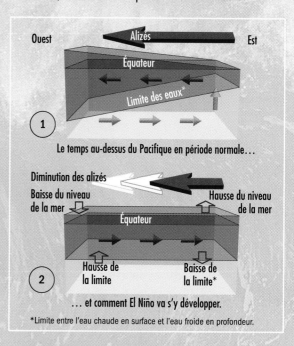

Le temps au-dessus du Pacifique en période normale…

… et comment El Niño va s'y développer.

Limite entre l'eau chaude en surface et l'eau froide en profondeur.

El Niño maintenant. Tous les quatre ou cinq ans (bien que ce cycle soit aléatoire), la pression barométrique près de l'Indonésie
50 augmente à l'ouest alors qu'elle diminue à l'est (c'est le fameux effet de balancier de Walker). Parallèlement, les alizés perdent
55 de leur vigueur dans le centre et l'ouest du Pacifique. C'est à ce moment qu'El Niño va s'installer *(schéma 2)*.

L'effet de balancier de Walker

Gilbert Walker, au cours des années 1920, avait remarqué un curieux effet de balancier entre l'est et l'ouest de l'océan Pacifique. Il nota que, lorsque la pression de l'air augmentait à l'est, elle diminuait à l'ouest, et vice versa. (Bien des années plus tard, on remarquera également que, lorsque le niveau de la mer s'élève d'un côté du Pacifique, il descend de plusieurs centimètres de l'autre !)

Vers la fin des années 1960, un autre scientifique, Jacob Bjerknes, fit un lien entre les températures de surface anormalement chaudes de l'océan, l'affaiblissement des vents tropicaux de l'est et les précipitations abondantes. Il constata que ces éléments étaient en corrélation avec le jeu de balancier des pressions atmosphériques de Walker.

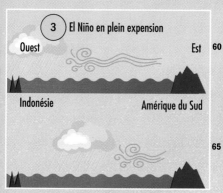

3 El Niño en plein expension

Ouest — Est

Indonésie — Amérique du Sud

L'eau chaude de l'ouest se déplace alors vers les côtes du Pérou, réchauffe l'air humide de la région et crée de la convection, donc des nuages et de la pluie. Résultat: la zone de précipitations se retrouve beaucoup plus à l'est que d'habitude *(schéma 3)*. Ces orages font à leur tour dévier les forts vents en altitude (appelés courants-jets), modifiant ainsi la trajectoire des tempêtes. À ce stade, El Niño est en pleine expansion.

On ne parvient à déceler aisément la présence d'El Niño que depuis quelques années. À l'aide des photos infrarouges par satellite, une zone d'eau plus froide peut être détectée pendant plusieurs semaines alors qu'elle prend la forme d'une «langue froide», qui s'étend le long de l'équateur à partir de la côte sud-américaine. Lorsque les alizés faiblissent et qu'El Niño s'établit, cette langue froide diminue et peut même disparaître. On aperçoit alors une tache d'eau chaude qui se déplace d'ouest en est, de l'Australie et de l'Indonésie vers le Pérou. Cette tache peut couvrir une zone immense: en septembre 1997, elle avait l'ampleur du continent américain.

En fait, ce phénomène climatique est aussi important que mystérieux. Son cycle est plus ou moins irrégulier, il ne frappe pas toujours au même endroit et avec la même force, et il se développe à une vitesse variable... Difficile de prévoir quoi que ce soit dans ces conditions!

Il revient toujours

Plusieurs El Niño se sont manifestés depuis une cinquantaine d'années. Les plus importants ont été ceux des années 1957-1958, 1965, 1972-1973, 1982-1983, 1986-1987, 1991-1992, 1997-1998.

Extraits adaptés de *Québec Science*, vol. 36, n° 3, novembre 1997, p. 39-42.

El Niño est à l'origine de perturbations climatiques aux conséquences désastreuses (orages en Floride, incendies en Indonésie).

Par John Carey

Spirales

Pourquoi tant de plantes ou d'animaux ⁵ ont-ils adopté ces formes spiralées?

Les loges incurvées de la coquille spiralée de ce nautile apparaissent bien dans cette coupe. Comme on le voit, le rayon de cette courbure s'agrandit constamment, donnant une spirale appelée logarithmique. Les nautiles, au fur et à mesure de leur croissance, construisent de nouvelles loges, une tous les 35 à 40 jours. La coquille d'un adulte peut avoir de 15 à 20 cm de diamètre. Le corps de l'animal se trouve dans la dernière loge.

Pour le voyageur et naturaliste ¹⁰ anglais du 19ᵉ siècle, Alfred Russel Wallace, la spirale enjolivant la coquille de l'escargot ou la défense de l'éléphant était ¹⁵ « la plus belle des courbes ». Pour l'illustre écrivain allemand Gœthe, les spirales qu'il voyait dans la nature étaient sinueuses et féminines, en contraste avec la masculinité de la ligne droite. Mais la réaction peut-être la plus commune ²⁰ devant une spirale est celle d'étonnement devant son omniprésence dans la nature.

Par exemple, en observant au microscope une minuscule bactérie, on lui découvre une petite queue spiralée, un flagelle. Si l'on utilise un téles- ²⁵ cope, on détecte dans le ciel la forme spiralée de gigantesques galaxies. Et par un beau matin, on peut s'émerveiller devant les fils d'argent d'une toile d'araignée spiralée baignée de rosée, qui étincelle dans les champs aux premiers ³⁰ rayons du Soleil.

La crosse d'une fougère naissante apporte l'espoir du renouveau printanier aussi bien que la disposition spiralée des écailles d'une pomme de pin. Le tout début de la vie n'est-il pas lui- ³⁵ même en forme de spirale, cette hélice d'ADN que l'on vient tout juste d'apercevoir avec un microscope électronique spécial, et qui est présente dans toutes nos cellules? Elle est partout finalement cette forme, des vrilles de ⁴⁰ la plante grimpante au limaçon (ou cochlée), ce délicat tube spiralé de notre oreille interne. On n'en finit pas de s'étonner d'une présence qu'un œil un peu averti reconnaît en de si nombreuses occasions.

⁴⁵ Cette forme est si attrayante qu'elle a été adoptée, et depuis bien longtemps, comme motif de décoration ou comme métaphore. Des spirales géométriques décorent des vases minoens du 2ᵉ millénaire avant notre ère et des ⁵⁰ colonnes ioniques de la Grèce antique. Et de nos jours on parle bien souvent, hélas, de la spirale de l'inflation.

Pourquoi une figure aussi simple que la spirale est-elle si répandue dans la nature? D'une ⁵⁵ certaine façon, il est facile de répondre à la question. « Comprendre pourquoi ces choses se manifestent, c'est comprendre que la nature est gouvernée par les mains invisibles de la physique et des mathématiques, de dire Rolf Sinclair, directeur du programme de physique à la Fondation nationale des sciences. D'une façon générale, c'est seulement une question de quelques équations. Si vous tenez pour acquis que les choses poussent selon des modèles simples, vous débouchez inévitablement sur la spirale. »

On peut prendre comme exemple le nautile. Si on admet que la coquille de l'animal ne remplirait pas ses fonctions convenablement si elle poussait en ligne droite, et que cette croissance est continue, alors quel choix a l'animal ? Comme le caméléon qui enroule inévitablement sa queue en spirale, le nautile est organisé pour créer une spirale lorsqu'il construit sa demeure. Un autre exemple est donné par la forme tourbillonnante des ouragans. Lorsque la pression de l'air baisse suffisamment pour produire des vents violents, la rotation de la Terre exerce une force qui donne un mouvement spiralé, dans le sens des aiguilles d'une montre, aux vents de l'hémisphère Sud et, dans l'autre sens, aux vents de l'hémisphère Nord.

Mais ces réponses simples masquent une question plus profonde et beaucoup plus complexe : comment la nature choisit-elle entre les différentes formes possibles de spirales ? Les vrilles de la vigne, par exemple, ressemblent aux ressorts amortisseurs des voitures en formant des cercles en hélice d'un diamètre constant, une forme connue sous le nom de vis d'Archimède. La coquille du nautile, par contraste, est une spirale de type logarithmique, car son rayon s'accroît de façon exponentielle.

Il y a donc un grand nombre de spirales basées sur des séquences mathématiques dans lesquelles chaque nombre de la séquence est la somme des deux nombres précédents (par exemple, 1, 1, 2, 3, 5, 8, 13, 21, 34, 55…). De nombreuses parties de plantes suivent cette séquence connue sous le nom de série récurrente de Fibonacci (mathématicien italien du 13e siècle). Une fleur de marguerite, par exemple, est arrangée selon un modèle de 21 spirales allant dans un sens et de 34 dans l'autre.

Est-ce que le fait de suivre ces modèles mathématiques donne automatiquement aux organismes qui les adoptent des avantages dans leur bataille pour la vie ? L'an passé, Karl Niklas, un botaniste de l'université Cornell, aux États-Unis, a décidé de vérifier si l'organisation des feuilles selon la série de Fibonacci était plus efficace, pour l'exposition à la lumière solaire, que d'autres modèles.

« Je me suis demandé si ces différents arrangements affectent la capacité des plantes à s'approprier la lumière du Soleil, de dire K. Niklas. La réponse est que cela ne fait pas de différence. Tous les modèles sont aussi efficaces. Nous ne savons donc pas du tout pourquoi cela se fait d'une façon chez une plante, et non pas d'une autre. »

Ainsi, l'année où nous découvrons les secrets de Neptune, et alors que nous explorons les tréfonds des atomes, les spirales de la nature gardent leur secret.

John Carey est un chroniqueur scientifique.
Extrait de *Biosphère*, vol. 5, n° 5, septembre-octobre 1989, p. 31-36 ; traduction de « Spiral Effect », *National Wildlife Magazine*, National Wildlife Federation.

Étroitement enroulée, la queue de ce caméléon lui servira de cinquième patte quand il l'aura déployée. Elle contribue à maintenir l'équilibre de ce prédateur arboricole, et ses écailles rugueuses aident l'animal à se tenir sur les branches. La spirale est un résultat évolutif quasi inévitable parmi les possibilités offertes par la nature.

Par Régent Bouchard, Claudette Gagné
et Paul Lavallée[1]

Tourbillons

Comment ils se forment

Les tourbillons sont parfois spectaculaires — grands remous marins, tornades —, mais habituellement plutôt discrets — simples tourbillons de feuilles ou de flo-
5 *cons dans l'espace. En fait, des délicates volutes engendrées par les battements d'ailes d'un papillon jusqu'aux puissants tourbillons des avions de ligne, notre environnement est peuplé de ces phénomènes*
10 *qui ont un effet déterminant sur plusieurs de nos activités quotidiennes. Voici quelques clés pour mieux les comprendre.*

La mécanique de la rotation

La formation des tourbillons est princi-
15 palement causée par la friction qui apparaît au sein d'un fluide, gaz ou liquide, lorsqu'il est soumis à un gradient de vitesse, c'est-à-dire quand la vitesse varie entre deux points de ce fluide. À la source de ces
20 gradients de vitesse : la présence d'un obstacle immobile dans un fluide en mouvement (un édifice soumis à un vent, par exemple) ou d'un obstacle mobile dans un fluide au repos (un skieur sur une pente ou un avion
25 en vol). Lorsque le gradient de vitesse est suffisamment élevé — il suffit de quelques centimètres par seconde dans l'air ou dans l'eau —, la friction fait dévier la direction de l'écoulement du fluide.

30 Si la source du gradient de vitesse est maintenue (si le skieur continue de descendre), cette déviation s'accentue jusqu'à ce que le fluide s'enroule sur lui-même, formant un tourbillon. C'est donc la friction [...] qui
35 engendre les tourbillons. Tant qu'il existe un gradient de vitesse suffisant, le tourbillon persiste. Lorsque le gradient disparaît, le tourbillon fait de même.

Les tourbillons au quotidien

40 Les effets des tourbillons sur nos activités de tous les jours sont nombreux. Et ils ne se limitent pas aux systèmes présentés à la météo où l'on nous montre souvent des tourbillons géants couvrant une partie d'un
45 continent.

En fait, la formation de tourbillons entraîne une dépense d'énergie généralement néfaste pour les hommes et
50 les animaux. Par exemple, le relâchement périodique des

Un système dépressionnaire, sorte de tourbillon géant couvrant en partie un continent.

---

1. Régent Bouchard est diplômé en physique tandis que Claudette Gagné est diplômée en physique et en géologie. Ils enseignent à l'école secondaire Marie-Anne à Montréal. Paul Lavallée est directeur du département de physique de l'Université du Québec à Montréal.

tourbillons derrière un panneau routier crée des différences de pression qui le feront osciller. Le phénomène se manifeste aussi
55 sur de grandes structures architecturales. Ainsi, les différences de pression créées par les allées de tourbillons ont été responsables de la destruction de deux tours de refroidissement de plusieurs dizaines de
60 mètres de hauteur à Ferrybridge, en Angleterre.

D'autre part, tout ce qui se déplace dans un fluide crée une force de traînée (due notamment à la formation de tourbillons)
65 qui ralentit le mouvement. En minimisant la production de tourbillons, on diminue donc la traînée. C'est pourquoi, depuis la crise du pétrole des années 1980, les fabricants d'automobiles ont fait des efforts
70 considérables pour produire des véhicules qui génèrent moins de tourbillons. Même souci de minimiser les tourbillons créés par

Un avion provoque de puissants tourbillons au bout de ses ailes. (Cette vue a été réalisée grâce à des fumées de couleur.)

les sous-marins : en plus de ralentir leur course, les tourbillons permettent de
75 détecter la présence de ces submersibles. Et il est presque inutile de mentionner l'importance de diminuer les tourbillons en ski alpin et en cyclisme.

L'aéronautique doit aussi tenir compte
80 des puissants tourbillons qui se forment aux extrémités des ailes d'un avion. Ils sont produits lorsque l'air sous l'aile, dont la pression est supérieure à celle qui règne au-dessus de l'aile, fuit du dessous vers le
85 dessus, créant un fort tourbillon dans le sillage de l'avion. Un tel tourbillon, issu d'un gros-porteur, peut faire chavirer un petit avion de tourisme qui croiserait son sillage de trop près. Les avionneries effectuent
90 donc de nombreuses recherches pour créer une aile plus efficace qui, en générant moins de tourbillons, améliorerait l'efficacité de l'avion. Cela permettrait aussi de réduire le temps d'attente nécessaire pour
95 que les tourbillons se dissipent entre deux décollages, un avantage indéniable pour les aéroports déjà très achalandés.

Pas bêtes, les animaux !

Les tourbillons affectent aussi les animaux. Mais ces derniers ont mis au point d'astucieuses solutions pour contrecarrer les problèmes liés à ce phénomène.

Depuis plusieurs décennies, les scientifiques étaient intrigués par l'étonnante efficacité de certains poissons et mammifères marins : par exemple, on s'est aperçu que les dauphins se déplacent à des vitesses qui exigeraient, en théorie, une puissance motrice jusqu'à six fois plus grande que celle qu'ils possèdent. Or, il semble que ces animaux peuvent déceler la présence des tourbillons qu'ils génèrent et, par un mouvement de leur corps, générer des tourbillons de signe contraire qui annulent les premiers. Leur mode de propulsion atteint ainsi une rare efficacité.

Extraits de *Québec Science*, vol. 36, n° 6, mars 1998, p. 40-43.

Volcans

par Robert Fournier

Ils peuvent faire tomber les avions

Les rejets volcaniques figurent parmi les pires ennemis de l'aviation.

Dans la nuit du 23 au 24 juin 1982, un Boeing 747 de la British Airways qui volait au-dessus de Java, en Indonésie, a frôlé la catastrophe lorsque, à 12 300 mètres d'altitude, ses 4 réacteurs ont cessé un à un de fonctionner. Au même moment, une poussière très fine et une odeur de soufre ont pénétré dans l'avion. Après plusieurs tentatives de redémarrage et 13 interminables minutes d'angoisse, d'attente et de chute, les moteurs se sont finalement remis en marche et l'avion s'est rendu à destination. La cause de toutes ces perturbations ? Un volcan, le Galunggung, avait fait explosion quelques heures plus tôt et avait injecté des tonnes de poussière volcanique dans la haute atmosphère. L'appareil a tout simplement traversé l'énorme panache chargé de cendres.

Au retour, après avoir démonté l'avion, on a constaté que les moteurs, dont la température est très élevée, avaient littéralement fait fondre la poussière volcanique et qu'une couche de céramique fondue s'était déposée sur les parties les plus chaudes des turbines. Il faut dire qu'à l'altitude où volent les avions, 150 tonnes d'air à la minute passent à travers chacun des quatre réacteurs d'un Boeing 747. Des tonnes de cendres peuvent donc être filtrées par les moteurs, et cela, même si le nuage est à peine visible ! De plus, la vapeur acide aspirée par le moteur peut favoriser la corrosion des parties métalliques.

Au cours des 15 dernières années, près de 80 jets commerciaux ont été endommagés en traversant par inadvertance un nuage de cendres volcaniques. Plusieurs d'entre eux ont failli s'écraser. Comment expliquer un nombre si élevé d'incidents ? C'est que les radars à bord des avions ne peuvent détecter ces cendres. Seuls les satellites parviennent à localiser de façon précise les nuages de fumée volcanique. C'est pourquoi leur utilisation est en train de se généraliser.

Éruption du mont St. Helens aux États-Unis (juillet 1980).

L'effet des volcans sur la planète a très bien été démontré avec l'éruption du mont Pinatubo, aux Philippines, en 1991. La dizaine de kilomètres cubes de *tephra* — les fragments de lave et de pierre — qu'il a éjectés ont introduit de 20 à 30 mégatonnes de bioxyde de soufre et d'aérosol dans l'atmosphère. Des particules ont atteint la stratosphère et encerclé la Terre en seulement 3 semaines ; elles couvraient 42 % de la planète après 2 mois. Deux ans après l'éruption du Pinatubo, cette couche était toujours présente. On estime aujourd'hui que les dommages causés par les ouragans Andrew et Iniki à l'automne 1992, de même que les pluies abondantes dans le Midwest américain à l'été 1993, sont tous des effets de l'éruption du Pinatubo.

Extraits de *Québec Science*, vol. 36, nº 3, novembre 1997, p. 9-10.

Le temps et les navettes spatiales

Pourquoi remet-on parfois le lancement d'une navette spatiale parce que
5 le temps n'est pas propice alors que, quelques instants après son lancement, la navette
10 sera au-dessus du système météorologique? nous demande Claire Roberts de Salmon
15 Arm, en Colombie-Britannique.

Les navettes spatiales sont beaucoup plus sensibles aux conditions météorologiques que les avions. C'est pourquoi un orage électrique,
20 la pluie, quelques mauvais nuages ou des vents violents peuvent contribuer à annuler le lancement d'une navette.

Voici quelques exemples d'ennuis que la météo peut causer aux navettes. La tempéra-
25 ture et l'humidité se conjuguent parfois pour former du givre sur les réservoirs des navettes. Si la température est trop froide, par contre, l'appareil peut se couvrir de glace alors qu'il est en vol; en plus du poids additionnel qu'elle
30 représente, la glace en se brisant pourrait endommager les tuiles isolantes de la navette. La pluie peut aussi s'infiltrer entre les tuiles qui se fissureraient avec le gel. Au sol, avant le lancement, des vents de plus de 45 km/h risquent
35 de déplacer l'appareil sur la rampe de lancement. De surcroît, Cap Canaveral en Floride, d'où sont lancées les navettes, se trouve dans une des régions les plus propices aux perturbations atmosphériques. En effet, on y compte une

40 centaine d'orages électriques en moyenne par année. C'est ainsi que la foudre a frappé *Apollo 12* quelques secondes après son lancement, en no-
45 vembre 1969; la fusée *Saturn* aurait déclenché l'éclair. On attribue aussi en partie l'explosion de *Challenger* au mauvais temps: dans la nuit du
50 28 janvier 1986, le mercure a chuté sous le point de congélation et le froid aurait endommagé les joints
55 en caoutchouc des fusées de lancement.

Lancement de la navette spaciale *Colombia*, février 1996. De bonnes conditions météorologiques sont nécessaires pour un lancement réussi.

MétéoMédia. [En ligne], [http://www.meteomedia.com] (28 mai 1998)

Pourquoi y a-t-il de gros et de petits flocons de neige ?

Pourquoi la grosseur des flocons de neige varie-t-elle ? nous demande-t-on souvent. Dans les faits, il n'y a pas que leur grosseur qui diffère. En effet, les flocons prennent différentes formes, selon la température et l'humidité qui règnent dans les nuages où ils se sont formés et dans les couches d'air qu'ils ont traversées dans leur chute vers la terre.

Les flocons géants peuvent mesurer jusqu'à deux centimètres de diamètre et sont formés de centaines de flocons plus petits regroupés lors de leur passage dans des couches d'air humide et relativement chaud.

Par contre, les flocons de neige dite *sèche* sont plus petits ; ils ne se sont pas liés à d'autres flocons en traversant des couches d'air froid et sec.

Dans sa chute vers la terre, un flocon de neige peut subir de multiples transformations. Il peut se briser sous l'effet des vents ou au contact d'autres flocons, s'évaporer, fondre, se joindre à d'autres. En fait, le flocon que nous voyons est rarement celui qu'il était au départ.

La distance que le flocon parcourt, de sa naissance à son arrivée sur terre, influe sur sa forme et sa grosseur. Généralement, plus il séjourne longtemps dans l'atmosphère, plus il devient gros. Au siècle dernier, au Montana, dans le nord-ouest des États-Unis, on aurait vu des flocons de neige aussi gros qu'une pizza... de grosseur moyenne, bien entendu !

MétéoMédia. [En ligne], [http://www.meteomedia.com] (28 mai 1998)

Montréal sous la neige, en 1879
(illustration parue dans le journal *L'Opinion publique*).

La neige peut-elle être colorée ?

Éloi DeGrace, de Dartmouth en Nouvelle-Écosse, nous a fait parvenir une coupure de journal datée de 1819. On y parle de neige rouge. De la neige rouge, vraiment ?

Un explorateur de l'Arctique, Sir John Ross, aurait découvert, en 1818, d'importants dépôts de neige rouge au Groenland. Nous savons maintenant que la coloration provenait de plantes microscopiques et de bactéries.

À son état pur, la neige est blanche. Mais on ne la voit jamais ainsi, car elle se souille au contact de tout ce qu'elle rencontre sur sa route : pollen, organismes minuscules, poussière, cendres, matières chimiques, etc. Tous ces corps étrangers sont transportés par les vents et peuvent colorer la neige.

Ainsi, de la neige colorée jaune par du pollen provenant de forêts de pins est tombée sur la Pennsylvanie ; on a vu de la neige rose, d'origine inconnue, dans l'île de Vancouver ; les Alpes françaises ont reçu de la neige bleu pâle probablement colorée par des sels de cuivre provenant des sables du Sahara. Au cours des années 1930, alors que la sécheresse sévissait au Texas et en Oklahoma, la neige qui tombait sur l'Ouest canadien était souillée par les poussières provenant des sols asséchés de ces États américains.

La neige peut aussi changer de couleur une fois qu'elle est tombée. C'est ce que l'explorateur Ross a observé, au Groenland, il y a déjà presque 200 ans.

Extrait de MétéoMédia. [En ligne],
[http://www.meteomedia.com] (28 mai 1998)

Pourquoi les nuages ne tombent-ils pas du ciel ?

Tout d'abord parce que les nuages se composent de microscopiques gouttelettes d'eau en suspension — il en faut plus de deux milliards pour constituer une cuillerée à thé. Ensuite, parce qu'ils sont soutenus par des courants ascendants, par les vents réfléchis par les collines et les montagnes et, surtout, par la convection. Par *convection*, on entend les courants thermiques qui résultent de la chaleur de la Terre et qui se dispersent dans l'espace. Ce sont ces courants qui permettent aux oiseaux — surtout aux rapaces — de planer. Au coucher du Soleil, ces courants perdent de leur intensité. Les nuages, en particulier les cumulus, se rapprochent alors de la Terre qui se refroidit. Ce faisant, ils s'assèchent, c'est-à-dire qu'ils éliminent les gouttelettes dont ils se composent... et le nuage qu'elles forment.

Extrait adapté de MétéoMédia. [En ligne],
[http://www.meteomedia.com] (28 mai 1998)

Pourquoi la vapeur s'élève-t-elle du pavé chaud mouillé?

L'été, après le passage de la pluie, on voit souvent une mince vapeur s'élever au-dessus du pavé mouillé. Le même phénomène peut également s'observer par une
5 belle journée de printemps. En fait, c'est le pavé qui, grâce à la chaleur du Soleil qu'il a absorbée, réchauffe l'eau qui le recouvre. L'air ambiant réagit avec ces surfaces chaudes et se condense en vapeur; une partie de l'eau de surface
10 se transforme aussi en vapeur. Ce n'est donc pas un mirage de vapeur que nous observons.

Immédiatement au-dessus de la surface du sol, l'air est encore relativement froid et son degré d'humidité est inférieur à celui du pavé mouillé.
15 Donc, au fur et à mesure que la vapeur du sol se refroidit, elle se condense en gouttelettes qui disparaissent lorsqu'elles atteignent des couches d'air plus sec.

MétéoMédia. [En ligne],
[http://www.meteomedia.com]
(28 mai 1998)

Est-ce que l'eau chaude gèle plus rapidement que l'eau froide?

Bien entendu, l'eau froide gèle plus rapidement que l'eau chaude. Pour en faire l'expérience, remplissez un bocal d'eau froide et un autre d'eau chaude, puis déposez-
5 les tous les deux au congélateur. Une couche de glace se formera après environ dix minutes sur l'eau froide, alors qu'il faudra presque le double du temps pour l'eau chaude.

Mais alors, pourquoi arrose-t-on la patinoire
10 des arénas avec de l'eau chaude? L'eau chaude contient moins d'air que l'eau froide, car l'air est plus soluble dans l'eau froide et moins il y a d'air dans la glace, meilleure elle est. Un coup de patin laisse en effet une marque profonde
15 dans la glace affaiblie par l'air. Or, l'eau froide, qui gèle rapidement, emprisonne l'air dans les marques de patin, affaiblissant ainsi la glace. De plus, l'air rend la glace de la couleur du lait, ce qui peut cacher des éléments importants,
20 comme les lignes rouges ou bleues indispensables aux matchs de hockey. Donc, à Miami comme à Montréal, les patinoires intérieures sont de meilleure qualité si on les arrose avec de l'eau chaude.

Extrait adapté de MétéoMédia. [En ligne],
[http://www.meteomedia.com] (28 mai 1998)

Mots en cadence

Alexandra Ekster (1882-1949), *Roméo et Juliette*,
1921, Musée du théâtre Bakhrushing, Moscou.

Le comédien et auteur français Raymond Devos (né en 1922) est l'un des maîtres du monologue. Inspirés de situations et d'expressions de la vie quotidienne, ses textes jonglent avec le non-sens et l'absurde. Raymond Devos ponctue d'ailleurs ses sketches de gags et de clowneries.

Alimenter la conversation

Mesdames et messieurs,
avez-vous remarqué qu'à table les mets
que l'on vous sert vous mettent les mots à la bouche ?
J'en ai fait l'observation
5 un jour que je dînais seul.
À la table voisine…
il y avait deux convives qui mangeaient
des steaks hachés…
Et tout en mangeant,
10 ils alimentaient la conversation.
Au début du repas,
tandis que l'un parlait,
l'autre mangeait… et inversement !
L'alternance était respectée.
15 Et puis…
les mets appelant les mots
et les mots les mets…
ils se sont mis à parler et à manger
en même temps :
20 « Ce steak n'est pas assez haché disait l'un »,
« Il est trop haché pour mon goût disait l'autre ! »,
Les mots qui voulaient sortir
se sont heurtés aux mets qui voulaient entrer…
(Ils se télescopaient !)

25 Ils ont commencé à mâcher leurs mots et
à articuler leurs mets !
Très vite, la conversation a tourné au vinaigre.
À la fin, chacun ayant ravalé ses mots
et bu ses propres paroles,
30 il n'y eut plus que des éclats de « voie » digestive
et des « mots » d'estomac !
Ils ont fini par ventriloquer…
et c'est à qui aurait le dernier rôt !
Puis l'un d'eux s'est penché vers moi.
35 Il m'a dit :
« Monsieur, on n'écrit pas la bouche pleine ! »
Depuis, je ne cesse de ruminer mes écrits !
Je sais…
Vous pensez :
40 « Il a écrit un sketch alimentaire,
un sketch haché ! »
Et alors ?
Il faut bien que tout le monde mange !

Raymond DEVOS, *À plus d'un titre*, Paris, Éditions Olivier Orban/Pocket, 1989.

Chasse à l'enfant

Bandit! Voyou! Voleur! Chenapan!

Au-dessus de l'île on voit des oiseaux
Tout autour de l'île il y a de l'eau

Bandit! Voyou! Voleur! Chenapan!

5 Qu'est-ce que c'est que ces hurlements

Bandit! Voyou! Voleur! Chenapan!

C'est la meute des honnêtes gens
Qui fait la chasse à l'enfant

Il avait dit J'en ai assez de la maison de redressement
10 Et les gardiens à coups de clefs lui avaient brisé les dents
Et puis ils l'avaient laissé étendu sur le ciment

Bandit! Voyou! Voleur! Chenapan!

Maintenant il s'est sauvé
Et comme une bête traquée
15 Il galope dans la nuit
Et tous galopent après lui
Les gendarmes les touristes les rentiers les artistes

Bandit! Voyou! Voleur! Chenapan!

C'est la meute des honnêtes gens
20 Qui fait la chasse à l'enfant
Pour chasser l'enfant pas besoin de permis
Tous les braves gens s'y sont mis
Qu'est-ce qui nage dans la nuit
Quels sont ces éclairs ces bruits
25 C'est un enfant qui s'enfuit
On tire sur lui à coups de fusil

Bandit! Voyou! Voleur! Chenapan!

Tous ces messieurs sur le rivage
Sont bredouilles et verts de rage

30 Bandit! Voyou! Voleur! Chenapan!

Rejoindras-tu le continent rejoindras-tu le continent!

Au-dessus de l'île on voit des oiseaux
Tout autour de l'île il y a de l'eau.

Jacques PRÉVERT, *Paroles*, Paris, © Éditions Gallimard, 1945.

JACQUES PRÉVERT

Jacques Prévert (1900-1977) est un auteur français qui s'est fait connaître par ses poèmes, ses scénarios et dialogues de films (*Quai des brumes, Les enfants du paradis*, etc.) et ses chansons (*Les feuilles mortes, Barbara*, etc.). Insolite, non conformiste, la poésie de Jacques Prévert traduit les préoccupations d'un être épris de liberté et de vérité, mais qui n'en perd pas pour autant le sens de l'humour et de la tendresse.

À quoi rêvais-tu?

Vêtue puis revêtue
à quoi rêvais-tu
dévêtue

Je laissais mon vison au vestiaire
5 et nous partions dans le désert
Nous vivions d'amour et d'eau fraîche
nous nous aimions dans la misère
nous mangions notre linge sale en famine
et sur la nappe de sable noir
10 tintait la vaisselle du soleil
Nous nous aimions dans la misère
nous vivions d'amour et d'eau fraîche
j'étais ta nue propriété.

Jacques PRÉVERT, *La pluie et le beau temps*, Paris, © Éditions Gallimard, 1955.

MAURICE MAETERLINCK

**Maurice Maeterlinck (1862-1949)
est un écrivain belge d'expression
française. Dans son premier recueil,
Les Serres chaudes, publié en 1889,
le poète exprime son inquiétude, sa
tristesse, son insatisfaction face à la
recherche du bonheur. Par la suite, il
cheminera vers la sérénité. Maeterlinck
a aussi rédigé des pièces de théâtre, des
contes, des essais, etc.**

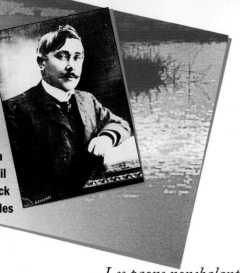

Ennui

Les paons nonchalants, les paons blancs ont fui,
Les paons blancs ont fui l'ennui du réveil ;
Je vois les paons blancs, les paons d'aujourd'hui,
Les paons en allés pendant mon sommeil,
5 Les paons nonchalants, les paons d'aujourd'hui,
Atteindre indolents l'étang sans soleil,
J'entends les paons blancs, les paons de l'ennui,
Attendre indolents les temps sans soleil.

Maurice MAETERLINCK, *Les Serres chaudes,* 1889.

maintenant l'été délie mes membres
et les arbres déjà sèment leur ombre verte
dans la lumière crue du matin
le nez collé sur la vitre j'espace
5 peu à peu les images en noir
et blanc d'un vieux film à souvenirs
où ta démarche claire se cristallise
éclate en tessons
pendant que la buée s'achemine sur la vitre
10 j'aperçois les couleurs disparates de la rue
et de nouveau
entre le monde et moi
cet éparpillement silencieux
du temps à venir

Isabelle MIRON, *Incidences,* St-Hippolyte, Le Noroît, 1993.

ISABELLE MIRON

**La poète québécoise Isabelle Miron
est née en 1967. Elle a étudié la littérature à l'Université de Montréal.
Ses poèmes sont parus dans différentes revues. *Incidences* est son
premier recueil.**

RAYMOND QUENEAU

Empreinte d'humour, l'œuvre du poète et romancier français Raymond Queneau (1903-1976) reflète souvent l'amour de l'auteur pour le quotidien et son souci de traduire la réalité des gens.

On ne saurait parler de Queneau sans souligner son intérêt pour le langage : structures nouvelles fondées sur la langue parlée, jeux de langage, transcriptions phonétiques, etc.

Le début et la fin

Au petit jour naît la petite aube, la microaube
puis c'est le soleil bien à plat sur sa tartine
il finit par s'étaler, on le bat avec le blanc des nuages
et la farine des fumées de la nuit
5 et le soir meurt, la toute petite crêpe, la crépuscule

Raymond QUENEAU, *Le chien à la mandoline*, Paris, © Éditions Gallimard, 1965.

Pour un art poétique

Un poème c'est bien peu de chose
à peine plus qu'un cyclone aux Antilles
qu'un typhon dans la mer de Chine
un tremblement de terre à Formose

5 Une inondation du Yang Tse Kiang
ça vous noie cent mille Chinois d'un seul coup
vlan
ça ne fait même pas le sujet d'un poème
Bien peu de chose

10 On s'amuse bien dans notre petit village
on va bâtir une nouvelle école
on va élire un nouveau maire et changer les jours de marché
on était au centre du monde on se trouve maintenant
    près du fleuve océan qui ronge l'horizon

15 Un poème c'est bien peu de chose
[...]

Raymond QUENEAU, *L'instant fatal* (extrait), Paris, © Éditions Gallimard, 1948.

MARC FAVREAU

Le comédien et dramaturge québécois Marc Favreau est né à Montréal
en 1929. Il s'est démarqué par son
travail de monologuiste et par le
personnage qu'il incarne sur scène : le
clown Sol. À travers les mots qu'il
déforme et reforme allègrement, Sol se
fait le critique et de la société et des
cœurs, rejoignant ainsi un vaste public
francophone, tant canadien qu'européen.

J'a pas choisi
j'a pris la poubelle

Je t'a trouvée dans la cruelle,
   pôvre petite,
     tu désespérouillais sous la pluie
      avec ton impermouillable en dedans.

5 Je te garde, je t'adoptionne,
  je m'occupassionne de toi ;
pas question de retourner dans la cruelle
  où c'est plein d'affreux,
     plein de chatpardeurs et de ratgrettables,
10   plein de camionstres très énormes,
     camionstrueux qui ont toujours faim
      et qui te font de l'enlèvement,
    qui te secouillent
     et qui t'aspirationnent toutes les petites choses
15 qui tiennent à toi.

   D'accord tu aimes la vidangereuse,
  mais réflexionne un peu ;
si tu restes là sans bouger dans la cruelle
  tu peux te faire arrêter pour vagabonding
20 par le premier polisson venu
  et te retrouver en tôle !

  Non, oublie la cruelle, je te garde ;
   après tout,
    c'est toi la poubelle que j'a rencontrée !

Marc FAVREAU, *Presque tout Sol*, Montréal,
Les Éditions internationales Alain Stanké, 1995.

L'appel de la carrière

L'école, quand t'es tout petit, tu connais pas,
t'es pas encore dans l'école…
tu t'amuses autour, tu joues dans le pré scolaire,
tu suis seulement les cours de récréation…
5 C'est drôlement agréable, mais ça dure pas longtemps.
Un jour, tu te retrouves dans l'école…
et là, fini de faire tout ce que tu veux,
c'est l'école brimaire !
D'abord tu découvres une chose que tu connaissais
10   pas : la discipipeline !
C'est très énormément important,
c'est avec ça que tu apprends.
La discipipeline, tu vois, c'est comme un tuyau…
on te branche ça dans l'entonnoir, et tu reçois,
15 t'entends, t'entends des mots, des mots, des mots…
passque à l'autre bout du tuyau, y a un professeur
qui arrête pas de parler…
qui te remplit la crécelle tous les jours,
jour après jour… après jour…
20 Et un beau matin que l'été se pointe le nez,
ça y est, finie la discipipeline et tu pars en vacances !
Toi tu penses que ça s'arrête là, mais c'est pas
si simple… aussitôt que les feuilles commencent
à démissionner des arbres, tu rentres à l'école
25 pour des semaines et des mois, des mois…
et c'est comme ça pendant des années !
Mais toi, sans t'en rendre compte, tu grandis,
tu grandis tant tellement que ton école devient
trop petite pour toi, alors tu changes d'école.
30 Et aussitôt que tu te retrouves dans ta nouvelle grande
école, la première chose que tu apprends,
c'est que l'école c'est SECONDAIRE !
Youppi ! finie l'école brimaire !
finie la discipipeline !
35 Mais c'est pas vrai, c'est pas fini, c'est pire.
À partir de désormais, t'as plusieurs discipipelines !
Et c'est là que tu commences à courir pour suivre…

tu suis les cours… et ça marche, les cours…
et toi tu suis, tu suis… t'as pas le choix…
40 alors tu bouges, tu cours partout,
tu montes, tu descends, tu cours à droite, à gauche…
et à force de courir tu finis par apprendre…
t'apprends toutes sortes de choses…
t'apprends à compter… surtout sur toi-même…
45 t'apprends que tout le monde polycopie
tout le monde…
mais t'arrêtes pas de courir…
tu cours les profs, tu cours tes cent maîtres…
tu fais de l'équation sur ton alzèbre…
50 tu cours de labos en lavabos…
tu cours les images sur un magnificoscope,
avec une vidéocasquette sur ta tête chercheuse…
tu cours tes feuilles qui sont mobiles…
tu poursuis tes études !

55 Mais un beau matin, stop ! fini de courir,
   Qu'est-ce que tu vois qui se dresse devant toi ?
   L'EXGAMIN !
   Et il est pas commode, tout le monde a peur de
       l'exgamin !
60 C'est un dur ! Il est là qui bouge pas…
   il t'attend… Et là t'as pas le choix, faut que tu passes
       l'exgamin !
   Pas question de faire semblant, de passer à côté…
   non, faut que tu passes à travers !…
65 Alors tu fermes les yeux, et tu fonces…
   et quand t'as passé l'exgamin, tu ouvres les yeux,
   tu fais ouf ! Et tu reçois ton butin…
   Ton butin c'est une feuille pleine de notes.
   C'est drôlement important les notes, c'est tes notes
70 à toi… c'est tes notes qui te donnent l'air :
   pluss elles sont hautes, pluss t'as l'air enchanté !
   Tu sautes en l'air comme si t'avais gagné le grelot…
   YA HOOOOU !
   Mais si t'as les notes basses, alors là, c'est pas long
75 tu te mets à déchanter… avec ton petit butin
   tu sors de l'école par la petite porte,
   la tête basse forcément…

   Sans rien, sans papier ni plôme, tu devras attendre
   que la main d'œuvre te donne un coup de pouce…
80 et la main d'œuvre elle a beau avoir le bras long…
   des fois elle en met du temps avant de te rejoindre !
   Et même quand la main d'œuvre te tient,
   ça veut pas dire qu'elle tient à toi.
   Elle peut te lâcher aussi vite…
85 elle fait pas ce qu'elle veut, ça dépend…
   ça dépend des ouvertures…
   et surtout des fermetures !…

   En tout cas, avec ton petit butin, t'auras la vie dure,
   t'auras du mal à mettre du labeurre sur ton pain…
90 peut-être tu vas passer ta vie à chercher des
   débouchés… pas facile trouver des débouchés…
   à moins d'avoir des tuyaux…

   Bon, suppositionne maintenant que t'as pas craqué
       devant l'exgamin.
95 Tu sors de l'école avec la grosse
   tête haute et un beau butin…

   Et là, c'est esstradinaire, t'as toute ta vie devant toi,
   c'est facile, t'as qu'à choisir…
   Tu peux même choisir de rester à l'école :
100 tu peux choisir de devenir un prof !
   Il est drôlement bien le prof, il reste à l'école
   toute sa vie, sauf qu'il a plus rien à apprendre,
   il sait tout ! C'est pas fatigant.
   Bien sûr, le prof, tout ce qu'il sait, il peut pas garder
105   ça pour lui tout seul, ce serait pas juste…
   Alors chaque matin, le prof il fait un petit effort,
   il ouvre la porte de sa classe…
   et qu'est-ce qu'il voit là devant lui ?
   Une trentaine d'entonnoirs qui viennent faire
110   le plein !
   Alors il sort la discipipeline et il verse dans
   les entonnoirs… il verse, il converse, il controverse,
   il tergiverse, toute la journée…
   et quand les entonnoirs sont pleins, ils s'en vont.
115 Et le lendemain ils reviennent, toujours aussi vides !
   et il faut encore les remplir…

   C'est plus des entonnoirs, c'est des vraies passoires !…
   Bon, après tout, c'est pas si mal : une passoire
   c'est fait pour passer… et avoir des élèves qui passent,
120 c'est bon pour le prof. Surtout quand on pense
   que le pôvre, il les a vus de face pendant des mois…
   (et ils sont pas toujours jolis à voir : les yeux au
       plafond, et les doigts dans le néant…)
   au moins quand ils passent, c'est une fois pour toutes,
125 et il les revoit plus !…

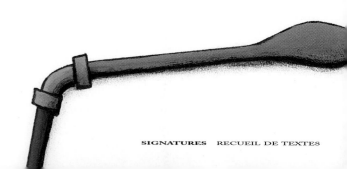

Bien sûr, personne te force à devenir un prof.
Tu peux aussi choisir de sortir de l'école
une fois pour toutes.
Alors là, le mieux c'est de décrocher.
30 Si t'arrives à décrocher huit, neuf ou dix plômes,
c'est esstradinaire! Avec ça, tu peux avancer
dans la vie, t'avances, t'avances,
y a rien pour t'arrêter…
Et même si tout à coup, un beau jour, tu sens
35 comme un trou devant toi… alors là faut surtout pas
t'énervouiller… ce trou il est là essprès pour toi,
c'est ta carrière qui s'ouvre devant toi!

Non, j'exagérationne.
Elle s'ouvre pas toute seule, ta carrière,
40 faut que tu l'aides, faut que tu pioches…
Avec ta carrière ce qu'il te faut, c'est un plan.
Si t'as un plan de carrière, tu peux pas te tromper,
tu pioches en suivant ton plan de carrière…
et comme ça tu perds pas ton temps à piétiner…
45 quand on piétine on avance à rien, c'est bien
                              [connu…
À moins que tu piétines les autres!
Mais attention, pluss tu piétines les autres, moins il
en reste… et alors t'es pas pluss avancé: si t'as
personne derrière toi tu seras jamais le premier!…
50 Passque dans la vie, la chose qui compte c'est
que les autres soient derrière toi…

Y a aussi des gens qui prétentionnent que c'est mieux
une carrière en long. Mais une longue carrière faut
pas croire que c'est plus simple… tu commences à
155 piocher droit devant toi, tu pioches, tu pioches…
et pluss tu pioches pluss tu fais des tas, tu fais des
tas… tant tellement que tu sais plus où les mettre,
et alors t'as pas le choix, tu serres les tas,
tu serres les tas… tout le long de ta carrière…

160 Et si tu serres les tas encore pendant des années et des
années, t'auras une belle carrière très énormément
longue… Et même si t'es sûr d'être jamais remercié…
tu connaîtras les joies de la satisfonction publique!…

Mais si t'es grambitieux,
165 si t'as vraiment
de la grambition, tu te contentes
pas de piocher dans ta carrière,
et de faire des tas…

Tu surveilles les tas! et c'est pas long, tu te rends
170 compte que les tas nous cachent plein de choses…
alors tu scrutines, tu guettes…
et si t'arrives à connaître les secrets des tas,
ça veut dire que t'as du nez… et si t'as du nez,
t'as ce qu'il faut pour devenir le chef des tas!…

175 Ce qui est bien quand t'es le chef,
c'est que vraiment tu fais ce que tu veux.
C'est le contraire de l'école : personne te force
à répondre aux questions !
Tu peux t'amuser à donner des incohérences
180 de presse… mais tu réponds jamais aux questions,
tu réponds à côté, tu dis jamais ni oui ni non…
Tu laisses ça au préférend'homme… il aime ça
répondre, le préférend'homme, c'est l'homme
qui dit :
185 « Je préfère ceci ou cela… » c'est l'homme de la rue.
Le chef des tas, lui, c'est pas l'homme de la rue,
c'est un homme de cabinet, il est toujours pressé !
Ce qui lui manque le plus, c'est le temps.
Il a toujours besoin de temps, n'importe quel temps,
190 beau temps, mauvais temps, il s'en fiche,
il est impermouillable, il se mouille jamais…
quand ça coule sur lui comme un canard,
c'est un bon signe. C'est un signe de bonne santé…
C'est important. Le chef des tas peut pas se permettre
195 d'être malade pour un oui ou pour un non…
Il peut pas se permettre de se lever un matin
avec un problème constipationnel… il est pressé !

Et le pire, quand on est pressé, c'est de jamais être
tout seul… Le chef des tas il a toujours plein de gens
200 qui tourbillent autour de lui… des fois il en peut plus,
alors il les envoie faire des commissions.
Tous ces gens-là, vaut mieux que ça rapporte !
Seulement voilà, ils comprennent pas, ils en font
trop, ils rapportent, ils veulent garder de bons
205 rapports…
ils rapportent tant tellement que son bureau est
plein… et lui, il voudrait bien jeter tout ça par la
fenêtre… mais il peut pas : l'homme de la rue est là,
en bas,
210 qui pourrait mettre le nez dans les rapports…
Tu vois ça, si l'homme de la rue arrivait à reprendre
connaissance ?…

Alors comme il peut rien jeter, il empile !
Il met tout ça sur des tablettes, et encore des
215 tablettes… jusqu'au plafond !
Et ça devient l'oubliothèque… avec un biblioprécaire
qui va tout bien classer, classer une fois pour toute

Tu vois, un vrai chef c'est toujours pressé… il a pas
de temps à perdre… s'il veut arriver à tout faire
220 tout seul… il a pas le choix : il doit savoir s'entourer
de tablettes…

Ouille, c'est drôle, les tablettes, ça me rappelle
quelqu'un… un chef… drôlement pressé…
qui voulait tout faire… tout seul… à toute vitesse…
225 attends… je me souviens… non…
ah, je devrais m'en souvenir…
je devrais m'en souvenir…
devrais m'en souvenir…
m'en souvenir…
230 m'en souvenir…
m'en souvenir…

Marc FAVREAU, *Faut d'la fuite dans les idées*, Montréal,
Les Éditions internationales Alain Stanké, 1993.

Le silence
des maisons
vides

Le silence des maisons vides
Est-il plus noir que celui qui dort
              [dans les tombeaux,
Le lourd silence sans repos
Où passent les heures livides.

5 On dirait que, comme le vent
    Qui siffle à travers les décombres
    Des vieux moulins tout remplis d'ombre
    Passe, toujours se poursuivant,

    L'heure, passant par ce silence
10 Comme si le pendule lent
    Qu'une antique horloge balance
    La comptait à pas lourds et lents,

    Passe sans rien changer aux choses
    Dans un présent cristallisé
15 Où l'avenir et le passé
    Seraient comme deux portes closes

    Et dans ce silence béant
    On dirait, tant le temps est lisse
    Que c'est l'éternité qui glisse
20 À travers l'ombre du néant.

Hector de Saint-Denys GARNEAU
Tiré de *Saint-Denys Garneau* (textes choisis et présentés
par Benoît LACROIX), Ottawa, Éditions Fides, 1956.

HECTOR DE SAINT-DENYS GARNEAU

Le poète québécois Hector de Saint-Denys Garneau (1912-1943) est né à Montréal. Il écrit ses premiers poèmes à compter de 1923. Son œuvre se distingue par la grande liberté de ses formes, par la variété de ses points de vue (ironique, ludique, terre à terre, etc.) et par ses thèmes (angoisse, solitude, spiritualité, combat contre la mort, etc.). Saint-Denys Garneau a joué un rôle déterminant dans l'histoire de la poésie moderne au Québec.

Les ormes

Dans les champs
Calmes parasols
Svsveltes, dans une tranquille élégance
Les ormes sont seuls ou par petites familles.
5 Les ormes calmes font de l'ombre
    Pour les vaches et les chevaux
    Qui les entourent à midi.
    Ils ne parlent pas
    Je ne les ai pas entendus chanter.
10 Ils sont simples
    Ils font de l'ombre légère
    Bonnement
    Pour les bêtes.

Hector de Saint-Denys GARNEAU, *Poésies complètes*, 1949.

Le poète québécois Émile Nelligan (1879-1941) est né à Montréal. Il n'a que 16 ans lorsque paraît son premier poème. La carrière de cet adolescent hypersensible et doué sera toutefois de courte durée : en 1899, il est interné dans un établissement psychiatrique.

Contrairement aux poètes qui l'ont précédé, Émile Nelligan ne puise pas ses thèmes dans le terroir et la patrie mais bien dans son « je » intérieur, rejoignant ainsi des poètes français comme Baudelaire et Verlaine.

Clair de lune intellectuel

Ma pensée est couleur de lumières lointaines,
Du fond de quelque crypte aux vagues profondeurs.
Elle a l'éclat parfois des subtiles verdeurs
D'un golfe où le soleil abaisse ses antennes.

5 *En un jardin sonore, au soupir des fontaines,*
Elle a vécu dans les soirs doux, dans les odeurs ;
Ma pensée est couleur de lumières lointaines,
Du fond de quelque crypte aux vagues profondeurs.

Elle court à jamais les blanches prétentaines,
10 *Au pays angélique où montent ses ardeurs,*
Et, loin de la matière et des brutes laideurs,
Elle rêve l'essor aux célestes Athènes.

Ma pensée est couleur de lunes d'or lointaines.

Émile NELLIGAN, *Poésies complètes*, 1952.

Odilon Redon (1840-1916), *Les yeux clos*, 1890.

Violon d'adieu

Vous jouiez Mendelssohn ce soir-là ; les flammèches
Valsaient dans l'âtre clair, cependant qu'au salon
Un abat-jour mêlait en ondulement long
Ses rêves de lumière au châtain de vos mèches.

5 Et tristes, comme un bruit frissonnant de fleurs sèches
Éparses dans le vent vespéral du vallon,
Les notes sanglotaient sur votre violon
Et chaque coup d'archet trouait mon cœur de brèches.

Or, devant qu'il se fût fait tard, je vous quittai,
10 Mais jusqu'à l'aube errant, seul, morose, attristé,
Contant ma jeune peine au lunaire mystère,

Je sentais remonter comme d'amers parfums
Ces musiques d'adieu qui scellaient sous la terre
Et mon rêve d'amour et mes espoirs défunts.

Émile NELLIGAN, *Poésies complètes*, 1952.

Le Vaisseau d'or

Ce fut un grand Vaisseau taillé dans l'or massif :
Ses mâts touchaient l'azur, sur des mers inconnues ;
La Cyprine d'amour, cheveux épars, chairs nues,
S'étalait à sa proue, au soleil excessif.

5 Mais il vint une nuit frapper le grand écueil
Dans l'Océan trompeur où chantait la Sirène,
Et le naufrage horrible inclina sa carène
Aux profondeurs du Gouffre, immuable cercueil.

Ce fut un Vaisseau d'Or, dont les flancs diaphanes
10 Révélaient des trésors que les marins profanes,
Dégoût, Haine et Névrose, entre eux ont disputés.

Que reste-t-il de lui dans la tempête brève ?
Qu'est devenu mon cœur, navire déserté ?
Hélas ! Il a sombré dans l'abîme du Rêve !

Émile NELLIGAN, *Poésies complètes*, 1952.

SUZANNE JACOB

L'auteure québécoise Suzanne Jacob est née en 1943 à Amos. Connue pour ses romans et ses nouvelles (*Flore Cocon, La Survie*), Suzanne Jacob est aussi chansonnière, dramaturge et poète.

Jour après jour, ce fut une lumière
   qui monta submerger le soleil même.
La ville mua en un mirage suspendu
   strident sur le fleuve.
5 La mère voila les seuils,
démantela les traces,
noua l'enfant à sa chevelure.
Épris et déshérités,
   la mère et l'enfant
10   glissèrent dans les herbes
   jusqu'au soir dont il s'agit.
La mère alors défit les nœuds.
L'enfant toucha le sol de la terre.

Suzanne JACOB, *Les écrits de l'eau* suivi de *Les sept fenêtres*, Montréal, © Éditions de l'Hexagone, 1996.

Gustave Klimt (1862-1918), *Les trois âges de la femme* (détail), Galerie d'art moderne, Rome.

Je tends des pièges sur la neige
pour capturer des mots
des mots chauds à fourrure
bêtes rousses et rares venues du soleil
5 égarées sur mes terres de mort
des mots chauds aux longs poils de rayons
je caresse frileux la peau des mots
je me revêts de leur pelage
et me dresse debout
10 sauvage et dur
parmi les poudreries du temps
mon œuvre autour de moi comme un manteau
un chaud manteau en peaux de mots

Pierre CHÂTILLON
Tiré de Bernard POZIER et Louise BLOUIN, *Poètes québécois*, Trois-Rivières, Écrits des Forges, 1996.

PIERRE CHÂTILLON

Le poète, romancier et critique littéraire québécois Pierre Châtillon est né à Nicolet, en 1939. De 1968 à 1996, il enseigne la littérature et anime des ateliers de création littéraire à l'Université du Québec à Trois-Rivières. Depuis 1998, il travaille à transformer un parc de Nicolet en un lieu voué à faire connaître l'œuvre de trente auteurs ayant vécu ou vivant dans cette ville.

Bzzz...

Dieu sut haïr assez pour concevoir les mouches,
Affreuses, veloutées, leur corps inquiétant
Gonflé de pus jaunâtre, et dans leur vol flottant
Traînant on ne sait quoi de funèbre et de louche.

5 Contrepettant Satan qui pourrit ce qu'il touche
Vous, mouches, vous touchez ce qui pourrit, goûtant
Toutes en foule à l'œil rosâtre et suintant
De bêtes aveuglées par vos avides bouches

Et votre aile stridente aux nervures de fer
10 Lève en mon cauchemar un nébuleux enfer
De corps velus, jaillis de l'ombre où l'on martelle

Les clous du long cercueil où j'étendrai mon corps
Et que l'on brûlera dans la flamme immortelle
Pour me sauver de vous, lorsque je serai mort...

Boris VIAN, *Cent Sonnets*, Paris, © Christian Bourgois et Cohérie Vian, 1984.

---

1. Boîtes de nuit ou cabarets.

2. Jacques-Laurent BOST cité dans *Le Petit Robert 2*, 1993, p. 1866.

ANNE HÉBERT

À la fois poète, dramaturge et romancière, Anne Hébert est née à Sainte-Catherine-de-la-Jacques-Cartier, au Québec, en 1916. À compter de 1939, elle publie des poèmes dans divers périodiques. Dans *Le Tombeau des rois,* son premier recueil de poèmes paru en 1953, Anne Hébert aborde les thèmes de la solitude, de l'angoisse existentielle et de la mort. Dans son deuxième recueil, *Mystère de la parole,* paru en 1960, l'auteure se fait beaucoup plus sereine.

Anne Hébert est aussi connue pour ses romans, notamment *Kamouraska* et *Les Fous de Bassan,* qui ont été portés à l'écran.

Éveil au seuil d'une fontaine

Ô ! spacieux loisir
Fontaine intacte
Devant moi déroulée
À l'heure
5 Où quittant du sommeil
La pénétrante nuit
Dense forêt
Des songes inattendus
Je reprends mes yeux ouverts et lucides
10 Mes actes coutumiers et sans surprises
Premiers reflets en l'eau vierge du matin.

La nuit a tout effacé mes anciennes traces.
Sur l'eau égale
S'étend
15 La surface plane
Pure à perte de vue
D'une eau inconnue.
Et je sens dans mes doigts
À la racine de mon poignet
20 Dans tout le bras
Jusqu'à l'attache de l'épaule
Sourdre un geste
Qui se crée
Et dont j'ignore encore
25 L'enchantement profond.

Anne HÉBERT, *Poèmes,* Paris, © Éditions du Seuil, 1960.

Orée

C'est l'heure où la ville se dérhume
et crache un peu de sang
pour se dégager les bronches
la lumière du jour remplace
5   les néons qui s'éteignent
à l'heure où la ville prend son respir
et commence une autre journée sans elle

les taxis recommencent à rouler
c'est l'heure où la ville
10   se regarde dans le miroir
et compte ses rides
avant de se raser
à l'heure où la ville
avec sa barbe poivre et sel
15   se dit tiens voilà qu'il gèle
oui l'été ce coup-ci
c'est bien fini
à l'heure où la ville se brûle
avec son café bouillant
20   et remonte ses bretelles Police
sur sa chemise de la semaine passée
à l'heure où la ville
compte ses petites filles
qui entrent au primaire
25   quelques jours avant l'hiver

c'est l'heure où la ville monsieur
se sent fatiguée comme vous
et pense un instant
qu'il est peut-être temps
30   c'est l'heure où la ville
prend son temps
avant de courir comme un fou
pour ne pas manquer l'autobus
d'un sombre lundi
35   où mieux vaudrait
dire adieu à la vie

c'est à l'heure où vous êtes seule
vous aussi
comme la ville
40   à l'heure où elle se déplie
il fut un temps où l'on se voyait beaucoup
à l'heure où la ville
croyait encore en vous

Gérald GODIN, *Soirs sans atout*, Trois-Rivières,
Écrits des Forges, 1986.

GÉRALD GODIN

Originaire de Trois-Rivières, Gérald Godin (1938-1994) a marqué la vie culturelle et sociale du Québec de nombreuses manières. Il s'est fait entendre comme journaliste, chef des nouvelles, éditeur, député, ministre et poète. Écrite dans une langue simple, la poésie de Godin parle du quotidien, de l'appartenance au pays, de tendresse, de revendication. « Je ne suis pas un poète de laboratoire. Je suis dans la ruelle derrière. Là où passent les piétons. Je fais une poésie de piétons[1]. »

---

1. Gérald GODIN cité par Réginald HAMEL, John HARE et Paul WYCZYNSKI dans le *Dictionnaire des auteurs de langue française en Amérique du Nord*, Montréal, Éditions Fides, 1989, p. 616.

LOUISE DESJARDINS

La poète québécoise Louise Desjardins est née en Abitibi en 1943.
Le critique Gilles Toupin écrit, au
sujet du recueil *La 2e avenue*: « Pas de
demi-mesure. Voilà ce que la parole
poétique aura trouvé, cette capacité
de partir "un beau matin" pour "exercer
sa solitude" [...] Il faut mourir un peu,
quitter les faux parcours, les compromis-
sions. N'est-ce pas le lumineux pouvoir de
la poésie ?[1] » Louise Desjardins enseigne la
littérature ; elle a aussi traduit des ouvrages
de poésie.

Le marché de l'amour

[...]

Solitude à briser :
Femme octogénaire
Aux cheveux frisés bleus, au rire facile,
Aimerait compagnon de n'importe quel âge
5 Parlant très fort pour raison de surdité.

Solitude à en vomir :
Mère de trois enfants au biberon,
Lessivée, excédée, amaigrie et aigrie
Ayant un mari qui, lui, travaille jour et nuit
10 Voudrait la paix à tout prix, même celle d'une prison.

Solitude à en mourir :
Peuple déraciné
Au ventre stérilisé, à la tête fragile et usée
Cherche pays fort, riche et en santé
15 Pour endosser librement son hérédité.

Solitude à en crever :
Être humain civilisé
Regardant la télé du fond de son salon
Cherche sa raison d'être en tête à tête
20 Avec un bébé chimiquement mort sur son écran.

Louise DESJARDINS, *La 2e avenue* précédé de *Petite sensation*,
La minutie de l'araignée, Le marché de l'amour (extraits), Montréal,
© Éditions de l'Hexagone, 1995.

André Fournelle (né en 1939), *L'attente*, 1983.

1. Gilles TOUPIN, postface de *La 2e avenue*, de Louise DESJARDINS,
Montréal, Éditions de l'Hexagone, 1995, p. 157.

Je ne sais plus ce soir où va la poésie

je ne sais plus ce soir où va la poésie
je regarde les mots déliés dans l'espace
je ne sais plus ce soir où va la poésie
je l'ai voulue brisée défaite et elliptique
5 transformée secouée aérée
je l'ai voulue urbaine
sur les lèvres du siècle
dans des hasards perdus
aux chants inconsolables
10 des utopies magiques
je l'ai voulue formelle ouverte ou en rupture
je l'ai voulue indirecte structurée mobile
je traversais sa nuit
et j'en rêvais le jour
15 je ne sais plus ce soir où va la poésie
mais je sais qu'elle voyage
rebelle analogique
écriture d'une voix noire
solitaire et lyrique
20 tout au sommet des mots
dans les incertitudes
sous la chute des possibles
là au centre des pages
dans l'ailleurs du monde
25 pour un temps infini
elle souligne les choses
elle soulève l'amour
témoigne du dedans
par les mots qui désirent
30 dans ce même langage renouvelé
j'interroge le livre la vie la nuit
je ne sais plus ce soir où va la poésie

Claude BEAUSOLEIL, *Une certaine fin de siècle*, tome 2,
St-Hippolyte, Le Noroît/Castor astral, 1991.

CLAUDE BEAUSOLEIL

Le poète et critique littéraire québécois Claude Beausoleil est né à Montréal en 1948. Il est aussi professeur de littérature. En tant que critique littéraire, il signe de nombreux articles sur l'écriture actuelle dans diverses revues. Dans *Une certaine fin de siècle*, l'auteur parle de sa ville natale.

Étienne Zack (né en 1976), *L'arbre*, 1993.

Le poète et médecin québécois Nérée Beauchemin (1850-1931) vécut presque toute sa vie dans son village natal de Yamachiche. Son œuvre simple chante la nature, le terroir et le patriotisme.

La mer

Loin des grands rochers noirs que baise la marée,
La mer calme, la mer au murmure endormeur,
Au large, tout là-bas, lente s'est retirée,
Et son sanglot d'amour dans l'air du soir se meurt.

5 La mer fauve, la mer vierge, la mer sauvage,
Au profond de son lit de nacre inviolé
Redescend, pour dormir, loin, bien loin du rivage,
Sous le seul regard pur du doux ciel étoilé.

La mer aime le ciel : c'est pour mieux lui redire,
10 À l'écart, en secret, son immense tourment,
Que la fauve amoureuse, au large se retire,
Dans son lit de corail, d'ambre et de diamant.

Et la brise n'apporte à la terre jalouse,
Qu'un souffle chuchoteur, vague, délicieux :
15 L'âme des océans frémit comme une épouse
Sous le chaste baiser des impassibles cieux.

Nérée BEAUCHEMIN, *Les Floraisons matutinales*, 1897.

La perdrix

Au ras de terre, dans la nuit
Des sapinières de savane,
Le mâle amoureux se pavane
Et tambourine à petit bruit.

5 La femelle écoute, tressaille,
Et, comme une plume, l'amour
L'emporte vers le troubadour
Qui roucoule dans la broussaille.

Tel un coq gonfle tout l'émail
10 Et tout l'or de sa collerette ;
Le mâle, dressant son aigrette,
Roule sa queue en éventail.

Mais voici qu'un coup de tonnerre,
Sous les arbres, vient d'éclater,
15 Faisant, au loin, répercuter
Les échos du bois centenaire.

Et, frappée au cœur en son vol,
Ailes closes, la perdrix blanche,
Dégringolant de branche en branche,
20 Tombe, mourante, sur le sol.

Nérée BEAUCHEMIN, *Patrie intime*, 1928.

Dans les sirènes…

Dans les sirènes d'usine
Dans les klaxons de cinq heures
Dans le crissement des pneus
Dans le fracas continu de la ville
5   J'entends la mer

Dans les profondeurs du sommeil
Dans les secrets voyages de la nuit
Dans le noir blessé des néons
      Je vois la mer

10 Et près des réverbères perdus
Je me suis appuyé les soirs de pluie
À la rambarde des trottoirs
      Sans parapluie.

Gilles VIGNEAULT, *Silences*, Montréal, Les Nouvelles Éditions de l'Arc, 1979.

GILLES VIGNEAULT

Le poète, compositeur et chansonnier québécois Gilles Vigneault est né en 1928 à Natashquan, sur la basse côte nord. À compter des années 1955-1960, Gilles Vigneault s'adonne à la poésie et à la chanson. La nature, les grands espaces et les gens de son coin de pays lui inspirent des textes originaux et savoureux. À ces leitmotivs se greffent les thèmes du temps qui passe, de l'amour, de la mélancolie, de la quête de soi, des bouleversements sociaux.

ÉVA SENÉCAL

La poète québécoise Éva Senécal (1905-1988) est originaire de La Patrie. Entre 1920 et 1930, elle est journaliste à *La Patrie*. Son premier recueil de poésie paraît en 1927 et le second, *La Course dans l'aurore*, en 1929. Cet ouvrage se divise en quatre sections : « le beau rêve », « azur et beauté », « l'heure amoureuse » et « chimères et douleurs ». Ces titres reflètent le lyrisme de l'œuvre.

Invitation

[…]

— Je suis la brune aurore aux vêtements opales,
Les midis accablés, les soleils jaillissants ;
Je suis la brise bleue et j'ai mille cymbales
      Qui tintent en cadence à mes pieds bondissants.
5   Je suis les hauts gradins, je suis l'arène immense
      Où tous les éléments se combattent entre eux,
      Le fertile sillon où germe la semence,
      Le lange des vaincus, le séjour ténébreux.
      Je porte dans mes bras le joyeux enfant-monde,
10 Les oiseaux enivrés, tous les faunes dansants ;
      Les fleurs brûlent pour moi d'ardeur tendre et profonde
      Et m'offrent, chaque jour, un amoureux encens.
      Je suis le vrai savoir, l'histoire universelle,
      De la terre, je suis le milieu et le bord ;
15 Je célèbre l'amour, la gaîté qui ruisselle,

Mais tous mes blancs chemins conduisent à la mort.

Éva SENÉCAL, *La Course dans l'aurore* (extrait), 1929.

La poète québécoise Marie Uguay (1955-1981) est originaire de Montréal. Dans *Il y a ce désert...*, la poète évoque, à partir de gestes du quotidien, sa douleur face à la mort. Marie Uguay est décédée d'un cancer à l'âge de vingt-six ans.

Il y a ce désert...

il y a ce désert acharnement de couleurs
et puis l'incommode magnificence des désirs
il faut se restreindre à dormir à attendre à dormir encore
j'ai fermé la fenêtre et rentré les chaises
5   desservi la table et téléphoné il n'y avait personne
fait le lit et bu l'eau qui restait au fond du verre
toutes les saisons ont été froissées comme de mauvaises copies
nos ombres se sont tenues immobiles
c'était le commencement des destructions

Marie UGUAY, *Poèmes*, Montréal, Le Noroît, 1994.

La voie sauvage
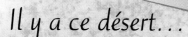

quel que soit son nom cette voie je la prends
faste musique d'ailes qui se gonflent
avec le plomb et le cristal de mes os je l'affronte
je ne veux pas dormir dans des abris de terre opaque
5   je romps la cicatrice délivre la blessure
et le pavot géant jette le même feu
ton souffle a des cris de jeunesse extrême
on dirait que le temps n'a pas rôdé ici
si fraîches ruissellent les aubes futures
10 on marche à pas très bleus dans les villes rouvertes.
le vent a des délires d'infini septembre
des abris d'ailes ivres s'élèvent au zénith

je ne m'étonne plus Mara que tu sois belle
car la griffe de l'aigle t'a fleuri le front

Suzanne PARADIS, *La voie sauvage*, Québec, Garneau, 1973.

Suzanne Paradis est née en 1936 à Québec. Elle est l'auteure de nombreux ouvrages, principalement des poèmes et des romans. Son écriture recherchée, musicale, pleine de ferveur de vivre lui a valu plusieurs prix littéraires.

Intimité

En attendant le jour où vous viendrez à moi,
Les regards pleins d'amour, de pudeur et de foi,
Je rêve à tous les mots futurs de votre bouche,
Qui sembleront un air de musique qui touche
5 Et dont je goûterai le charme à vos genoux…
Et ce rêve m'est cher comme un baiser de vous !
Votre beauté saura m'être indulgente et bonne,
Et vos lèvres auront le goût des fruits d'automne !
Par les longs soirs d'hiver, sous la lampe qui luit,
10 Douce, vous resterez près de moi, sans ennui,
Tandis que feuilletant les pages d'un vieux livre,
Dans les poètes morts je m'écouterai vivre ;
Ou que, songeant depuis des heures, revenu
D'un voyage lointain en pays inconnu,
15 Heureux, j'apercevrai, sereine et chaste ivresse,
À mon côté veillant, la fidèle tendresse !
Et notre amour sera comme un beau jour de mai,
Calme, plein de soleil, joyeux et parfumé !
[…]

Albert LOZEAU, *L'Âme solitaire* (extrait), 1925.

Le sonnet

Non, jamais je n'ai pu fabriquer un sonnet
Sans mettre en désaccord le bon sens et la rime ;
Un son qui, dans huit vers, quatre fois résonnait,
En passant sur ma lyre avait un bruit de lime.

5 J'errais, sans rien trouver, du badin au sublime
Et très nerveux souvent, lorsque minuit sonnait,
Comme un pauvre forçat qui regrette son crime,
Je rougissais des vers que ma main façonnait.

Puis, le cœur pénétré de honte et de colère,
10 Je déplorais tout bas mon peu de savoir-faire,
En maudissant ma muse et Pégase au surplus !

Mais, grand Dieu, voilà bien que sur lui je remonte
Et qu'insensiblement sous ma main il se dompte !…
Bravo !… j'ai mon sonnet !… on ne m'y prendra plus.

Félix-Gabriel MARCHAND, *Mélanges poétiques et littéraires*, 1899.

ROBERT DESNOS

Le poète français Robert Desnos (1900-1945) a d'abord appartenu au mouvement artistique appelé *sur-réalisme.* Par la suite, il s'est affirmé comme un grand poète lyrique. Les poèmes qu'il a écrits pendant la Seconde Guerre mondiale touchent les lecteurs par la ferveur avec laquelle il prend la défense des libertés opprimées. Sa lutte pour la liberté lui vaudra d'être déporté dans un camp de concentration, où il mourra.

C'était un bon copain

Il avait le cœur sur la main
Et la cervelle dans la lune
C'était un bon copain
Il avait l'estomac dans les talons
5 Et les yeux dans nos yeux
C'était un triste copain
Il avait la tête à l'envers
Et le feu là où vous pensez
Mais non quoi il avait le feu au derrière
10 C'était un drôle de copain
Quand il prenait ses jambes à son cou
Il mettait son nez partout
C'était un charmant copain
Il avait une dent contre Étienne
15 À la tienne Étienne à la tienne mon vieux
C'était un amour de copain
Il n'avait pas sa langue dans la poche
Ni la main dans la poche du voisin
Il ne pleurait jamais dans mon gilet
20 C'était un copain
C'était un bon copain.

Robert DESNOS, *Corps et biens*, 1930.

Ballade du temps qui va

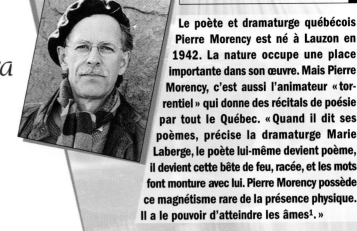

PIERRE MORENCY

Le poète et dramaturge québécois Pierre Morency est né à Lauzon en 1942. La nature occupe une place importante dans son œuvre. Mais Pierre Morency, c'est aussi l'animateur « torrentiel » qui donne des récitals de poésie par tout le Québec. « Quand il dit ses poèmes, précise la dramaturge Marie Laberge, le poète lui-même devient poème, il devient cette bête de feu, racée, et les mots font monture avec lui. Pierre Morency possède ce magnétisme rare de la présence physique. Il a le pouvoir d'atteindre les âmes[1]. »

Comme ruisseaux mes amis vont
Le temps s'en va comme rivière
Nous passons tous à reculons
Mais nous allons notre manière
5 Ainsi nuage ainsi l'eau claire
Ainsi la source ainsi l'oiseau
Mais nous voyons mourir nos pères
Et l'homme passe comme l'eau

Et comme l'eau vont les saisons
10 Et tournent l'âge et la misère
Nous n'avons plus notre raison
Quand il faut regarder derrière
A coulé le temps de naguère
Comme le vent comme radeau
15 L'amour est toujours à refaire
Et l'homme passe comme l'eau

La neige est lente et nous savons
Qu'ainsi la neige va l'horaire
Temps de tes yeux temps de mon nom
20 Et tant de feux pour fuir l'hiver
Le fleuve a retrouvé la mer

Mais les quais meurent sans bateaux
On nous oublie à l'estuaire
Et l'homme passe comme l'eau

25 Père ou ma femme ou mes confrères
Nous sommes tous du même lot
Et que ferons-nous de la terre
Si l'homme passe comme l'eau

Pierre MORENCY, *Au nord constamment de l'amour*, Québec, Les Nouvelles Éditions de l'Arc, 1970.

1. Marie LABERGE citée par Réginald HAMEL, John HARE et Paul WYCZYNSKI dans le *Dictionnaire des auteurs de langue française en Amérique du Nord*, Montréal, Éditions Fides, 1989, p. 1006.

Né en Haïti en 1909, le poète Jean-François Brière a par la suite habité le Sénégal. Engagé dans l'action révolutionnaire dans son pays d'origine, Brière est emprisonné à plusieurs reprises. Écrite dans une langue simple et directe, l'œuvre de Brière exprime avec véhémence la souffrance des opprimés.

Me revoici, Harlem

Au souvenir des lynchés de Géorgie
victimes du fascisme blanc.

Frère Noir, me voici ni moins pauvre que toi,
Ni moins triste ou plus grand. Je suis parmi la foule
5 L'anonyme passant qui grossit le convoi,
La goutte noire solidaire de tes houles.

Vois, tes mains ne sont pas moins noires que nos mains,
Et nos pas à travers des siècles de misère
Marquent le même glas sur le même chemin :
10 Nos ombres s'enlaçaient aux marches des calvaires.

Car nous avons déjà côte à côte lutté.
Lorsque je trébuchais, tu ramassais mes armes,
Et de tout ton grand corps par le labeur sculpté,
Tu protégeais ma chute et souriais en larmes.

15 De la jungle montait un silence profond
Que brisaient par moments d'indicibles souffrances.
Dans l'âcre odeur du sang je relevais le front
Et te voyais dressé sur l'horizon, immense.

Nous connûmes tous deux l'horreur des négriers...
20 Et souvent comme moi tu sens des courbatures
Se réveiller après les siècles meurtriers,
Et saigner dans ta chair les anciennes blessures.

Mais il fallut nous dire adieu vers seize cent.
Nous eûmes un regard où dansaient des mirages,
25 D'épiques visions de bataille et de sang :
Je revois ta silhouette aux ténèbres des âges.

Ta trace se perdit aux rives de l'Hudson.
L'été à Saint-Domingue accueillit mon angoisse,
Et l'écho me conta dans d'étranges chansons
30 Les Peaux-Rouges pensifs dont on défit la race.

Les siècles ont changé de chiffres dans le temps.
Saint-Domingue, brisant les chaînes, les lanières,
— L'incendie étalant sa toile de titan —
Arbora son drapeau sanglant dans la lumière.

35 Me revoici, Harlem. Ce Drapeau, c'est le tien,
Car le pacte d'orgueil, de gloire et de souffrance,
Nous l'avons contracté pour hier et demain :
Je déchire aujourd'hui les suaires du silence.

Ton carcan blesse encor mon cri le plus fécond.
40 Comme hier dans la cale aux sombres agonies,
Ton appel se déchire aux barreaux des prisons,
Et je respire mal lorsque tu t'asphyxies.

Nous avons désappris le dialecte africain,
Tu chantes en anglais mon rêve et ma souffrance,
45 Au rythme de tes blues dansent mes vieux chagrins,
Et je dis ton angoisse en la langue de France.

Le mépris qu'on te jette est sur ma joue à moi.
Le Lynché de Floride a son ombre en mon âme,
Et du bûcher sanglant que protège la loi,
50 Vers ton cœur, vers mon cœur monte la même flamme.

Quand tu saignes, Harlem, s'empourpre mon mouchoir.
Quand tu souffres, ta plainte en mon chant se prolonge.
De la même ferveur et dans le même soir,
Frère Noir, nous faisons tous deux le même songe.

Jean-François BRIÈRE
Tiré de Léopold Sédar SENGHOR, *Anthologie de la nouvelle poésie nègre et malgache de langue française*, collection Quadrige, Paris, P.U.F., 3e édition, 1997.

William H. Johnson (1901-1970), *Liberté pour mon peuple*, 1945, Musée national d'art américain.

MEDJÉ VÉZINA

La poète québécoise Medjé Vézina (1896-1961), de son vrai nom Ernestine Vézina, est originaire de Montréal. En 1934, elle publie son unique recueil, *Chaque heure a son visage*. Peut-être à cause de sa formation en musique, Medjé Vézina a su insuffler à son œuvre un rythme des plus vivants, comme le montre le poème en alexandrins « Nocturne ».

Nocturne

Accablé de subir un cœur aussi torride
Dont l'approche brûlait la chair des horizons,
Le soleil, veine ouverte, étale son suicide.
Le village se tait ; le troupeau des maisons
5 Semble mort de chaleur. L'oiseau repu d'azur
S'endort, le bec mouillé d'une goutte d'étoile.
Au loin, les champs rasés seraient d'un lisse pur
Où des astres pourraient voguer comme une voile ;
Mais des meules de foin sont encor là, debout,
10 Brandissant vers le ciel leur chapeau d'anamite.
La couleuvre, vivante émeraude, dissout
En rampant ses reflets, miroitantes pépites
Au minerai de l'herbe. Le groseillier rougeaud
Voit le soir enrober sa fruitière vendange.
15 Un parfum se déchire aux crocs de l'artichaut.
On entendrait bouger l'ombre qui se dérange,
Tant voulut se feutrer le passage du soir.
Et la lune longtemps penchée à sa fenêtre
Songe que le sentier si clair en bas, doit être
20 L'un de ses colliers d'or qu'elle aura laissé choir.

Medjé VÉZINA, *Chaque heure a son visage*, 1934.

Mystères

Dossier 4

Sommaire

Le cerveau, un super-ORDINATEUR

Les Égyptiens et les Mésopotamiens faisaient du cœur le lieu de l'intelligence. Les Européens du 18e siècle comparaient volontiers le cerveau à une horloge, alors fruit de la science et de la technique les plus avancées. Le 19e siècle était fasciné par la fée électricité ; d'un coup de baguette, la tête s'enorgueillit d'être le siège de flux de courant, capable notamment de faire bouger la patte de la grenouille. Quand arrivèrent le télégraphe et le téléphone, l'homme eut la certitude d'être gouverné par un central téléphonique codant et décodant les messages extérieurs, avec une multitude de fils branchés sur les muscles. Enfin, à partir des années 1940, le calculateur puis l'ordinateur s'imposèrent comme nouveau modèle, celui qui allait permettre de comprendre le système de la boîte noire, c'est-à-dire du cerveau.

Peine perdue. Cinquante ans après le lancement de la théorie cybernétique, on doit reconnaître les limites de l'analogie. Si le cerveau était une machine électronique, il serait à coup sûr un redoutable joueur d'échecs et un prodige de calcul mental, mais il ne cesserait de perdre au poker et aurait toutes les peines du monde à accomplir les tâches élémentaires de la vie quotidienne. Un cerveau est capable de reconnaître un visage entrevu il y a des années alors qu'un ordinateur soumis à la même tâche se perdra dans son stock d'images. Un cerveau fait sans peine le tri entre les torchons et les serviettes, entre les fruits et les légumes, entre les pleurs de joie et les pleurs de tristesse… ; l'ordinateur avouera son échec.

Plusieurs comparent le cerveau à un super-ordinateur. Mais la comparaison ne tient pas.

Si l'on poursuit la comparaison à des niveaux plus élémentaires, on s'aperçoit très vite que la pensée de l'homme et le logiciel de la machine ont bien peu de choses en commun. Le calculateur est soit éteint, soit allumé ; l'encéphale est toujours en état de veille, y compris au repos. Chaque élément de l'ordinateur, relié à quelques autres, répond par 0 ou 1, autrement dit, par oui ou non ; chaque neurone, connecté à des milliers d'autres, dispose d'un vocabulaire quasi infini. Les puces communiquent exclusivement avec des électrons ; la matière grise mélange les genres — courants électriques et réactions chimiques, y compris gazeuses — et multiplient les signaux : certaines molécules peuvent dialoguer avec au moins 16 récepteurs différents.

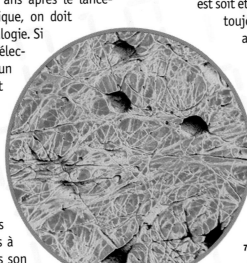

Neurone : Unité de base du système nerveux. Cette cellule hautement spécialisée commence à peine à révéler ses secrets.

Par ailleurs, la mémoire, terme commun, n'a pas non plus la même signification selon que l'on s'adresse au tissu vivant ou à l'objet inanimé.

85 Chaque unité de la machine est dépositaire d'une parcelle d'information et de rien d'autre ; chaque neurone du cortex temporal participe à la reconnaissance de nombreux visages et à bien d'autres tâches tout comme chaque cellule nerveuse de 90 l'hippocampe est sollicitée pour décoder une stimulation visuelle, une information gusta-95 tive et un nouveau positionnement dans l'espace. La mémoire humaine est un passé sans 100 cesse recomposé avec les éléments du présent ; celle de la machine est faite d'une juxta-105 position d'informations qui, faute de place, conduit à l'effacement des plus anciennes.

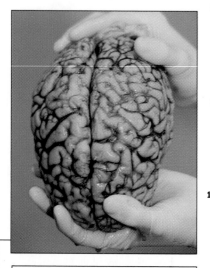

Entre la naissance et l'âge adulte, la masse du cerveau humain quadruple, bien que le nombre de neurones soit fixe. C'est qu'il se tisse sans cesse de nouvelles connexions entre les neurones. Si le cerveau est un ordinateur, il s'agit alors d'un type d'ordinateur qui n'existe pas encore…

110 À un niveau plus général, la comparaison est encore moins pertinente. L'ordinateur a certes des capacités de calcul et de stockage inégalées et, associé à un robot, il peut donner l'illusion d'interagir avec l'extérieur. Mais il ne s'agit là que de 115 prouesses mineures si on les compare à celles de l'humanité. À la différence de sa dernière création, l'homme adapte en permanence son comportement en fonction des données de son environnement.

La comparaison ayant finalement tourné au 120 jeu des sept erreurs, les scientifiques ont changé de stratégie. Désormais, ils essaient de construire des ordinateurs dont le fonctionnement se rapproche de celui du cerveau.

Extraits adaptés de « Le cerveau est un super-ordinateur », de François FÉRON, dans *Du fer dans les épinards et autres idées reçues*, sous la direction de Jean-François Bouvet (ouvrage collectif), Paris, © Éditions du Seuil, 1997, p. 86-88.

Les secrets

LOUISE GENDRON

Tout le monde est fatigué… Rien d'étonnant, nous dormons 500 heures de moins par année qu'il y a 50 ans !

Le sommeil n'est pas une absence d'activité cérébrale. Au contraire, il est une fonction essentielle du cerveau.

5 Tout ça, c'est la faute de Thomas Edison. L'inventeur du phonographe, qui ne dormait que quelques heures par jour, considérait ses contemporains comme de paresseuses marmottes, et les heures passées au 10 lit comme du temps volé au travail. Alors, il a inventé l'ampoule électrique moderne en 1913, éliminant du même coup l'obscurité et le

du sommeil

gaspillage de temps. Résultat : mon supermarché reste ouvert jusqu'à 2 h tous les matins, votre conjoint travaille alternativement de jour, de soir et de nuit, et votre adolescent est debout jusqu'à minuit. Qui a dit que les inventeurs œuvraient pour le bien de l'humanité ?

Le manque de sommeil

En 1910, l'adulte dormait en moyenne neuf heures par nuit alors que celui d'aujourd'hui se contente de sept heures et demie, soit 500 de moins par année. Une bonne partie de la population manque chroniquement de sommeil, disent les spécialistes.

« Les étudiants travaillent pour gagner leur vie, les femmes cumulent travail et famille, la double tâche est presque devenue la norme », dit Charles Morin, docteur en psychologie et directeur du Centre d'étude des troubles du sommeil Laval-Robert-Giffard. « La vie s'accélère, le temps devient une denrée rare. Et où le trouve-t-on, ce temps ? En rognant sur les heures de sommeil. »

Aujourd'hui, la société est branchée sur la performance et idéalise les bourreaux de travail. On nous rabâche les anecdotes sur Napoléon, Louis XIV, Churchill, ces gens qui dormaient, dit-on, deux ou quatre heures par nuit, comme pour insinuer que l'intelligence ou la grandeur n'ont pas besoin de sommeil. Mais sans jamais souffler mot sur le fait qu'Einstein, lui, avait besoin de 10 ou même de 12 heures de sommeil !

Dans *Sleep Thieves* (« les voleurs de sommeil »), Stanley Coren, psychologue et professeur à l'Université de Colombie-Britannique, dresse une liste des implications du manque de sommeil. Accidents de la route, écrasements d'avions, décès de malades traités par des médecins en service depuis plus de 18 heures… il arrive à un total de 24 000 décès et de 56 milliards de dollars perdus aux États-Unis et pour la seule année 1988.

D'autres chercheurs, comme ceux du Center for Biological Timing, plus prudents dans leurs conclusions, évoquent eux aussi la fatigue et le manque de sommeil comme une « cause cachée mais quasi certaine » des erreurs humaines qui provoquent des accidents.

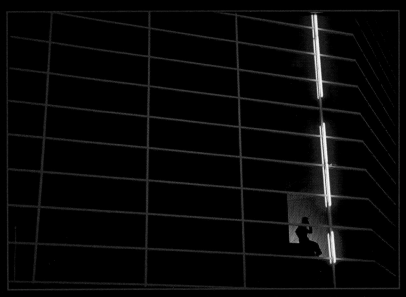

Reculer l'horloge biologique du sommeil… Rien de plus simple et de plus normal, à notre époque !

Sommeil et qualité de vie

Non seulement on dort moins, mais on dort n'importe comment. Le travail de soir ou de nuit et, pis encore, le travail posté (par quarts) bousilleraient la qualité de vie de centaines de milliers de gens en plus d'être la cause (au moins partielle) de nombreuses catastrophes. C'est la nuit, et à cause d'une erreur humaine, que sont survenus les accidents nucléaires de Three Mile Island (4 h) et de Tchernobyl (1 h 23). « L'être humain n'est pas conçu pour faire de la surveillance dans une centrale nucléaire à 4 h du matin, dit Stanley Coren. Ça va tout à fait à l'encontre de son horloge biologique. »

Pas de *vie* sans *sommeil*

Le sommeil est essentiel à la vie. Des souris de laboratoire qui ont été privées de sommeil ont vu leur température corporelle baisser. Elles se sont mises à manger davantage pour compenser, mais, à un certain moment, cela ne suffisait plus : leur température continuait de descendre. Il y a même un point de non-retour, au-delà duquel l'animal ne parvient jamais à reprendre le contrôle de sa température : il meurt en quelques jours, même s'il recommence à dormir.

L'horloge du sommeil

Cette horloge, elle existe vraiment, on l'a même trouvée : elle se cache dans les noyaux suprachiasmatiques, deux petites structures d'environ 10 000 neurones (à peu près la taille d'une tête de clou) situées dans l'hypothalamus, au centre du cerveau. Elle coordonne les différents rythmes circadiens de l'individu et la production de certaines hormones, dont le cortisol, impliqué dans la réponse de l'individu au stress, et la mélatonine. Il s'agit ensuite de synchroniser tout ça avec l'extérieur. Notre horloge y arrive grâce à une connexion qui la relie à la rétine de l'œil et lui permet de distinguer le jour de la nuit. L'horloge régularise ainsi le cycle veille-sommeil. C'est ce qui explique pourquoi certains aveugles ont souvent tant de mal à suivre un cycle de sommeil normal.

Extraits adaptés de *L'actualité*, 15 avril 1997, p. 18-25.

Que se passe-t-il dans le cerveau d'une personne dans le coma ?

Réponse d'Olivier Godefroy, neurologue au centre régional hospitalier universitaire Roger-Salengro, à Lille

Bien que nous n'en ayons pas conscience, l'éveil relève d'un mécanisme actif et complexe orchestré par notre cerveau. De même que certaines lésions cérébrales **induisent** une cécité ou une paralysie, l'atteinte du système de l'éveil **entraîne** le coma. Il s'agit d'un phénomène totalement différent du sommeil qui, lui, est réversible à tout moment.

Notre système de contrôle de l'éveil est appelé système réticulé activateur ascendant (voir schéma). Il se compose de neurones situés à la base du cerveau dans le tronc cérébral (la formation réticulée) et dans le thalamus. Les neurones émettent en direction du cortex (la couche la plus externe du cerveau) des projections diffuses au sein desquelles circulent des médiateurs chimiques, molécules porteuses d'informations **permettant** le maintien d'un niveau d'éveil normal.

20 *Une activité corticale très diminuée*

Le coma est la **conséquence** d'une lésion directe, d'un accident vasculaire ou d'une souffrance du système réticulé activateur.

25 Les **causes** de cette souffrance sont très variées : traumatisme, surdosage en drogue ou en alcool, intoxication médicamenteuse, maladie métabolique sévère, déshydratation majeure, œdème cérébral important, etc.

30 La gravité du coma dépend de son niveau de profondeur et de sa cause.

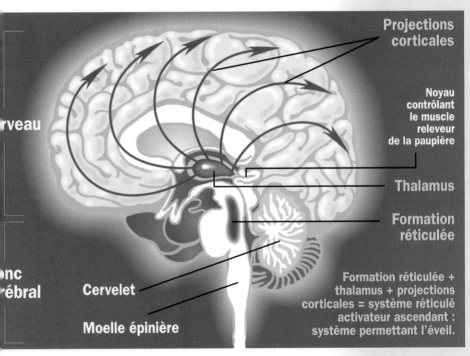

Système de contrôle de l'éveil.

Propos recueillis par Sylvie SARGUEIL

Extraits adaptés de *Eurêka*, BAYARD PRESSE, Numéro spécial — 24H — 1997, p. 72-73.

Les bègues bégaient-ils dans *leur tête ?*

PIERRE ALMA

Non. Être bègue n'a aucun lien avec le fait d'avoir ou non les idées claires.
5 Ce trouble de la parole se manifeste par la difficulté à prononcer les mots ou les syllabes sans les répéter. Le bègue a l'impression que les
10 mots affluent dans sa tête plus vite qu'il ne peut les exprimer. Le rythme d'élocution ralentit et devient saccadé. Cette gêne pro-
15 voque un stress. La tension musculaire se fait plus forte, et le bégaiement s'accentue.

Celui-ci apparaît le plus souvent entre les âges de 3
20 à 5 ans, période où l'enfant commence à enchaîner mots et phrases et à construire son langage. Les principales causes à l'origine de ce handicap sont d'ordre psychologique : entourage familial perturbé,
25 choc émotionnel ou accident, etc. Certaines études mettent aussi en avant des facteurs génétiques. On compte quelque 600 000 personnes bègues en France dont 20 000 à 30 000 sont des cas sévères. Environ 3 % à 4 % des jeunes enfants sont con-
30 cernés. Pour la plupart, ce bégaiement disparaît spontanément avant l'âge de 8 ans.

Extrait de *Science & Vie Junior*, n° 96, septembre 1997, p. 6.

Voyage au monde des odeurs

ANNE-MARIE CLOUTIER

Des cinq sens, l'odorat est le plus négligé. Ce n'est que lorsqu'il vient à faiblir ou à manquer qu'on se rend compte de son importance. Pourtant, sentir est essentiel. Pourquoi ? Parce que les odeurs nous transmettent des signaux qui influencent aussi bien nos actions que nos sentiments et parce qu'elles constituent notre mémoire la plus durable.

À la différence des autres sens, l'odorat est relié directement au cerveau, plus précisément au lobe limbique, qui gouverne nos émotions. Sentir est donc un plaisir ou un déplaisir. Au pire, une odeur nous révulse ; au mieux, elle nous envoûte ; le plus souvent, elle nous agace ou nous plaît. Mais on ne peut y être indifférent.

Une odeur peut provoquer le souvenir d'événements très anciens

Il n'est pas rare qu'une odeur reste à jamais gravée dans notre mémoire. Ainsi, il suffit de quelques heures à un nourrisson pour reconnaître l'odeur de sa mère. De la même façon, l'odeur des gâteaux de notre enfance, le fumet du rôti du dimanche, le parfum de l'eau de Cologne paternelle, l'arôme des roses blanches du voisin sont autant de souvenirs qui nous plongent instantanément dans le passé, avec plus de vigueur et de puissance d'évocation qu'une photo de la même époque ou un morceau de musique qu'on aimait à cet âge. En effet, les liens neuronaux entre le bulbe olfactif (situé dans le cerveau) et le système limbique, le siège des émotions et de la mémoire, provoquent la formation d'associations entre une odeur et un événement. Cela explique notamment qu'une odeur peut rappeler, de façon

très nette, le souvenir d'événements anciens et en faire revivre tout le contexte émotionnel.

Selon le neuropsychologue Gilbert Desmarais, « comme elle est liée aux émotions, la mémoire olfactive est la meilleure des mémoires, la plus robuste de toutes. Il n'y a donc pas de bonnes ou de mauvaises odeurs en soi. Si le ragoût de boulettes que vous préparait votre mère est associé à de bons souvenirs, vous en apprécierez toujours l'odeur plus tard. Le même principe s'applique aux odeurs adversives ».

Puisque notre odorat est en ligne directe avec le siège de nos émotions, les parfums ont une influence certaine sur notre état émotionnel et mental. C'est pourquoi on a souvent associé fragrance et séduction. Au Japon, on diffuse même des effluves de parfum dans les entreprises pour stimuler le moral des troupes.

Le jour où la science aura percé tous les mystères de l'olfaction, le parfumeur pourra sans doute mettre au point l'effluve suprême qui envoûterait l'univers…

La mémoire olfactive des nourrissons

Un nouveau-né refusait de se nourrir depuis qu'il était séparé de sa mère. Consultée à ce sujet, la psychiatre Françoise Dolto a conseillé qu'on l'enveloppe d'un vêtement appartenant à sa mère. Aussitôt fait, l'enfant a repris le biberon.

Extraits adaptés de « Voyage dans le monde des odeurs », *Coup de pouce*, novembre 1994, p. 130-133.

Dis, pourquoi...
bâille-t-on ?

Vincent Gaullier

Du poisson à l'homme, tous les vertébrés bâillent. Si sa physiologie reste mal connue, les médecins expliquent le phénomène par différents facteurs : fatigue, ennui ou stress.

n groupe d'étudiants est installé devant l'écran d'une télévision. Ils n'ont que des images répétitives de personnes en train de bâiller à regarder. Résultat de cette expérience très sérieuse réalisée en 1987 : 55 % des étudiants se sont mis à bâiller ! Le bâillement serait-il contagieux ?

Mais en fait, pourquoi bâille-t-on ? Il n'y a pas d'explication unique au phénomène. Une chose est sûre en tout cas, bâiller reste l'apanage des vertébrés. La raison en est simple : il faut avoir des mâchoires !

En bâillant, l'homme se défend de l'endormissement qui le gagne. Cette baisse de vigilance provoque un ensemble de réactions en chaîne dans le cortex ou le tronc cérébral. Inhibitions et activations de neuro-médiateurs se succèdent, pour aboutir finalement à la mise en branle des neurones moteurs. Un étirement se déclenche, la bouche s'ouvre. Les récepteurs neuromusculaires des muscles du maxillaire inférieur sont sensibles à ce bâillement et renvoient une stimulation au centre d'éveil du tronc cérébral, empêchant ainsi le sujet de s'endormir. L'ensemble constitue un quasi-réflexe physique qui se déclenche « spontanément ».

Le risque d'endormissement n'explique pas tout. D'autres facteurs peuvent aussi déclencher un bâillement. Pour les comprendre, il faut commencer par étudier des espèces moins évoluées que l'être humain, les poissons par exemple. La présence d'un concurrent ou d'un prédateur peut engendrer chez eux un stress. En réponse, certains animaux bâillent en accélérant leur rythme respiratoire et en déployant leurs nageoires et leurs membranes branchiales, en signe d'intimidation ou d'agressivité. Chez les oiseaux, le bâillement se charge d'une signification sociale : quémander de la nourriture.

Chez l'être humain, les facteurs déclenchant le bâillement sont nombreux.

Chez les mammifères, le bâillement n'est plus seulement un réflexe, il est aussi un signe social qui véhicule un message. Chez les éléphants par exemple, il suffit qu'un membre du troupeau bâille
50 pour que les autres l'imitent. Le concert de bâillements s'achève par l'endormissement rapide des bêtes.

Bâiller n'est pas le propre de l'espèce humaine.

Ennui, fatigue — par manque de sommeil et non à la suite d'un exercice physique —, attention
55 soutenue, faim ou au contraire satiété, sont autant de facteurs déclenchant le bâillement chez l'être humain. C'est en fait un mode d'expression quasi-réflexe au même titre que les rires ou les pleurs sont la manifestation de la joie ou de la peine.
60 Bâiller est parfois un acte de compensation, survenant lors de situations anxiogènes, d'états de nervosité, voire de peur. Le but de l'opération est alors de détourner sa propre attention de cette angoisse ou de cette peur durant les quelques se-
65 condes du bâillement.

Qu'en est-il lorsqu'une personne n'arrête pas de bâiller ? Jean Charcot, le célèbre médecin du 19e siècle, relate par exemple qu'une de ses patientes bâillait huit fois par minute ! De fait,
70 lors de troubles psychiatriques, le bâillement peut être un véritable signal d'appel : le malade, par son bâillement, essayerait de ne pas rompre avec le milieu extérieur. Le pronostic de guérison serait alors plutôt favorable.

Extrait de *Sciences et Avenir*, janvier 1996, p. 75.

Pourquoi les manchots n'ont-ils jamais les pieds gelés ?

C hez l'homme, les vaisseaux sanguins sont proches de la surface de la peau. En cas de froid intense, la circulation sanguine dans les extrémités chute automa-
5 tiquement, pour se concentrer sur les organes vitaux internes. Des gelures apparaissent aux mains et aux pieds : les tissus n'étant plus irrigués, ils se nécrosent rapidement.

Les manchots réagissent au froid intense
10 exactement à l'inverse : leur corps et leurs pattes sont parfaitement isolés par un dense manteau de plumes courtes, fines et imperméables, qui jouent le rôle d'une véritable fourrure. Sous la peau, les manchots de l'Antarctique disposent d'une épaisse
15 couche de graisse similaire à celle des baleines et des phoques. Quant à leurs pattes, elles sont protégées, comme celles de tous les oiseaux, par des écailles faites d'une matière cornée dépourvue de vaisseaux sanguins.

Extrait adapté de « Les manchots n'ont jamais les pieds gelés », *Tous les pourquoi du monde*, © 1995, Sélection du Reader's Digest (Canada) Ltée, Montréal, p. 292, reproduit avec autorisation.

Pourquoi le rire est-il communicatif ?

**Réponse d'Henri Rubinstein, neurologue
à l'hôpital Saint-Joseph, à Paris**

Le rire se communique entre les hommes car il s'agit d'un réflexe nerveux, inscrit dans le corps de chaque individu. [5] Lorsqu'on voit une personne en train de rire, ce réflexe est transmis à travers les deux sens de la vue et de l'ouïe : voir les mimiques du rieur et entendre son rire provoquent le [10] réflexe.

Mais on a également découvert que les muscles abdominaux impliqués dans le rire — le diaphragme et les muscles respiratoires [15] — créent une vibration qui joue également un rôle dans la transmission du réflexe. Ainsi, au cours de séances de thérapie par le rire, les patients posent leur tête sur le ventre de leur voisin, formant ainsi un [20] cercle, et le rire se transmet par audition de l'onde sonore produite par les muscles abdominaux des uns et perçus par les autres.

Propos recueillis par Pedro Lima
Extraits adaptés de *Eurêka*, BAYARD PRESSE,
Numéro spécial — 24 H — 1997, p. 91.

Sommes-nous tous des droguÃ©s ?

Philippe Chambon

Alcool, héroïne, tabac, ecstasy, somnifères, sexe, sport, pouvoir... Nous sommes tous drogués à quelque chose. Parce que notre [5] cerveau sécrète une molécule, la dopamine, qui nous pousse à rechercher le plaisir. Plaisir à haut risque quand il ne se satisfait que dans l'abus...

[10] Plus les scientifiques avancent dans l'étude des drogues et de leur étrange action sur le cerveau, plus il apparaît que la dopamine joue un rôle spécifique, comme si elle était la cible privilégiée des narcotiques les plus divers. Alcool, cannabis, héroïne, [15] cocaïne, médicaments psychotropes, ecstasy, LSD... : tous ces produits influent sur la dopamine.

Quelle est donc cette étonnante molécule, qui surgit dès lors qu'il est question de désir et de plaisir ? Pour de nombreux biologistes, elle est au cœur de ce [20] qu'on appelle aujourd'hui les « comportements de dépendance ». Ses effets sur le comportement seraient si puissants qu'elle serait responsable, chez certaines personnes, de la perte de contrôle caractéristique de la grande toxicomanie. Pour faire monter leur taux de [25] dopamine, les drogués consommeraient n'importe quel produit, au risque de mettre en péril leur équilibre physique, psychique et social.

En fait, toute expérience qui procure du plaisir —
déguster un carré de chocolat, faire l'amour, apprécier
un morceau de musique, gagner au jeu... — se traduit
par une décharge de dopamine dans le noyau accum-
bens.

Chez tous les vertébrés, le système dopaminergique
participe au renforcement des comportements favorables
à la survie de l'individu autant qu'à celle de l'espèce.
Car, si le désir et l'acte sexuel ne provoquaient pas un
afflux de dopamine dans les synapses du noyau accum-
bens, nous ne nous y adonnerions pas si volontiers, et
l'espèce ne pourrait se perpétuer.

« Chercheurs de sensations fortes »

Que toutes les drogues agissent sur le taux de
dopamine paraît incontestable. Pourtant, parmi ceux
qui ont un jour goûté à l'alcool, fumé quelques cigarettes ou quelques «joints», apprécié l'émotion d'un
gain à la roulette ou la langueur induite par un sirop
pour la toux contenant un dérivé de l'opium, rares
sont ceux qui ont sombré dans la dépendance. Pourquoi
ces derniers sont-ils plus vulnérables à la drogue ? La
dopamine serait-elle en cause ?

Les neurologues ont observé que, chez l'homme
comme chez l'animal, les individus peuvent être classés
en deux catégories : ceux qui ont ten-
dance à éviter la
nouveauté, le stress,
les trop vives stimu-
lations, et ceux qui
ont un goût pro-
noncé pour les sen-
sations fortes. Les
uns sont baptisés LSS
(*low sensation see-
kers*, « chercheurs de
faibles sensations »),
les autres, HSS (*high
sensation seekers*, « chercheurs de sensations fortes »).
Les HSS, humains ou animaux, ont nettement plus
tendance à consommer des drogues.

Il existe aussi des formes de dépendance sans
drogue : l'addiction au sport, par exemple. En effet, le
sportif acharné sollicite quotidiennement ses neurones
à enképhaline. Lorsque les circonstances l'obligent à
cesser son activité, il peut alors souffrir d'un véritable
manque physique. Il en irait de même du stress pro-
fessionnel, qui engendre une activité neurochimique
intense dans laquelle interviennent des hormones telles
que le cortisol, et des neuromédiateurs comme

l'adrénaline et la dopamine. L'individu « accro » au travail, aux activités dangereuses ou au jeu rechercherait
donc frénétiquement des situations dans lesquelles
son cerveau est inondé par ces drogues endogènes.

« Toxico » du sport
Les adeptes du jogging le savent bien : l'exercice physique
intensif procure une sensation de bien-être. Dans le
cerveau, cela se traduit par une activité biochimique
semblable à celle provoquée par la morphine. Certains
sportifs sont si dépendants de ces sensations qu'ils s'y
adonnent au risque de menacer leur santé.

Tous dépendants !

On l'a vu, on peut se droguer à bien d'autres
choses qu'à des substances chimiques plus ou moins
légalement acquises. Mais, s'il nous est impossible
d'échapper à la dépendance, tout est affaire de contrôle, de dosage. La plupart d'entre nous s'en tirent bien,
préservant leur équilibre social, au besoin à coup de
somnifères, d'antidépresseurs, de tabac, de quelques verres d'alcool, de quelques kilomètres de course à pied,
mais sans jamais tomber dans l'excès, dans la « com-
pulsion ». D'autres vont plus loin...

Mais il ne faut pas s'y tromper : ce n'est pas leur
pharmacodépendance qui est pathologique, c'est le
trouble psychique qui leur fait perdre le contrôle. La
signification que prend la toxicomanie dans le psychisme
d'un individu, la logique qui le conduit à choisir cette
dérive échappent à la biologie. Cependant, celle-ci, en
affinant ses connaissances sur la neurochimie de la
dépendance, découvre des drogues — on parle de produits de substitution — capables de limiter les effets
subjectifs des drogues, comme la méthadone le fait avec
l'héroïne. Produits qui, lorsqu'ils sont prescrits en
accompagnement d'un soutien psychologique bien
mené, aident les toxicomanes à reprendre le contrôle
d'eux-mêmes.

Extraits de *Science & Vie*, n° 960, septembre 1997, p. 110-119.

Les effets physiologiques du chocolat

CAROLYNE PERRON

Selon une étude menée par trois scientifiques du Neurosciences Institute à San Diego, en 1996, notre désir intense d'une barre de chocolat ne
5 serait pas dû seulement au goût et à la texture de cette friandise, mais également à un sentiment de bien-être accru.

10 Tout d'abord, il y a dans notre cerveau des récepteurs qui captent une molécule appelée anandamide. Le rôle naturel de cette molécule,
15 produite par le cerveau, est de moduler l'humeur, l'appétit et la douleur. D'ailleurs, selon son éthymologie, le mot anandamide signifie « béatitude ».

Dans le chocolat, et plus précisément dans la poudre de cacao, il y a trois composants qui pro-
20 longeraient l'action de l'anandamide sur les récepteurs de notre cerveau, ce qui fait que le sentiment de bien-être ressenti à la suite de l'ingestion de chocolat durerait un certain temps.

Outre la poudre de cacao, le sucre, les lipi-
25 des et les protéines végétales, le chocolat contient des substances dites pharmaco-dynamiques, qui ont une action semblable aux médicaments. Ces substances sont : la théobromine, la caféine, la phényléthylamine et la sérotonine. La théo-
30 bromine stimule le système nerveux central, facilite l'effort musculaire, ouvre l'appétit et fait travailler le cœur. C'est donc pour cette raison que certains athlètes mangent une barre de chocolat avant des compétitions. Le dopage au chocolat
35 sera-t-il interdit ? La caféine augmente la résistance à la fatigue, favorise l'activité intellectuelle et accroît la vigilance. La phényléthylamine possède des propriétés psycho-stimulantes.

> **Le chocolat contient des substances semblables aux médicaments. L'une d'elles stimule le système nerveux central, facilite l'effort musculaire, ouvre l'appétit et fait travailler le cœur.**

40 Finalement, en mangeant du chocolat, on corrige la perte de sérotonine associée à la dépression et cela nous donne un effet antidépresseur.

Le chocolat est un aliment
45 assez complet, car il contient trois catégories de substances organiques (glucides, lipides et protéines végétales), bien que dans des proportions inégales. De plus, il contient des minéraux tels le potassium,
50 le magnésium, le calcium, le fer et le sodium ainsi que des vitamines : les vitamines A1, B1, B2, D et E.

Le chocolat a des effets phy-
55 siologiques prouvés, mais on est encore loin de le considérer comme une drogue. Les effets bénéfiques provoqués par la texture onctueuse, le goût sucré et l'arôme
60 chocolaté sont les vrais responsables d'une rage de chocolat. Mais il faut toujours se rappeler que la modération a meilleur goût !

Entrevue avec Isabelle Galibois, du département de nutrition de l'Université Laval

Extraits adaptés de PERRON, Carolyne. [En ligne]. [http : //www.globetrotter.net/Futursimple] (5 avril 1997) Université Laval.

Une **dépendance** m é c o n n u e

Qui n'a pas entendu parler de personnes adeptes des jeux de hasard, qu'il s'agisse de loterie ou des jeux que l'on trouve dans les casinos? Anodin en apparence, le jeu peut toutefois devenir une obsession. Certaines personnes seront prêtes à tout sacrifier pour s'adonner à leur passion! Mais pourquoi agissent-elles ainsi?

Une histoire d'hormone

On pourrait croire de prime abord que la dépendance au jeu provient uniquement d'un manque de volonté. Or, une découverte effectuée récemment par des chercheurs américains a permis de mieux comprendre le phénomène.

Les recherches menées auprès de joueurs compulsifs ont révélé que ces personnes manquent de noradrénaline, une hormone nécessaire au bien-être psychologique et associée à l'éveil et à la concentration. Le mauvais fonctionnement du cerveau serait donc à la source du problème.

Esclaves du jeu

Les personnes adeptes du jeu ne peuvent s'empêcher de fréquenter les endroits où elles peuvent satisfaire leur besoin d'excitation, comme les champs de courses ou les casinos. Elles y cherchent des sensations fortes. Convaincues qu'elles vont réaliser des gains importants, elles sont prêtes à tout pour trouver de l'argent. Privées de leur passion, elles manquent d'énergie et sont profondément malheureuses.

Par ailleurs, les sensations fortes, comme celles éprouvées par les joueurs invétérés au moment où ils jouent, font augmenter considérablement le taux de noradrénaline dans le cerveau. Les adeptes du jeu ressentent donc un réel bien-être.

En effet, des tests ont montré que, chez les joueurs compulsifs, l'excitation produite par le jeu fait augmenter de façon significative le taux de noradrénaline. Le problème aurait donc une cause biologique.

L'attrait du jeu

Les joueurs compulsifs découvrent les bienfaits du jeu sur leur organisme dès leurs premières expériences des jeux de hasard. Ils deviennent

En passant par « Roulettenbourg »

Dans son roman *Le joueur*, l'écrivain russe Fedor Dostoïevski (1821-1881) a transposé un épisode de sa vie né de sa passion du jeu. Le héros de ce récit, Alexeï Ivanovitch, se montre incapable de résister au jeu. Lors d'un séjour à l'étranger, dans la ville imaginaire de Roulettenbourg, sa passion dévorante l'amène à s'endetter lourdement ; il retourne en Russie complètement ruiné.

Pour écrire cette œuvre, Dostoïevski s'est beaucoup inspiré de sa propre expérience. Il dépeint avec brio l'atmosphère d'un casino et brosse le portrait psychologique de différents types de joueurs. Le roman contient des descriptions tout à fait saisissantes de l'état d'esprit des joueurs compulsifs, au moment où la frénésie du jeu s'empare d'eux.

donc très rapidement dépendants, car le jeu rétablit le taux de noradrénaline nécessaire à leur bien-être.

55 De même que les toxicomanes dépendent des drogues et les fumeurs, de la nicotine, les adeptes du jeu dépendent de l'excitation produite par les jeux de hasard. De plus, tout comme les toxicomanes, ces personnes doivent toujours consommer davantage si elles veulent obtenir le
60 même niveau de satisfaction et de bien-être. Voilà qui explique pourquoi certaines d'entre elles sacrifient leur carrière, leurs biens et même leur famille pour satisfaire leur
65 besoin de jouer.

De plus en plus jeunes

La dépendance au jeu peut se manifester très tôt. Ainsi, dans les
70 écoles, on constate que de plus en plus d'élèves s'adonnent aux jeux de hasard, et ce de façon régulière. Loto-Québec a d'ailleurs conçu un programme spécifiquement destiné
75 à ces jeunes. Les adultes se voient

aussi offrir différentes ressources pour vaincre leur dépendance, notamment des programmes d'aide basés sur une approche psychologique.

Toutefois, les découvertes récentes, qui révè-
80 lent la source biologique de la dépendance au jeu, laissent entendre que la solution définitive à ce problème se trouve peut-être dans la découverte d'un médicament qui permettrait de maintenir un taux normal de noradrénaline dans le cerveau.

Si le sujet du chatouillement peut sembler anecdotique, il n'est pas sans intéresser certains neurologues, dont le Dr Chris D. Frith, professeur au département de neurologie cognitive à l'University College of London. Ce dernier croit même avoir résolu l'énigme du chatouillement : d'où vient l'effet du chatouillement ? Et surtout, pourquoi ne peut-on pas se chatouiller soi-même ?

On savait déjà, depuis la parution d'un article dans la réputée revue *Nature* en 1976, que la sensation perçue lorsqu'une personne se chatouille elle-même est beaucoup plus faible, et ce, même si le stimulus est exactement identique. Vingt ans plus tard, maintenant que la technologie s'est énormément développée, le Dr Frith a décidé de vérifier ce qui se passait concrètement dans le cerveau. Bien installés dans un tomographe à émission de positons pour qu'on enregistre leur activité cérébrale, des sujets ont été soumis à des séances de… chatouillement. L'« instrument de torture », une perche équipée d'une plume, pouvait être activé par le sujet lui-même ou par un expérimentateur. À tous les essais, le stimulus était donc exactement identique. Résultat : même si le stimulus sur la peau était identique, on a noté moins d'activité dans le cerveau lorsque la personne se chatouillait elle-même. Ne reculant devant rien, le neurologue a ensuite soumis ses sujets à une deuxième expérience. Cette fois-ci, le sujet actionnait un petit levier pour tenter de

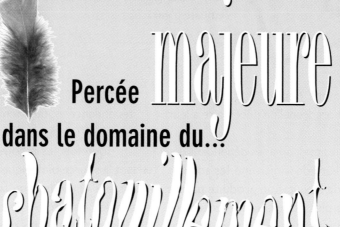

Percée **majeure** dans le domaine du… **chatouillement**

Philippe Chartier

se chatouiller, sauf que cette fois-ci le chatouillement était effectué par l'intermédiaire d'un petit robot, lequel enregistrait le mouvement du levier et le reproduisait immédiatement pour faire bouger la plume de manière identique. Dans ces conditions, le patient ne sentait pas vraiment de chatouillement. Par contre, si le robot introduisait de petites distorsions, en retardant le mouvement de quelques millisecondes par exemple, le sujet ressentait alors un chatouillement et on enregistrait également une plus grande activité cérébrale.

Pour expliquer ces réactions, le Dr Frith formule l'hypothèse suivante : lorsque nous bougeons, en plus de dicter le mouvement à notre corps, le cerveau possède un mécanisme interne servant à anticiper ce mouvement et les stimuli qui en résulteront. Ce mécanisme est d'ailleurs fortement sollicité chez les athlètes. Lorsqu'ils doivent exécuter des mouvements complexes, le cerveau tente constamment de prédire l'action et les sensations qui seront ressenties. Dans le cas du chatouillement, ce mécanisme interne se « détraque », puisque le cerveau est incapable d'anticiper correctement la sensation que produira le chatouillement. Il en résulte la sensation irritante et parfois désagréable que l'on sait…

D'une certaine manière, le chatouillement résulte d'un problème à faire la distinction entre le soi et l'extérieur.

Extraits de Chartier, Philippe. [En ligne], 29 juillet 1998. [http://www.cyber-sciences.com/0.0/0_0_0.asp] (septembre 1998) Le magazine *Québec Science*.

Le cochon est-il vraiment l'animal génétiquement le plus proche de l'homme ?

Réponse de Marcel Vaiman, docteur-vétérinaire, directeur du laboratoire mixte Inra-CEA de radiobiologie appliquée, à Jouy-en-Josas

O n ne peut pas dire que le cochon soit génétiquement l'animal le plus proche de l'homme : il ne l'est pas plus que d'autres mammifères tels que certains ruminants,
5 comme le veau ou le cheval. Génétiquement, les animaux les plus semblables à l'homme sont ceux qui lui sont les plus proches dans l'évolution, en particulier ceux qui appartiennent, comme lui, à l'ordre des primates : c'est le cas de tous les
10 singes, en particulier le chimpanzé et le gorille.

Mais il est vrai que le cochon présente de grandes similitudes physiologiques et anatomiques avec l'homme. La première concerne le régime alimentaire : comme nous, le cochon est omnivore,
15 c'est-à-dire qu'il se nourrit indifféremment d'aliments variés.

Au niveau physiologique, on sait que la peau du cochon ressemble beaucoup à la nôtre, de par l'organisation des tissus qui la composent. Cette
20 similitude est exploitée par les chercheurs qui mettent au point des traitements pour les grands brûlés ou encore pour les recherches en dermatologie. D'un point de vue anatomique, on sait également que de nombreux organes du porc et
25 de l'homme se ressemblent : cœur, foie et reins. C'est pourquoi on espère, à long terme, faire produire par des porcs des cellules, tissus ou organes pour l'homme, appelés xénogreffes.

Le porc présente de grandes similitudes physiologiques et anatomiques avec l'homme.

Enfin le porc est un animal dont on connaît
30 bien la génétique, ce qui rend possible la création de lignées transgéniques, c'est-à-dire de générations de porcs dont le patrimoine génétique a été modifié par l'homme : c'est un atout dans l'élaboration future de xénogreffes qui devront être
35 porteuses de gènes destinés à éviter leur rejet par l'organisme humain.

Propos recueillis par Pedro LIMA

Extraits adaptés de *Eurêka*, BAYARD PRESSE, Numéro spécial — 24H — 1997, p. 47.

La botte secrète des gauchers

PHILIPPE CHAMBON

Pourquoi ne sommes-nous pas tous droitiers? Et en quoi les gauchers sont-ils singuliers? La persistance — en dépit de la pression sociale — de 10 % à 13 % de gauchers dans la population semble indiquer qu'ils possèdent un atout évolutif caché.

Les gauchers ont toujours eu un statut un peu particulier. Des originaux, disait-on d'eux, des révoltés qui refusent, dès leur plus tendre enfance, de faire comme tout le monde. Bref, des gens pas tout à fait normaux. Aujourd'hui, les instituteurs et les parents sont plus tolérants et laissent les gauchers s'adonner sans frein à leur penchant naturel. Mais, curieusement, ils ne sont guère plus nombreux qu'avant, à peine un peu plus pour la main d'écriture, libéralisme oblige, mais toujours autant pour d'autres gestes. Toujours autant, c'est-à-dire toujours aussi peu. Car les gauchers restent minoritaires. Ils ne représentent que de 10 % à 13 % de l'humanité.

Ce déséquilibre droite-gauche ne date pas d'aujourd'hui. Les archéologues ont par exemple observé des marques d'usure dues à l'usage de la main droite sur des outils ayant appartenu aux tout premiers hommes, il y a plus de 30 000 ans. Seule une petite partie de ces objets semble avoir servi à des gauchers.

L'influence de la culture n'apparaît pas suffisante pour expliquer cette dominance. Certes, aucune société n'impose l'usage de la main gauche, tandis que plusieurs d'entre elles le condamnent pour de nombreux gestes. Cette préférence pour la main droite va même parfois à l'encontre de toute logique, puisque les pays de langue arabe, par

Avantage à gauche

Dans les sports où s'affrontent deux personnes, les gauchers ont une supériorité due à l'effet de surprise. Résultat, ils y accèdent en plus grand nombre aux places d'élite que dans d'autres sports sans affrontement.

exemple, auraient tout intérêt à favoriser l'usage de la main gauche, au moins pour l'écriture puisqu'elle s'exécute de droite à gauche. Or, les calligraphes arabes sont majoritairement droitiers.

55 La question est donc double : pourquoi les droitiers sont-ils tellement nombreux et pourquoi une majorité de gauchers a-t-elle toujours existé ?

Une affaire de famille
Manifestement, la « gaucherie » se transmet à travers les générations. Quelle en est la composante génétique ? On ne le saura peut-être jamais.

Un rapport droite-gauche spécifique aux humains

60 Si 90 % de l'humanité est droitière alors que les autres primates sont soit ambidextres, soit indifféremment droitiers ou gauchers, on peut dire que le fait d'être droitier est caractéristique

65 de notre espèce. L'influence des gènes est donc indéniable. Il paraît cependant bien improbable de parvenir un jour à déterminer si la préférence pour la main gauche est plutôt liée à une configuration génétique particulière qu'à l'imitation des parents

70 et de la fratrie. Quoi qu'il en soit, cette préférence est « héritable » : moins de 10 % des enfants de

deux parents droitiers sont gauchers tandis que plus de 35 % des enfants de gauchers le sont eux aussi. Un caractère qui se transmet ainsi, même

75 s'il n'est pas exclusivement génétique, est susceptible d'évoluer au fil des générations […].

Si la « gaucherie » constituait un avantage, elle serait donc généralisée. Inversement, elle disparaîtrait complètement si elle était

80 un handicap. Pourquoi donc se maintient-elle, sans pour autant s'imposer ?

En étudiant la proportion de gauchers dans la population,

85 certains scientifiques ont eu la curiosité de rechercher un effet de l'âge sur la préférence manuelle. Surprise : le pourcentage de gauchers baisse avec l'âge de

90 façon spectaculaire […].

Or, la préférence manuelle s'installe dès les premières années, et il devient presque impossible d'en faire changer

95 un enfant après 9 ou 10 ans.

Si la pression sociale n'explique pas la quasi-disparition des gauchers parmi les personnes âgées,

100 force est de penser que les gauchers ont en moyenne une espérance de vie plus faible que les droitiers.

L'avantage de la surprise

105 Malgré ce handicap adaptatif, la sélection naturelle n'est pas parvenue à éliminer les gauchers. Ce paradoxe intrigue une équipe de chercheurs […]. « Les gauchers doivent avoir un avantage adaptatif qui leur permet de compenser

110 les effets de leur faiblesse face à la sélection naturelle », se disent-ils. Un avantage qui doit exister dans toutes les cultures et depuis assez longtemps pour expliquer la constance de la

proportion de droitiers et de gauchers durant
115 presque toute l'histoire connue de l'humanité.

Quel est donc cet avantage ? « La surprise, répondent les chercheurs. La surprise que crée un gaucher quand il combat avec un droitier ! » C'est l'hypothèse
120 qu'ils avancent dans un arti-
cle récent, paru dans les
Comptes rendus de la
Société royale de
Londres. L'avantage
125 des gauchers, c'est
donc leur faible
nombre ! Le droi-
tier est toujours
mieux préparé à
130 rencontrer un autre
droitier et à sur-
veiller la main droite
de son adversaire. Il sera
moins prompt à parer les
135 coups d'un gaucher, lequel a donc
plus de chances de sortir victo-
rieux de l'affrontement. Une
victoire qui améliorera sensiblement son statut social et lui per-
140 mettra d'accéder plus facilement
aux femmes, augmentant ainsi ses
chances de se reproduire ou de
mieux assurer l'éducation de sa
progéniture s'il en a déjà.

À l'aise à la guerre comme au sport

145

Ce phénomène a pu jouer tout au long de l'histoire de l'humanité. Est-il encore de quelque importance
dans notre société moderne ? Il n'est pas exclu que
150 l'avantage des gauchers s'exprime au cours des combats rapprochés ou corps à corps auxquels donnent lieu
les nombreux épisodes guerriers contemporains.

Pour tester cette hypothèse, l'équipe a étudié la proportion de gauchers dans des situations où l'aptitude
155 au combat est déterminante. Les chercheurs ont choisi
de mener leur enquête sur une population d'étudiants
en sports, partant de l'idée que certains sports mettent
en jeu des interactions entre individus qui sont proches
du combat. C'est évident en boxe, en judo ou en
160 escrime ; mais aussi au tennis, au ping-pong ou dans la
pratique de sports d'équipe comme le rugby
et le base-ball, où la préférence latérale
favorise certains joueurs selon leur
place sur le terrain.

Deux gauchers célèbres : Jeanne d'Arc et Napoléon.

165 Les résultats sont sans
ambiguïté : les étudiants
en sports sont plus
souvent gauchers
que la population
170 générale. On
trouve 15 % de
gauchers chez
les joueurs de
tennis, 23 % en
175 badminton et en
boxe, 32 % en
ping-pong et jusqu'à
50 % en fleuret.

La théorie de la
180 supériorité au combat com-
binée avec le handicap adaptatif expliquerait donc l'existence d'un pourcentage faible mais
stable de gauchers chez les humains. Elle éclaire aussi
la différence entre hommes et femmes. En effet, dans la
185 population générale, les femmes gauchères sont moins
nombreuses que les hommes gauchers. On remarque
que les combats entre hommes sont, dans toutes les
cultures, plus fréquents que les combats entre hommes
et femmes ou entre femmes. Les gauchères auraient donc
190 moins souvent l'occasion de tirer profit de leur avantage que les hommes.

Extraits de *Science & Vie*, n° 958, juillet 1997, p. 116-120.

Pourquoi
certaines personnes
deviennent-elles
des
athlètes ?

CLAUDE FORAND

Vous rêvez de courir le 100 mètres en 10 secondes ou de boucler le Marathon de Montréal en un peu plus de 2 heures. Pour y arriver, vous avez donné le maximum : des mois d'entraînement spartiate, une diète sévère et une préparation mentale à toute épreuve. Bref, vous croyez n'avoir rien laissé au hasard... Sauf, peut-être, l'hérédité. Au fond, êtes-vous vraiment taillé pour accomplir un exploit sportif ?

On s'interroge de plus en plus sur le rôle que joue le bagage génétique dans les performances d'un athlète. Si on doute toujours de l'existence d'un gène spécifique ayant un effet majeur en ce sens, il est possible en revanche que plusieurs gènes soient en cause.

« Un athlète qui court le marathon doit posséder un cœur gigantesque, beaucoup de mitochondries et des poumons en mesure d'extraire le volume d'oxygène nécessaire pour ce type d'exercice, explique le physiologiste Jean-Aimé Simoneau, du Groupe de recherche en biologie de l'activité physique (GRBAP) de l'Université Laval. C'est un phénomène multiorgane et il semble clair que plusieurs gènes sont impliqués. » Un bagage héréditaire serait donc responsable de la performance des muscles, des poumons ou du cœur d'un individu lors d'épreuves de longue durée.

Encore aujourd'hui, la meilleure façon de détecter le talent d'un athlète, un coureur par exemple, consiste tout simplement à l'amener au bloc de départ et

N'est pas athlète qui veut, mais seulement qui peut.

à le faire courir ! Puis, on tente de sélectionner les individus les plus prometteurs en fonction de différents critères : taille, poids, potentiel métabolique intracellulaire, type de fibres musculaires, pourcentage de tissus graisseux et autres.

Certains de ces paramètres d'ordre génétique sont déjà bien connus. « On sait que la consommation maximale d'oxygène d'un marathonien est de 75 ml/kg (celle d'une personne sédentaire est d'environ 35 ml/kg) et que cette capacité ne peut être attribuable uniquement à l'entraînement », explique Jean-Aimé Simoneau.

On s'intéresse également beaucoup aux fibres musculaires. Nos muscles comportent deux catégories de fibres, les fibres à contraction rapide et celles à contraction lente. Là encore, les chercheurs soupçonnent que des gènes sont en cause, puisque des études sur des animaux ont démontré que la génétique

Le bagage génétique joue un rôle dans les performances d'un athlète.

pouvait influencer la fabrication de protéines impliquées dans la performance de courte ou de longue durée.

75 Ainsi, si vous rêvez de talonner un jour Bruny Surin lors des épreuves de sprint, mieux vaut posséder des fibres à contraction (ultra !) rapide. Ces fibres sont dotées de protéines qui dégradent rapidement les substrats énergétiques, produi-
80 sant ainsi plus de puissance à court terme. Les fibres à contraction lente, en contrepartie, possèdent un grand nombre de mitochondries et brûlent plus lentement leur carburant. Elles conviennent donc mieux aux efforts prolongés, comme
85 lors d'un marathon.

Évidemment, le type de fibres musculaires n'explique pas tout. L'athlète doit aussi avoir le physique général de l'emploi. Les caractéristiques anthropométriques et physiologiques demeurent
90 importantes, fait remarquer le kinésithérapeute Duncan MacDougall, de l'Université McMaster, à Hamilton. « Un athlète avec les fibres musculaires d'un marathonien mais un gabarit trapu et un cœur peu volumineux ne pourra jamais réussir
95 dans cette discipline », précise-t-il.

Le rêve de tout entraîneur reste de savoir, dès le départ, à qui il a affaire. Ainsi, s'il était possible de détecter dès la naissance — comme c'est le cas pour certaines maladies génétiques — la
100 présence dans les gènes d'un fort pourcentage de fibres à contraction rapide, on saurait que cet individu aura très probablement à l'adolescence des qualités musculaires exceptionnelles pour les épreuves de courte durée.

105 Mais, pour l'instant, la seule méthode efficace pour découvrir les talents reste celle, bien connue, de l'essai/erreur. Ainsi, en Russie et à Cuba, on pratique encore ce qu'on appelle le dépistage de masse des athlètes. Une méthode pas très
110 populaire chez nous, mais qui a fait ses preuves là-bas. Elle consiste essentiellement à soumettre les jeunes à une foule d'activités sportives, à retenir les meilleurs talents naturels, puis à mesurer leurs capacités physiologique, mor-
115 phologique, anthropométrique et psychologique. Le travail à la chaîne, quoi !

Extrait adapté de « Pourquoi eux et pas nous ? », *Québec Science*, vol. 34, n° 10, juillet-août 1996, p. 17-18.

Quels facteurs déterminent la couleur des dents ?

Certains individus ont les dents plus éclatantes que d'autres mais, tout comme la peau, les dents ne sont jamais vraiment blanches. Leur couleur varie à l'intérieur d'une gamme de jaunes, de beiges et de gris. Comme la couleur de
5 la peau, la couleur des dents est héréditaire.

Les dents foncent avec l'âge parce que la pulpe rouge qui est au cœur de chacune et qui lui donne sa brillance descend progressivement dans la racine. Elle est remplacée par de l'ivoire, ce tissu résistant qui entoure la pulpe de la dent. Cette
10 deuxième couche d'ivoire, ou ivoire secondaire, est plus sombre et moins translucide que l'ivoire d'origine, qui se trouve juste sous la couche d'émail.

Au fil des années, des brossages trop violents avec une brosse dure et un dentifrice abrasif abîment l'émail. L'ivoire
15 perce alors à travers l'émail sous la forme de taches jaunes qui ternissent les dents.

Certaines stries ou taches blanches sont parfois causées par des anomalies du développement des dents. Une quantité insuffisante ou trop importante de phosphore et de calcium
20 peut être à l'origine d'une décoloration des dents. Si les taches blanches sont trop prononcées, des traitements esthétiques peuvent les estomper.

Mais les colorations anormales des dents sont surtout dues à l'alimentation et au tabac. Le thé et le café, ainsi que
25 les liquides qui contiennent du fer et certains médicaments, font jaunir les dents. Absorbés pendant le développement des dents, les antibiotiques de type tétracyclines leur donnent une teinte jaune ou marron. Une absorption excessive de fluor pendant la formation des dents peut tacheter
30 l'émail. Cette perturbation porte le nom de fluorose.

Il existe des méthodes auxquelles le dentiste peut recourir pour éclaircir la couleur des dents.

Extraits adaptés de *Tous les pourquoi du monde*, © 1995, Sélection du Reader's Digest (Canada) Ltée, Montréal, p. 96, reproduits avec autorisation.

Maigrir : oui, mais comment ?

Dans la vie, vaut-il mieux être une belle poire ou une bonne pomme ?

Cette question peut sembler bizarre. Mais pourtant, rares sont ceux qui échappent totalement à l'angoisse d'un profil qui épaissit. C'est aussi un sujet qui préoccupe fortement les spécialistes de l'obésité. Et là-dessus, leur réponse est sans équivoque. Côté silhouette, vaut mieux être une poire qu'une pomme.

Quand il est question de santé, le plus important, ce ne sont pas les kilos en trop que l'on porte, mais bien la région où se tapit le surplus de graisse.

Pomme ou poire ?

La forme pomme caractérise surtout les hommes. C'est génétique. Les femmes, elles, ont généralement un corps qui rappelle la poire. Ce n'est pas tant le poids qui importe que le type de graisse que l'on porte.

Pour illustrer ce concept, il est utile de se servir d'un exemple. Supposons le cas d'une personne qui, sans être grosse, peut être associée à la forme pomme. On aura peu de chance de se tromper en la considérant comme un sujet à risque. La cause : la localisation de sa graisse. Car la graisse abdominale est le pire facteur de risque pour maladies cardio-vasculaires.

La vision que l'on avait de l'obésité est donc en train de changer. Les recherches de Jean-Pierre Després, spécialiste de l'obésité et des maladies lipidiques au CHUL (Centre hospitalier de l'Université Laval) à Québec, ont contribué pour une bonne part à développer cette nouvelle approche.

On sait maintenant pourquoi la graisse de la forme « pomme » est si nocive. Très active, cette graisse emprunte la circulation sanguine et vient contaminer le foie, situé à proximité. Cela donne un foie bien gras et cause deux problèmes : un foie gras libère dans le sang un surplus des molécules qui transportent la matière grasse, d'où le risque de maladies cardio-vasculaires. En même temps, ce foie gras perturbe le cycle de l'insuline, d'où un risque accru de diabète.

À bas le gras

Au PEPS (Pavillon d'éducation physique et des sports), à l'Université Laval, on étudie au moyen d'un laboratoire spécial l'action comparée des sucres et des lipides sur l'organisme. Les résultats sont clairs. Pour éliminer notre surplus de gras, bref pour maigrir, l'ennemi auquel il faut s'attaquer, ce sont les gras, les lipides.

Voici pourquoi. À quantité égale, les gras font plus engraisser que les sucres. Tous les gras, quels qu'ils soient, fournissent 37,67 joules par gramme contre 16,74 joules seulement pour tous les sucres.

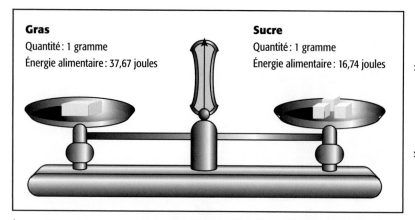

Gras

Quantité : 1 gramme

Énergie alimentaire : 37,67 joules

Sucre

Quantité : 1 gramme

Énergie alimentaire : 16,74 joules

À quantité égale, les gras sont plus énergétiques que les sucres, et font donc plus engraisser.

Autre raison, de taille aussi : quand on commet quelques excès de table, peu importe leur nature, matière grasse, sucres ou protéines, tous les surplus sont mis en réserve de la même façon, sous forme de graisse. On peut donc réduire sensiblement notre consommation de lipides sans crainte de manquer de ce carburant. Pour les sucres, au contraire, les réserves sont toujours très limitées.

Un dernier point jette aussi de l'ombre sur les lipides : la question de satiété. Quand on mange, les sucres calment plus vite la faim que les aliments riches en gras. Les signaux que l'estomac envoie au cerveau sont plus puissants avec les aliments riches en sucres qu'avec ceux qui sont riches en gras. On est donc porté à manger plus avec les aliments riches en gras qu'avec les sucres.

Quand nous mangeons, la sensation de satiété est plus rapidement atteinte avec des aliments riches en glucides qu'avec des aliments riches en lipides.

> Une équation simple : l'énergie absorbée doit égaler l'énergie dépensée.

Solution : bouger

Heureusement, il existe un recours contre l'obésité, l'exercice. C'est bon pour le cœur, ça réduit les risques de diabète, de maladies cardio-vasculaires et puis ça fait maigrir…

Il faut toutefois faire de l'exercice de façon significative pour pouvoir en mesurer les vertus. Mais point n'est besoin de faire des choses très sophistiquées.

Il faut brûler des joules. Il faut brûler des lipides, du gras, de façon presque quotidienne.

À cet effet, on recommande une forme d'exercice toute simple : aller prendre un bonne marche de 40-45 minutes tous les jours.

Pas de recette-miracle, donc. Ces recherches sur l'obésité nous apportent quand même quelques éléments pour mieux accorder nos petits plaisirs gourmands à un tour de taille acceptable.

D'abord, une équation simple : l'énergie absorbée doit toujours égaler l'énergie dépensée, sinon gare aux joules excédentaires. Ils vous transformeront en bonne pomme ou en belle poire…

Quelques règles d'or pour y échapper :

- Des sucres lents tu mangeras sans excès évidemment.
- Les lipides tu limiteras sans t'abstenir totalement.
- Des exercices tu feras pour compenser un p'tit excès de temps en temps.

Le gène de l'obésité

Chez certaines personnes, l'obésité a une cause génétique. Depuis trois ans, on sait qu'un gène provoque l'obésité chez les souris. Sous sa forme normale, ce gène fabrique une protéine appelé leptine, qui réduit l'appétit des souris trop grasses. Lorsque le gène est défectueux, les souris ont toujours faim, même si elles sont obèses. On a découvert une version humaine de ce gène défectueux chez deux jeunes cousins très obèses dont l'appétit est insatiable.

Lipides : C'est un groupe de substances qui apportent leur onctuosité aux aliments : beurre, margarine, crème, huile, etc. Par extension, tous les aliments qui comprennent des acides gras.

Bons gras : Ce sont les gras qui favorisent la diminution du cholestérol sanguin. Parmi les bons gras, on compte les huiles d'origine végétale et la margarine non hydrogénée (margarine molle).

Mauvais gras : Ce sont les gras qui font augmenter le cholestérol sanguin. Il s'agit des gras saturés : gras d'origine animale, huile de palme et de noix de coco, et aussi la margarine hydrogénée.

Glucides : C'est le nom donné à la grande famille des sucres.

Bons sucres : Les sucres lents, qui se digèrent lentement et n'augmentent pas le taux de sucre dans le sang, pain, pâtes alimentaires, riz, céréales et pommes de terre.

Mauvais sucres : Les sucres raffinés à digestion rapide comme le sucre de table, qui passent trop rapidement dans le sang.

Protéines : C'est un ensemble de substances qui entrent pour une forte proportion dans la constitution des êtres vivants. On les retrouve dans la viande, le poisson, le lait et les œufs, mais aussi dans les légumineuses comme les haricots rouges, le soja, les pois chiches, les lentilles, etc.

Joule : C'est l'unité de mesure SI de l'énergie. Jadis, on mesurait la quantité d'énergie contenue dans les aliments en calories.

Métabolisme : C'est l'ensemble des transformations chimiques et physio-chimiques qui s'accomplissent dans les tissus de notre organisme (les dépenses énergétiques, entre autres).

Obésité : Augmentation ou excès de tissu adipeux de l'organisme, accompagné d'un excédent de poids (plus de 25 % du poids estimé normal).

Extraits adaptés de GAGNON, Solange. [En ligne], [http://radio-Canada.ca/tv/decouverte] (juillet 1998) ©Société Radio-Canada, émission *Découverte*.

Les cigarettes « légères » sont-elles moins nocives que les autres ?

Réponse de Gilbert Lagrue, responsable du Centre de tabacologie de l'hôpital Henri-Mondor, à Créteil

Non, les cigarettes *light,* ou légères, sont aussi dangereuses que celles dites ordinaires. Leur appellation repose sur une ambiguïté
5 entretenue par l'industrie du tabac. En effet, elles contiendraient, d'après ce qui est indiqué sur les paquets, moins de 10 milligrammes de goudron par cigarette, le goudron étant responsable de
10 l'apparition du cancer du poumon. Or ce chiffre désigne en fait un rendement obtenu avec des « boîtes à fumer », sortes d'automates qui réalisent des simulations de bouffées et recueillent les pro-
15 duits de la fumée sur une membrane. Dans ces appareils, les bouffées durent deux secondes et se succèdent au rythme d'une à la minute, ce qui est évidemment beaucoup moins que la
20 moyenne des fumeurs. La quantité de goudron et de nicotine effectivement inhalée par le fumeur est donc, le plus souvent, bien supérieure à celle indiquée.

De plus, du fait de la dépendance à
25 la nicotine, qui est une substance pharmacologiquement très active, les fumeurs qui passent aux cigarettes légères tirent des bouffées plus longues et fument la cigarette jusqu'au bout afin d'obtenir la
30 dose dont ils ont besoin. Enfin, une étude vient de montrer que les cigarettes légères induisent un type de cancer du poumon, localisé dans les bronchioles, plus difficile à détecter et à traiter que
35 ceux provoqués par les cigarettes ordinaires, situés dans les bronches supérieures.

Propos recueillis par Pedro LIMA

Extraits adaptés de *Eurêka,* BAYARD PRESSE, Numéro spécial — 24H — 1997, p. 91.

Qu'est-ce qui provoque les démangeaisons que l'on ressent tout de suite après la douche ?

Réponse du Dr Lacour, dermatologue à l'hôpital de l'Archet, à Nices

Ressentir des démangeaisons pendant 5 à 10 minutes au sortir de la douche ou du bain est un phénomène assez banal. Il concerne ceux d'entre nous dont la peau, dite hyperréactive, est particulièrement sensible aux agressions extérieures. Il s'agit d'une peau volontiers sèche et qui présente parfois de l'eczéma. Le contact avec l'eau augmente encore la sécheresse cutanée, induisant des démangeaisons. Le calcaire, parfois incriminé, a probablement un effet irritant. Il est donc conseillé aux gens qui ont tendance à présenter de l'eczéma d'éviter l'eau trop chaude.

Certaines démangeaisons peuvent provenir de l'utilisation de savons et de produits cosmétiques colorés, parfumés, irritants, qui dessèchent la peau en décapant le sébum (mélange de graisse et de protéines sécrété par les glandes de la peau) qui forme sa couche protectrice. Plus rarement, le bain, ou la douche, donne lieu à de véritables réactions allergiques avec démangeaisons et urticaire (plaques rouges sur le corps). L'agent responsable de la réaction peut être l'eau elle-même, on parle alors d'urticaire aquagénique. Mais la différence de température de l'eau et de l'extérieur ou la pression du jet de

douche sur la peau peuvent suffire à provoquer des allergies. Le mécanisme de l'urticaire aquagénique est peu connu. La qualité de l'eau pourrait être en cause, certaines personnes présentant une urticaire à l'eau douce et pas à l'eau de mer et inversement. En revanche, l'urticaire déclenchée par les variations de température correspond à une réaction d'allergie au froid. Celui-ci étant plus fréquent en cas de bains de mer ou de rivière, il est préférable de les éviter car le risque de choc allergique n'est pas nul. La lutte contre les démangeaisons engendrées par le bain ou la douche passe essentiellement par des « petits moyens »: eau tiède, huile de bain ou savons gras, suppression des produits irritants, hydratation immédiate de la peau à l'aide de crèmes. Si, malgré cela, les démangeaisons deviennent insupportables, il est utile de consulter un dermatologue afin d'en établir la cause exacte et d'instaurer un traitement adapté.

Propos recueillis par Sylvie Sargueil
Extraits adaptés de *Eurêka*, BAYARD PRESSE, Numéro spécial — 24H — 1997, p. 95.

Comment expliquer l'effet du psychisme dans les guérisons?

Réponse de Patrick Lemoine,
psychiatre hospitalier, à Lyon

En médecine, l'action la mieux étudiée du psychisme sur le corps se nomme l'ef-
5 fet placebo. Il est très utilisé en pratique médicale et en recherche pharma-cologique pour évaluer l'activité chimique réelle
10 d'un médicament. Le pla-cebo est un faux médicament, une substance inactive admi-nistrée à une personne malade qui croit prendre un vrai
15 médicament. Dans certains cas, le résultat est étonnant, car le placebo soigne de façon satisfaisante. Mais, de mê-me que le médicament entraîne
20 des effets secondaires, le placebo induit également des con-séquences indésirables (nausées, vertiges, etc.). Ce phénomène existe chez les très jeunes
25 enfants, y compris les bébés, et même chez des animaux domestiques. En plus de cet effet spécifique, orienté par le thérapeute qui attend d'une
30 substance inerte un résultat pré-cis, il existe un effet psychique dont l'origine est inconnue. Il fonctionne pour n'importe quelle maladie, c'est la guérison
35 inexpliquée, le miracle… Les placebos antalgiques (anti-

Le corps humain sécrète des morphines naturelles susceptibles de soulager.

douleur), le sport, le rire et plus généralement les sources de plaisir stimulent chez l'être humain la sécrétion de morphines naturelles, les
40 endorphines, susceptibles de soulager.

Par ailleurs, des expériences prouvent que le psychisme influe sur des paramètres organiques tels que la tension artérielle, l'acidité de l'estomac ou le nombre de globules blancs. Le psychisme
45 aurait même un rôle important, complémentaire des thérapeutiques, en matière de cancérologie. Une de ces expériences consiste à enfermer dans trois cages différentes des rats de la même espèce, à qui une tumeur cancéreuse a été greffée.

Les initiatives se multiplient pour soutenir le moral des enfants malades. C'est pourquoi il est possible de rencontrer des personnages tels que celui-ci dans les centres hospitaliers où l'on soigne les enfants.

50 Dans la cage n° 1, on laisse évoluer les rats et leurs cancers sans intervenir. Dans la cage n° 2, les rats reçoivent des chocs électriques d'intensité, de durée et de survenue aléatoires, de sorte qu'ils ne 55 savent jamais ni quand, ni combien de temps ils vont avoir mal. Dans la cage n° 3, l'expérimentateur envoie les mêmes décharges électriques que dans la cage n° 2, mais les rats ont à 60 leur disposition une manette leur permettant d'interrompre à tout moment le choc, ce qu'ils font très rapidement. Au bout d'un mois, 50 % des rats de la cage n° 1 ont rejeté la 65 tumeur; dans la cage n° 2, ils sont seulement 34 %. Conclusion : le stress incontrôlable est cancérogène. En revanche, dans la cage n° 3, 64 % des rats rejettent la tumeur : le stress maîtrisé aurait donc un 70 effet anticancéreux. En médecine, un des

Le psychisme commanderait à notre organisme de sécréter des substances anticancéreuses.

meilleurs facteurs de guérison du cancer du sein semble être la réaction au diagnostic. Les femmes qui décident rapidement de lutter sont plus nombreuses 75 à guérir que celles qui se croient « fichues ». Certains chercheurs pensent que le psychisme commanderait à notre organisme de sécréter massivement des substances anti- 80 cancéreuses, comme les interférons. Ces molécules, utilisées en thérapeutique, existent aussi à l'état naturel dans nos cellules. C'est pourquoi de plus en plus d'hôpitaux 85 mettent en place dans les services de cancérologie des psychothérapies ou travaillent en collaboration avec des psychothérapeutes.

Propos recueillis par Sylvie SARGUEIL
Extraits adaptés de *Eurêka*, BAYARD PRESSE, Numéro spécial — 24H — 1997, p. 53.

L'énigme des placebos

RACHEL DUCLOS

L a dépression, les allergies, le rhume, l'asthme, les ulcères, l'insomnie et l'anxiété sont quelques-unes des maladies 10 qui peuvent être soignées (et même guéries) grâce à un même médicament, qui n'en est pas vraiment un : le placebo. Cette pilule de farine ou de lactose qui ne contient aucun produit actif a fait 15 ses preuves à maintes reprises, notamment dans le traitement de la douleur.

Une des premières observations scientifiques de l'effet des placebos a été réalisée en 1950 par Stewart Wolf, un pionnier dans ce domaine. Un

Une énigme de la médecine moderne : comment des pilules de farine arrivent-elles à 5 améliorer l'état de santé de certains malades ?

20 médecin avait alors prescrit à une femme enceinte souffrant de nausées et de contractions gastriques un 25 médicament agissant contre les contractions, mais

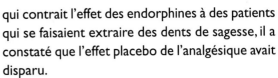

provoquant des nausées. Cependant, il lui avait dit que le médicament, au contraire, éliminait cet effet secondaire indésirable. Vingt minutes plus tard, sa patiente n'avait plus de contractions et elle n'a jamais plus ressenti de nausées.

Selon le médecin américain Irving Kirsch, auteur d'un livre fameux sur l'effet placebo, la clé de voûte de ce curieux phénomène demeure la conviction profonde des gens que leur condition physiologique va changer. Lorsqu'une personne espère obtenir un changement, ce changement se produit, selon le médecin. Les cerveaux sont des machines à conviction profonde.

Pour le psychiatre français Patrick Lemoine, le placebo serait l'équivalent d'une «mise en forme des forces de guérison internes». L'auteur du livre *Le mystère du placebo* avance aussi plusieurs hypothèses pour expliquer son action sur un individu.

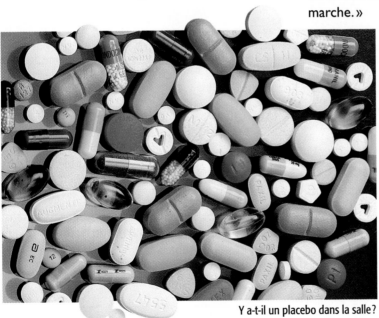
Y a-t-il un placebo dans la salle?

Le premier scénario serait biologique. «On peut imaginer que, lors de situations où se produisent des "miracles", les gens augmentent la libération d'antidouleur naturels comme les endorphines.» Le chercheur américain J. D. Levine a d'ailleurs tenté d'évaluer leur rôle dans l'effet des placebos. Après avoir administré une substance qui contrait l'effet des endorphines à des patients qui se faisaient extraire des dents de sagesse, il a constaté que l'effet placebo de l'analgésique avait disparu.

Patrick Lemoine estime également que l'effet bénéfique pourrait être tout simplement dû à la bonne vieille association «bobo, docteur, comprimé, guérison».

La troisième explication est d'ordre **psychanalytique**. Le psychiatre avance l'exemple du guerrier **massaï** qui refuse de prendre un médicament tant que le médecin n'a pas craché dessus. «C'est ce que les catholiques appellent la transsubstantiation, dit-il, la présence réelle du corps du Christ dans l'hostie. Et si vous avez la foi, ça marche.»

Psychanalytique: Relatif à la psychanalyse. La psychanalyse est une branche de la psychologie; son but est d'expliquer les motifs inconscients de nos comportements.

Massaï: Peuple d'Afrique vivant au Kenya et en Éthiopie.

Le psychanalyste français François Roustang ajoute que, pour être efficace, le placebo a besoin d'un certain décorum: un médecin socialement reconnu, un lieu précis et solennel, et un signe matériel visible, la prescription. «Mais un rite n'est efficace que si l'on veut y adhérer. C'est la grandeur et la limite de la condition humaine.»

Il n'y a en effet aucun indice permettant de prédire si une personne sera soulagée par un placebo.

Lorsqu'il a écrit *Le malade imaginaire*, au 17e siècle, Molière avait compris, intuitivement, l'efficacité du remède imaginaire.

Extraits adaptés de *Québec Science*, vol. 35, no 7, avril 1997, p. 28 et 30.

Les crèmes cosmétiques ont-elles un effet sur le vieillissement cutané dû à la pollution ?

Réponse de Martine Basteyras, dermatologue à l'Hôpital Saint-Louis, à Paris

Depuis peu, de nouveaux produits de soins pour le visage ont effectivement fait leur apparition sur le marché; ils sont supposés remédier aux méfaits de la pol-
5 lution. Si cette dernière apparaît clairement comme un facteur d'agression de la peau, on s'interroge encore sur ses effets réels, et ce pour trois raisons.
10 D'abord, les études cliniques sont récentes alors que les effets de la pollution s'inscrivent plutôt sur le
15 long terme. Il s'agit par ailleurs d'un vaste problème, les recherches entreprises se cantonnant à l'étu-
20 de de cas précis: cultures de cellules soumises à des gaz d'échappement, analyse des effets de la qualité de l'eau, ou encore étude des
25 conséquences de l'air conditionné des bureaux... Enfin, il est toujours difficile d'isoler un facteur d'agression car la vie en milieu urbain en conjugue
30 souvent plusieurs, comme le stress et la pollution.

Cependant, il est aujourd'hui admis que
35 la pollution augmente la réactivité de la peau. Les dermatologues des villes voient prospérer les dermites d'irritation, qui ne sont pas des allergies (comme l'eczéma ou l'ur-
40 ticaire). Par ailleurs, en atmosphère polluée, l'acidité de la peau change et le film hydrolipidique de surface, qui fait office de ciment entre les cellules, a tendance à se dégrader. La peau se dessèche
45 plus vite, elle est plus poreuse et plus sensible. Les polluants dans l'atmosphère favorisent en outre la fabrication de
50 radicaux libres, qui attaquent les cellules parfois jusqu'au noyau et perturbent leur régénération.
55 Celles-ci se renouvellent moins vite, moins bien, ce qui accélère le vieillissement de la peau. Mais celle-ci a ses
60 propres moyens de défense et, en regard du Soleil ou même du tabac, la pollution ne peut être considérée comme un facteur majeur de vieillissement cutané.

> **Il est aujourd'hui admis que la pollution augmente la réactivité de la peau.**

Sur cette photo d'une section de la peau humaine, prise à l'aide d'un microscope électronique, les trois couches de la peau apparaissent clairement. La couche cornée (au-dessus de la couche rose et rouge) est la couche superficielle de l'épiderme. Elle est composée de cellules mortes empilées les unes sur les autres.

Propos recueillis par Michèle MARIN

Extraits adaptés de *Eurêka*, BAYARD PRESSE, Numéro spécial — 24H —, Hors-série 1997, p. 85.

Le rire est-il bon pour la santé ?

L'influence de la santé mentale sur la santé physique n'est plus à prouver. Les dossiers des médecins sont remplis d'exemples de patients dont les maladies semblent avoir pour origine un état dépressif général. Une étude effectuée par des médecins a démontré que les maladies chroniques sont six fois plus fréquentes chez les chômeurs que chez les sujets qui ont un emploi.

L'organisme répond au stress en sécrétant davantage de cortisol et d'adrénaline. Entre autres fonctions, ces hormones ont la propriété d'accélérer le rythme cardiaque et d'élever la pression artérielle pour accroître nos défenses et nous permettre de faire face à l'agression. Un stress prolongé ou violent entraîne une production d'hormones trop importante, qui, au lieu d'augmenter notre efficacité, nous empêche de réagir. C'est pourquoi certains individus qui affrontent une situation où leur vie est en danger sont incapables d'avoir une réaction rationnelle.

Le rire stimule certaines zones de notre cerveau, qui déclenchent une réaction en chaîne. Les glandes endocrines libèrent alors des analgésiques et des sédatifs naturels. D'autres sécrétions favorisent la digestion et les artères se détendent, facilitant ainsi la circulation du sang. Aucun médecin ne prétendra jamais que le rire est un remède contre tous les maux, mais aucun ne contestera non plus ses effets bénéfiques sur la santé.

Extrait de *Tous les pourquoi du monde,* © 1995, Sélection du Reader's Digest (Canada) Ltée, Montréal, p. 120, reproduit avec autorisation.

Pourquoi les crabes courent-ils de côté ?

Les crabes marchent de la même façon que nous, la tête et les yeux tournés vers l'avant. Lorsque nous courons, notre foulée s'allonge. Il en va de même pour le crabe. Mais les ligaments et les muscles de ses huit pattes sont ainsi faits qu'ils se détendent au maximum non pas vers l'avant ou l'arrière, mais sur le côté, à la façon d'une porte qui se balance sur un gond.

Le crabe est le seul être au monde pourvu de pattes qui soit capable de se déplacer d'un côté ou de l'autre sans avoir à tourner son corps. Cette démarche particulière est une conséquence de l'évolution de sa carapace. Pour l'essentiel, l'anatomie de ce crustacé est similaire à celle du homard et de la crevette. Mais, à mesure que le crabe devenait plus plat, afin de pouvoir se glisser sous les rochers, sa carapace s'aplatissait elle aussi, tout en s'élargissant, au point d'empêcher l'extension complète des pattes. Les premiers crabes étaient de piètres sprinters, incapables d'échapper aux oiseaux et autres prédateurs. Ils résolurent le problème en modifiant le sens d'extension de leurs pattes, ce qui leur permit de courir de côté.

Quiconque a essayé d'attraper un crabe sait que ces crustacés sont capables d'étonnantes pointes de vitesse. Ils se déplacent avec une grande aisance et ont l'étrange manie de regarder d'un côté tout en fonçant dans la direction opposée.

Extrait de *Tous les pourquoi du monde,* © 1995, Sélection du Reader's Digest (Canada) Ltée, Montréal, p. 278, reproduit avec autorisation.

Les tortues, marines ou terrestres, figurent parmi les reptiles les plus anciens : des espèces appartenant à leur groupe (l'ordre des chéloniens) existaient bien avant que les dinosaures n'aient fait leurs premiers pas sur la planète. Les tortues marines passent la majeure partie de leur vie dans l'eau ; les tortues terrestres ne vont dans l'eau que pour boire ou se rafraîchir.

Pourquoi les tortues vivent-elles si longtemps ?

Les deux espèces ont une longévité remarquable. Une tortue marine déposée en 1766 sur l'île Maurice par l'explorateur français Marion-Dufresne est morte en 1918, soit cent cinquante-deux ans plus tard.

D'autres tortues auraient vécu plus de deux cents ans, à en juger d'après des dates gravées sur leur carapace. Divers facteurs expliquent leur longévité. D'une part, et c'est la raison essentielle de leur exceptionnelle durée de vie, les organes vitaux des tortues ne dégénèrent pas avec l'âge, comme le font ceux des oiseaux et des mammifères. Par ailleurs, les dépenses énergétiques des tortues sont faibles, ce qui leur permet de consacrer la plus grande partie de leur ration alimentaire au développement de leurs muscles. Les cellules se régénèrent, et les reptiles continuent de grandir, même très lentement, durant toute leur vie.

Les dangers majeurs qui guettent les tortues surviennent essentiellement dans les premiers mois de la vie : extermination par des prédateurs tels que les oiseaux, les poissons et les petits mammifères — chez certaines espèces, seule une jeune tortue sur cent parvient à survivre —, infections, destruction de l'habitat, disette.

Une fois que la carapace s'est durcie, ce qui peut prendre plusieurs mois, les tortues sont cuirassées contre la plupart des ennemis. La carapace de nombreuses espèces comprend des mécanismes de défense ingénieux. Certaines sont pourvues de lobes articulés qui se referment lorsque la tortue rentre dans sa carapace ; les tortues terrestres bloquent les ouvertures avec les plantes de leurs pattes, qui constituent de véritables cuirasses.

Végétariennes ou carnivores, les tortues ont des goûts alimentaires très variés. Beaucoup d'espèces supportent le jeûne ou la soif prolongés, et celles qui vivent sous des climats froids hibernent. Si les mâles se disputent parfois pour la possession des femelles, ils ne se battent jamais à mort pour revendiquer leur territoire.

Depuis longtemps, le plus redoutable ennemi des tortues est l'homme. Entre 1831 et 1868, quelque 10 000 tortues ont été exterminées dans les Galápagos par les baleiniers américains sillonnant le Pacifique Est. Grâce aux mouvements en faveur de la sauvegarde des animaux sauvages de la planète, beaucoup d'espèces sont à présent strictement protégées.

Les tortues géantes vivent à l'état sauvage sur les récifs coralliens et les atolls de l'archipel d'Aldabra, dans l'océan Indien, et dans les îles Galápagos. Strictement végétariennes, elles peuvent atteindre 250 kg, avec des carapaces de 1,50 m de long. On pense que leurs ancêtres sont arrivés dans les îles sur des bois flottants, après avoir quitté leur milieu d'origine, en Amérique du Sud et en Inde, d'où ces espèces ont disparu, exterminées par la chasse.

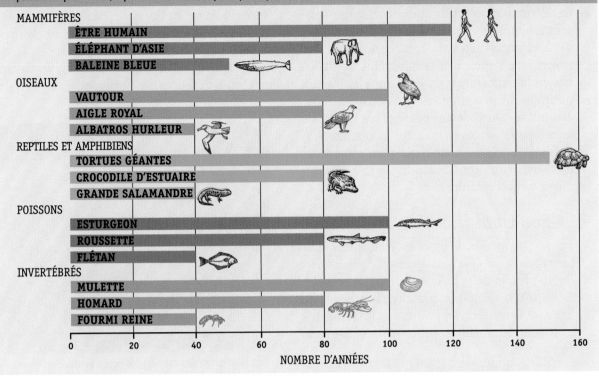

Les champions de la longévité

Chaque branche du règne animal possède ses champions de la longévité. Les durées de vie ci-dessous ont été établies, dans la plupart des cas, d'après des données attestées, les autres étant fondées sur les taux de croissance connus. Toutefois, les animaux sauvages n'atteignent presque jamais leur âge maximal potentiel. Le plus souvent, ils périssent bien avant, emportés par les prédateurs, la maladie, la faim ou la destruction de leur habitat par l'homme.

MAMMIFÈRES
- ÊTRE HUMAIN
- ÉLÉPHANT D'ASIE
- BALEINE BLEUE

OISEAUX
- VAUTOUR
- AIGLE ROYAL
- ALBATROS HURLEUR

REPTILES ET AMPHIBIENS
- TORTUES GÉANTES
- CROCODILE D'ESTUAIRE
- GRANDE SALAMANDRE

POISSONS
- ESTURGEON
- ROUSSETTE
- FLÉTAN

INVERTÉBRÉS
- MULETTE
- HOMARD
- FOURMI REINE

NOMBRE D'ANNÉES

Extrait de *Tous les pourquoi du monde*, © 1995, Sélection du Reader's Digest (Canada) Ltée, Montréal, p. 300-301, reproduit avec autorisation.

5 questions sur le porc

ANNE-MARIE SIMARD

Le porc traîne avec lui une réputation peu enviable. À tort ou à raison ? Réponse en cinq temps.

1 Pourquoi il sent mauvais

⁵ L'odeur puissante et particulièrement désagréable dont on se plaint — elle peut d'ailleurs causer des maux de tête, des nausées, une perte d'appétit ou de sommeil — provient ¹⁰ du lisier de porc, un mélange de matières fécales et d'urine. En raison de sa haute teneur en azote, en phosphore et en potassium, le lisier constitue un excellent engrais. Mais, lorsqu'il est épandu dans les champs, il empeste l'air des environs.

¹⁵ En fait, une centaine de composants dégagent des odeurs malodorantes. Parmi les matières inorganiques, l'ammoniac et le sulfure d'hydrogène — qui produit cette fameuse odeur ²⁰ d'œufs pourris — y contribuent grandement. De plus, en se dégradant, la matière organique répand elle aussi des effluves qui n'ont rien de capiteux.

En effet, comme il est liquide, le lisier ²⁵ favorise la prolifération de bactéries anaérobies (s'activant en l'absence d'oxygène) qui décomposent la matière organique en acides gras volatils, tels que l'acide acétique (ou vinaigre), l'acide butyrique et l'acide propionique. Inutile de décrire l'odeur fétide que ces composés laissent échapper !

Les spécialistes en biotechnologies ont trouvé une solution à ce problème : en contrôlant la température du lisier dans les fosses à purin, ils favorisent le travail d'autres bactéries anaérobies qui décomposent ces matières organiques volatiles en matières inorganiques. À la fin de la réaction en chaîne, on obtient du méthane et du gaz carbonique, des gaz à l'odeur tout à fait acceptable.

2 Pourquoi il pollue

La production de porcs est concentrée dans les régions de Québec, Beauce-Appalaches, Saint-Hyacinthe et L'Assomption. Lorsque les éleveurs épandent une quantité raisonnable de lisier sur leurs terres au printemps, les minéraux sont complètement absorbés par les plants en croissance.

Le problème se pose lorsqu'on utilise un excès de lisier. Les éléments qui n'ont pas été absorbés par les plantes s'écoulent alors dans les cours d'eau des environs et alimentent les algues, qui raffolent du phosphore, de l'azote et des nitrates. À la longue, la prolifération des algues monopolise l'oxygène du cours d'eau, nuisant ainsi à la flore et à la faune aquatiques.

Un autre phénomène peut survenir lorsqu'un excès de lisier recouvre les terres. Dans les couches supérieures du sol, des bactéries aérobies convertissent l'azote ammoniacal (NH_4) du lisier en nitrates. Et, lorsqu'ils s'écoulent dans les lacs et les rivières, les nitrates deviennent une nuisance écologique.

3 Pourquoi il se roule dans la boue

Sous ses allures grossières, le porc est un animal délicat. Sa peau très sensible ne supporte pas les rayons ultraviolets. Aussi, lorsque le soleil d'été plombe, le porc se vautre dans la flaque de boue la plus proche. En séchant, celle-ci protège son épiderme : comme écran total, on ne fait pas mieux !

Comme le porc n'a pas de glandes sudoripares, il évacue habituellement sa chaleur interne en expirant. Mais, lorsqu'il fait très chaud, cela ne suffit plus. Ainsi, à plus de 30 °C, sa vie est véritablement en danger : pour éviter de cuire, il se lancera vers le premier coin d'eau claire ou de boue qu'il verra !

Il partage cette habitude avec l'hippopotame, qui fait partie du même ordre que lui, celui des

Pour protéger sa peau sensible, le porc a besoin d'un écran solaire efficace.

ongulés artiodactyles, c'est-à-dire les mammifères à sabots possédant un nombre pair de doigts. Pour survivre au climat africain, l'hippopotame passe la majeure partie de sa vie dans l'eau.

Au Québec, dans les bâtiments agricoles à température contrôlée, le porc se tient au sec. Il est à son mieux à une température variant entre 10 °C et 26 °C.

4 Comment on a « décontaminé » sa viande

Parce qu'il mangeait de tout, y compris des déchets, le porc a longtemps été perçu comme un animal à la chair douteuse. D'autant plus que les gens qui s'en nourrissaient souffraient parfois d'un mal étrange : diarrhées, nausées et fièvre pouvaient s'accompagner de douleurs aux muscles et aux yeux.

On sait aujourd'hui que ce mal est causé par un ver microscopique, la *Trichinella spiralis* ou trichine. Parasite des animaux omnivores et carnivores — comme les chiens, chats, gibier et rongeurs —, elle contamine surtout le porc. Elle contaminait, devrait-on dire, car ce problème est maintenant largement résolu.

Il y a plusieurs années, les éleveurs de porc gardaient leurs troupeaux à l'extérieur. Se nourrissant et évacuant au même endroit, les porcs se transmettaient la trichinose par le biais de leurs excréments.

Après s'être installée dans le système digestif du porc, la trichine produit des larves qui traversent la paroi intestinale de l'animal, voyagent dans les vaisseaux sanguins, puis passent dans les muscles, où elles forment de petits kystes. Le ver emprunte exactement le même chemin chez l'humain. C'est la présence de ces kystes qui produit des douleurs musculaires. Des colonies de vers peuvent aussi contaminer certains organes, comme les yeux ou le cœur, causant parfois des arythmies cardiaques.

Une fois le ver installé dans le muscle, aucun médicament ne peut le déloger. Les médecins se contentent de prescrire des analgésiques ou de la cortisone pour diminuer les douleurs et l'œdème. Éventuellement, le corps finira par prendre le dessus sur le parasite.

Pour prévenir l'infection, les médecins recommandaient jadis de bien faire cuire la viande.

Aujourd'hui, ce problème n'existe plus. Les porcs, nourris au maïs, sont gardés loin de leurs excréments. En plus d'être délicieuses, les côtelettes de porc grillées — et roses à l'intérieur! — sont sans danger.

5 Pourquoi il est plus maigre qu'il en a l'air

Parce que le porc est omnivore, nos ancêtres le nourrissaient de pelures de patates, de restes de table et de tout ce que les autres animaux de ferme ne mangeaient pas… Avec une telle diète, le porc a fini par faire de l'embonpoint! Cette couche de gras avait par contre l'avantage de le protéger contre les rigueurs de l'hiver canadien.

Depuis les années 1980, le régime alimentaire auquel on a soumis cet animal l'a littéralement fait fondre. En Amérique du Nord, sa viande est maintenant moins grasse que celle du bœuf. Selon le groupe de recherche en économie et politiques agricoles de l'Université Laval, le gras sur le dos d'une truie de 100 kilos de race Yorkshire atteignait en moyenne plus de 17 millimètres en 1980. En 1995, il était tombé à 12 millimètres.

L'avantage avec le porc, c'est que le gras est situé surtout à l'extérieur du muscle, contrairement à une pièce de bœuf qui est souvent «persillée», c'est-à-dire que le gras est distribué dans tout le muscle.

Le nouveau tour de taille du porc est aussi le fruit de multiples croisements. Au Québec, les éleveurs accouplent souvent un porc de père Duroc et de mère Hampshire (ou l'inverse), qui donnent une meilleure qualité de viande, avec un descendant de Landrace et de Yorkshire, des races plus prolifiques.

Extraits adaptés de *Québec Science*, vol. 36, n° 1, septembre 1997, p. 53-55.

Pourquoi les **faucons** ont-ils une vue perçante ?

Aucun animal au monde ne possède l'acuité visuelle des oiseaux, et plus particulièrement celle du
5 faucon, dont l'œil perçant est sans rival.

La qualité de la vision est liée à la structure de la rétine. En effet, c'est sur cette mem
10 brane tapissant le fond de l'œil que se forment les images projetées par la cornée
15 et le cristallin. L'acuité visuelle maximale est atteinte au niveau de la fovéa, minuscule dépression située dans la partie centrale de la rétine. Chez les oiseaux, la fovéa comprend beaucoup plus de cellules visuelles que chez n'im
20 porte quel autre animal. L'œil de certains rapaces, notamment celui du faucon, possède deux fovéas, comprenant chacune 1,5 million de cellules visuelles ; à titre de comparaison, la région correspondante de l'œil humain, la macula, contient
25 environ 200 000 cellules seulement.

De plus, la fovéa des oiseaux est convexe sur les côtés, ce qui entraîne un grossissement jusqu'à 30 % de certaines parties de l'image. Le faucon perçoit des objets éloignés avec une pré
30 cision près de huit fois supérieure à celle de l'œil humain. La différence de définition de l'image est comparable à celle de deux téléviseurs dont l'un aurait huit fois
35 plus de lignes de balayage que l'autre.

Certains oiseaux, comme le hibou ou la chouette, ont de grands yeux immobiles destinés
40 à capter le maximum de lumière. Le hibou peut distinguer une minuscule souris dans l'obscurité. Pour voir la même souris, l'œil humain aurait besoin de cent fois plus de lumiè
45 re. Le hibou parvient même à repérer une proie dans l'obscurité totale, grâce à son ouïe,
50 qui perçoit le plus infime bruissement.

Un faucon tournoie dans le ciel, guettant sa proie. Ce rapace volant à grande altitude possède une acuité visuelle hors du commun, due à la structure de son œil. La fovéa du faucon contient près de huit fois plus de cellules visuelles que la macula de l'œil humain.

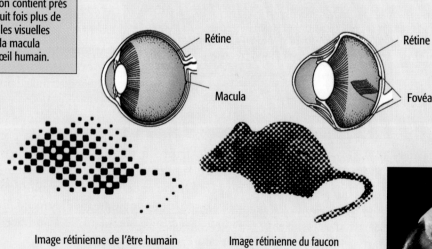

Rétine
Macula
Rétine
Fovéa

Image rétinienne de l'être humain

Image rétinienne du faucon

Extrait de *Tous les pourquoi du monde*, © 1995, Sélection du Reader's Digest (Canada) Ltée, Montréal, p. 290, reproduit avec autorisation.

Bêtes noires

Ils veulent notre sang. Et ils le prennent! Un impitoyable portrait de nos moustiques tortionnaires.

NORMAND GRONDIN

Près d'une centaine d'espèces de moustiques habitent la Belle Province. Certains ne piquent pas, d'autres ne vivent que du nectar des fleurs ou de la sève des arbres, d'autres encore ne s'attaquent qu'à certains animaux. Et quand ils s'en prennent à nous, c'est essentiellement pour assurer la survie de leur progéniture, jamais pour le simple plaisir de s'attaquer à un promeneur innocent et sans défense. Fascinant...

Mais, au fond, tout cela est sans importance, car dans la vraie vie, vous l'admettrez, le seul bon moustique est un moustique MORT! Hormis quelques scientifiques passionnés d'entomologie, personne n'aime les moustiques.

Voici donc, en quatre points, ce qu'il faut savoir sur le comportement de ces petits diables ailés. Le pourquoi, le comment, mais surtout le *nec plus ultra* dans la guerre aux moustiques!

1. Pourquoi « elles » piquent

Maigre consolation: les moustiques mâles ne piquent pas, seules les femelles le font. La raison: après être sorties de l'eau et s'être accouplées, elles ont besoin d'un repas de sang pour obtenir les protéines nécessaires au développement de leurs œufs (les femelles de certaines espèces peuvent cependant vivre sur leurs réserves énergétiques jusqu'à la deuxième ponte avant de se jeter sur une veine). Ce n'est pas tout: comme les femelles pondent en moyenne trois fois durant leur vie (qui dure de deux à trois mois), elles doivent donc piquer plusieurs fois. Un repas, une ponte.

Les mâles, eux, ne survivent que quelques semaines et ne s'alimentent que de sucres. « Ça nous laisse au moins une chance sur deux... », philosophe Guy Carpentier, professeur en sciences de l'environnement à l'Université du Québec à Trois-Rivières et expert des insectes piqueurs.

2. Comment ils s'y prennent

Le moustique possède un extraordinaire coffre à outils. Pour repérer sa proie, l'insecte se sert d'abord de ses yeux: si c'est foncé et mobile, cela signifie qu'il est sur la bonne voie!

Puis, ses pattes équipées de récepteurs de CO_2 lui permettent de détecter la trace chimique, chaude et fumante, laissée par la respiration de n'importe quel mammifère dans un rayon d'environ 15 mètres. Aussi, à moins de retenir son souffle indéfiniment, on n'a aucune chance de passer inaperçu! Le moustique possède aussi d'autres récepteurs sur ses antennes qui lui permettent de sentir la présence de l'acide lactique. Or, pas de chance, l'humain exsude de l'acide lactique dès qu'il sue un peu, c'est-à-dire en permanence...

Le moustique peut rapidement détecter une zone bien irriguée. Pour évaluer la qualité du sang de ses proies — notamment la présence de certains acides aminés dont il a besoin —, le moustique sonde parfois quelques centimètres de peau et, s'il est insatisfait, il lève la trompe sur un repas trop maigre à son goût.

Lorsque son choix est définitivement arrêté, sa seringue longue, fine, souple et résistante entre en action. Pendant qu'elle s'attaque à un juteux capillaire, la salive de l'insecte, qui contient

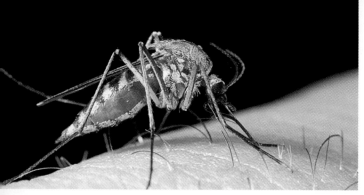
Un maringouin à l'œuvre…

70 une protéine anticoagulante, empêche le liquide de bloquer le conduit. C'est la réaction allergique à cette « bave » qui provoque l'inflammation et les démangeaisons typiques des piqûres de moustiques.

75 ## 3. *Pourquoi ils VOUS piquent*

Mettons tout de suite une chose au clair : l'humain n'est qu'un élément secondaire sur le menu des moustiques, précise Guy Carpentier. Ce sont les petits mammifères qui constituent leur plat de 80 résistance. Jean-Pierre Bourassa, un de ses collègues, a réalisé dans le passé une analyse immunologique du contenu de l'estomac de plusieurs 85 moustiques : s'y trouvait le sang de souris, de mulots, d'écureuils, de canards, de petits mammifères sauvages, etc.

90 Pourquoi les maringouins vous choisissent-ils et non pas votre voisin immédiat ?

On sait que « l'odeur » 95 que dégagent les couches superficielles de la peau attire les moustiques. Ainsi, des expériences ont montré que les insectes 100 piqueurs se posent directement sur les endroits où l'on a déposé une mixture faite de sueur, d'huile et de peaux mortes. « Cependant, explique Guy Carpentier, on n'a pas 105 encore identifié avec précision les molécules qui leur font cet effet. »

On a également constaté que certaines peaux semblent plus savoureuses, plus sucrées que d'autres pour les moustiques. La chimie person-110 nelle serait donc à l'origine de l'attirance particulière des maringouins pour certains individus, plus particulièrement pour ceux qui suent beaucoup.

4. *Comment vous défendre*

115 Généralement réalisées par les municipalités, les campagnes de contrôle des moustiques et des mouches noires sont assez efficaces puisque le seul insecticide biologique dont l'utilisation est permise au Canada, la bactérie *Bacillus turingiensis* 120 de la variété *isrœlensis*, a démontré sa redoutable efficacité. L'insecticide contient des spores et des cristaux protéiques de la bactérie qu'on disperse sous forme liquide dans les secteurs où se trouvent les larves, notamment les mares et les 125 eaux stagnantes. Les larves avalent le produit et, en le digérant, libèrent des toxines qui vont se fixer sur les récepteurs du système digestif. En 130 moins d'une heure, un bon nombre de larves meurent et, en l'espace de 24 heures, de 95 % à 100 % d'entre elles sont éliminées.

135 Évidemment, l'arrosage n'est pas tout : il existe aussi une foule d'armes plus personnelles.

L'insecticide électrique.
140 La cage équipée d'une lumière ultraviolette et d'un grillage légèrement électrifié sur lequel les insectes viennent se faire rôtir est devenu un grand clas-145 sique de la cour arrière québécoise, où elle ponctue les

Les mouches noires

Les simulies (leur nom savant) vivent en moyenne un mois et demi, c'est-à-dire une éternité pour leurs victimes! On en compte une centaine d'espèces au pays. La plupart semblent se nourrir presque exclusivement de sang... d'oiseaux, et seulement quelques-unes de sang d'humains.

Les mouches noires sont au repos la nuit et perdent également leur agressivité dès qu'elles se retrouvent « emprisonnées » dans une auto ou une maison, cherchant plutôt à fuir par la première fenêtre venue. À vous d'en profiter pour les écraser dans la moustiquaire!

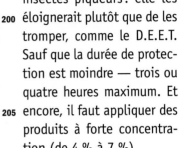

chaudes soirées estivales d'innombrables zip! et zap!

Son efficacité? Le piège élimine effectivement
150 un nombre important d'insectes. Le problème, c'est qu'il s'agit en grande majorité de papillons de nuit et d'une foule d'autres bibittes... mais de bien peu de moustiques, à peine 1 % d'insectes piqueurs...

155 **La colonie de chauves-souris.** On sait que les chauves-souris d'ici mangent un grand nombre d'insectes chaque nuit. Est-ce que le
160 fait d'en avoir une colonie autour de la maison réduit substantiellement le nombre d'insectes piqueurs dans les environs?

165 Pas vraiment, puisque la chauve-souris est un chasseur non sélectif, qui se goinfre de tout ce qui passe dans le rayon d'action de son radar,
170 de gros insectes de préférence. En fait, la diète d'une chauve-souris ressemble étrangement à ce qui vient s'échouer sur votre cage électrique chaque soir...

Le D.E.E.T. Ce produit, conçu à l'origine pour
175 servir de solvant à peinture, est le plus efficace des insectifuges. On le retrouve en concentration plus ou moins importante (de 5 % à 95 %) dans une foule de produits offerts sur le
180 marché. On croit que les effluves dégagés par le D.E.E.T. bloquent les récepteurs qui permettent au moustique de déceler la présence
185 chimique de sa proie. Comme l'insecte ne sent pas sa proie, il rebrousse chemin.

Le D.E.E.T. très concentré (40 %) est un produit
190 tenace, qui peut vous protéger de 5 à 7 heures d'affilée, selon les individus. À noter qu'un produit concentré à 95 % (assez pour dissoudre un bracelet de montre en plastique) n'est pas plus efficace
195 qu'un autre à 40 %, qui semble être le point de saturation maximal du produit.

L'huile de citronnelle. L'huile extraite de cette plante aurait un véritable effet répulsif sur les insectes piqueurs : elle les
200 éloignerait plutôt que de les tromper, comme le D.E.E.T. Sauf que la durée de protection est moindre — trois ou quatre heures maximum. Et
205 encore, il faut appliquer des produits à forte concentration (de 4 % à 7 %).

Extraits adaptés de *Québec Science*, vol. 36, n° 10, juillet-août 1998, p. 50-53.

Les brûlots

Ces minuscules vampires, si petits qu'ils parviennent à se faufiler à travers les moustiquaires, n'en produisent pas moins une brûlure cuisante et tenace. Il en existe au Canada une cinquantaine d'espèces, dont quelques-unes seulement mettent l'humain à leur menu. Les autres se nourrissent d'amphibiens, de reptiles, de mammifères et d'autres insectes. Les brûlots sont actifs à la fin de juin et durant le mois de juillet.

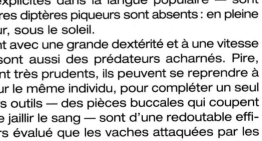

Les taons

Les tabanidés — le terme générique pour désigner ces insectes qui possèdent plusieurs surnoms explicites dans la langue populaire — sont présents là où les autres diptères piqueurs sont absents : en pleine canicule, en plein jour, sous le soleil.

Ces insectes volent avec une grande dextérité et à une vitesse exceptionnelle. Ce sont aussi des prédateurs acharnés. Pire, comme les taons sont très prudents, ils peuvent se reprendre à plusieurs reprises, sur le même individu, pour compléter un seul repas de sang! Leurs outils — des pièces buccales qui coupent et cisaillent pour faire jaillir le sang — sont d'une redoutable efficacité. On a d'ailleurs évalué que les vaches attaquées par les taons pouvaient, dans certains cas, perdre jusqu'à un quart de litre de sang par jour!

D'excellents plongeurs : les phoques

Un plongeur qui s'aventure en profondeur subit de très fortes pressions. S'il remonte trop rapidement à la surface, la décompression brutale entraîne des troubles graves, connus sous le nom de mal des caissons. Celui-ci se traduit par des crampes, des douleurs articulaires et des paralysies pouvant entraîner la mort. Le traitement consiste à mettre le plongeur dans un caisson hyperbare où l'on fait varier la pression de l'air de façon à la ramener progressivement à la normale. Certains phoques plongent à de grandes profondeurs. On a mesuré que des phoques de Weddell pouvaient descendre jusqu'à 600 m, rester sous l'eau pendant plus d'une heure, et remonter rapidement à la surface sans souffrir de troubles dus à la décompression.

Les phoques ont des poumons comparables aux nôtres, mais, en plongée, ils n'utilisent pas, comme nous le faisons, l'oxygène qui s'y trouve. Avant de plonger, le phoque expulse l'air de ses poumons. À une profondeur d'environ 40 m, ceux-ci se dégonflent et s'affaissent. Le phoque utilise dès lors l'oxygène contenu dans son sang, dont il est abondamment pourvu : comparativement à son poids, l'éléphant de mer a près de deux fois et demi plus de sang que l'homme.

Extrait de *Tous les pourquoi du monde*, © 1995, Sélection du Reader's Digest (Canada) Ltée, Montréal, p. 278, reproduit avec autorisation.

Dis, pourquoi les **ruminants** ont-ils des **cornes** ?

Elena Dumoulin-Sender

Bois et cornes servent, bien sûr, à se défendre contre les prédateurs, à séduire une partenaire ou à dénicher de la nourriture. Mais cela n'explique pas tout. Des spécialistes ont trouvé une solution.

En observant des squelettes de ruminants vieux de plus de 17 millions d'années, les paléontologues ont découvert que les ancêtres présumés des cerfs, bœufs, moutons, chèvres, girafes et antilopes n'avaient ni cornes ni bois. Pourtant, ils survivaient, se nourrissant et se reproduisant sans problème. Alors, pourquoi les appendices osseux frontaux sont-ils apparus au cours de l'évolution ?

Une équipe de spécialistes propose une théorie. Selon celle-ci, tout ne serait qu'une question d'équilibre entre masse osseuse et masse corporelle. Cette thèse s'appuie sur une estimation : depuis plus de 130 millions d'années, le squelette des oiseaux et des mammifères représente environ 7 % du poids total de l'animal. Herbivores, les ruminants sont soumis à des variations annuelles de poids très importantes en raison de l'alternance saisonnière de la pénurie et de l'abondance de nourriture végétale. L'excroissance de matière osseuse crânienne serait un dispositif pour maintenir constant le

rapido squelette/corps lorsque les animaux grossissent (*lire l'encadré ci-dessous*).

Les saisons étaient peu marquées sur l'ensemble des continents il y a plus de 17 millions d'années. Les ancêtres des ruminants, sans bois ni cornes, conservaient un poids à peu près stable. Puis, entre 16 et 20 millions d'années, les saisons se seraient accentuées. Les quelques individus cornus, anormaux pour l'époque mais davantage à même d'équilibrer le pourcentage de tissu osseux, auraient donc été sélectionnés.

« L'argument pilier de notre théorie ? Le fait que sept lignées différentes de ruminants, sur les cinq continents, aient sélectionné à la même époque l'apparition de cornes ou de bois, déclare Martin Pickford. *Chez les corridés mâles (lire l'encadré ci-contre), les bois poussent à la bonne saison pour équilibrer la prise de poids consécutive à une nourriture abondante, ils participent au métabolisme de l'animal.*

À la mauvaise saison, l'animal maigrit, ses bois meurent et finissent par tomber. »

Chez les bovidés, le phénomène physiologique est comparable, excepté que les cornes ne tombent pas. Les nouvelles couches d'os vivant repoussent sur les couches d'os mort des saisons précédentes, qui ne participent plus au métabolisme de l'animal.

Et les femelles, dans tout ça ? D'ordinaire, elles ne portent rien sur la tête. Dépensant énormément d'énergie dans l'allaitement, elles grossissent beaucoup moins que les mâles. Si elles accumulent du calcium pendant la grossesse, elles l'évacuent dans le lait maternel après la mise bas. Cependant, chez plusieurs espèces, comme les rennes, les fluctuations de poids excéderaient la compensation par la lactation, ce qui engendrerait l'apparition de cornes ou de bois chez les femelles. L'exception qui confirme la règle, en somme.

Extrait adapté de *Sciences et Avenir*, avril 1996, p. 91.

Bêtes à **cornes** et bêtes à **bois**

Les bois et les cornes frontales ne se rencontrent parmi les mammifères que chez les ruminants, à l'exception des camélidés (chameaux et animaux de la famille du lama). Les girafidés (girafes, okapis) n'ont que deux cornillons. Les cervidés (cerfs, chevreuils, daims, élans, rennes) portent des bois périodiques, simples ou ramifiés, constitués d'os dermique spongieux et recouverts de peau. Les bovidés (bœufs, moutons, chèvres, antilopes) portent des étuis cornés permanents, insérés sur une cheville osseuse de l'os frontal.

Une **question** de **calcium**

L'os, un tissu inerte ? Loin s'en faut, exceptionnel réservoir de calcium pour le corps, il est soumis à un perpétuel remaniement. Tout au long de la vie, ce tissu subit ossification (dépôts de calcium) et résorption osseuse (retraits) en fonction du taux de calcium sanguin et des besoins de l'individu. Le squelette représente un pourcentage constant du poids corporel. Ce pourcentage doit être maintenu afin que la proportion calcique dans le sang reste constante.

Des parents terribles

SERGE LATHIÈRE

Porter, nourrir, élever, protéger, apprendre à chasser... Quelle lourde responsabilité! Certains ANIMAUX consacrent beaucoup de temps et d'énergie à leur métier de parents. 5 D'autres préfèrent filer à l'anglaise, laissant se débrouiller leurs rejetons.

Mais pourquoi donc bon nombre d'animaux consacrent-ils autant de temps et d'énergie à bichonner leurs poupons? La 10 question peut paraître choquante pour les mammifères que nous sommes: comment? Abandonner ses enfants? Quelle ignominie! Et pourtant, les espèces qui délaissent leur progéniture dès la naissance 15 et souvent même bien avant se comptent par dizaines de milliers. Les poissons, notamment, sont coutumiers du fait. Sept 20 familles sur dix ne s'occupent ni des alevins, ni même des œufs! L'esturgeon béluga, par exemple, largue 25 sa ponte sur un lit de rochers au fond d'une rivière. Le mâle ensemence aussitôt le frai. Et puis, salut la compagnie! Les deux parents filent à l'anglaise. Débrouillez-vous, mes petits cocos!

> *Abandon d'enfants ?*
> *Rien d'original.*
> *Sept familles de poissons sur dix*
> *laissent tomber leurs œufs.*

30 On pourrait croire que la sélection naturelle punit sévèrement pareille désinvolture. Eh bien, pas du tout. Depuis 80 millions d'années, au moins, l'esturgeon béluga se reproduit de génération en génération sans le moindre problème. 35 Son secret: la quantité! Les femelles pondent jusqu'à 3 millions d'œufs, le fameux caviar apprécié des gourmets. Sur le nombre, une poignée d'entre eux 40 seulement donneront des adultes. Le reste sera tué par d'autres poissons, des champignons ou des vers 45 parasites. Mais peu importe! Car, au final, ce gâchis énorme permet de perpétuer la lignée.

Puisque le gaspillage donne d'aussi bon résultats, pourquoi certaines espèces, au cours de 50 l'évolution, ont-elles « ressenti le besoin » d'aider leur progéniture? À cela, avancent les spécialistes, il y a au moins deux raisons: d'abord, tous les animaux n'ont pas la capacité de produire des montagnes d'œufs. Si la morue en relâche jusqu'à

55 6 millions par an dans l'océan, l'épinoche, avec ses 3 cm de tour de taille, ne peut en pondre que 300 à 400 maximum. Dans ce cas, chaque œuf est précieux et mieux vaut les protéger sous peine de se retrouver sans descendance aucune. Seconde

60 raison : certains milieux sont plus dangereux que d'autres, soit parce qu'ils recèlent davantage de prédateurs ou de parasites, soit parce que la température ou la quantité d'oxygène disponible, par exemple, varient au point de mettre la survie des

65 rejetons en péril. Là encore, des soins appropriés lors d'une période critique peuvent sauver la mise des embryons en pleine croissance.

Au cours de l'évolution, cette stratégie a dû se révéler très vite efficace, si l'on en juge par le

70 nombre considérable d'espèces qui veillent aujourd'hui au bien-être de leur descendance. Ce qui ne veut pas dire pour autant que tous les animaux sont des parents modèles. Loin de là. La plupart se contentent du service minimum qui consiste à

75 pondre des œufs dans un lieu sûr où ils pourront se développer en toute sécurité. Par exemple, la bouvière, un petit poisson commun dans les rivières d'Europe du

80 Nord, entrepose son frai dans une moule d'eau douce ! Les alevins ne sortiront de leur block-haus que lorsqu'ils

85 seront capables de nager.

Les animaux ne trouvent pas toujours de gîte à leur convenance. Dans ce cas, il y a toujours

90 la solution de construire soi-même un nid adapté aux exigences de sa progéniture. Les ruches des abeilles et des guêpes ne sont rien d'autre que de vastes couveuses doublées d'un garde-manger. Dans les centaines d'alvéoles patiemment bâties par

95 les ouvrières et abondamment pourvues en miel et en pollen, les larves éclosent et grandissent sous la protection de toute la colonie jusqu'à ce qu'elles se métamorphosent en adultes parfaits, prêts à servir la communauté.

100 Tout le monde, hélas, n'a pas un talent d'architecte. Pas d'autre solution, alors, que de jouer les nou-

105 nous. La punaise *Elasmucha grisea* pond sur une feuille de bouleau une trentaine d'œufs

110 qu'elle surveille constamment jusqu'à l'éclosion des larves. Elle peut ainsi défen-

115 dre sa couvée à tout moment, mais elle est clouée

> *Gîte et couvert assurés,*
> *chauffage inclus…*
> *le meilleur nid,*
> *c'est encore*
> *le ventre maternel.*

sur sa feuille pendant trois longues semaines ! Plus malins, les crabes et les crevettes trans-

120 portent leurs œufs entre les pattes pendant toute la durée de l'incubation.

Mais le *nec plus ultra* en matière de protection des embryons, c'est encore le développement à l'intérieur du ventre maternel. Nombre de

125 requins et de raies ont adopté la technique avec un incontestable succès puisque certaines espèces la pratiquent depuis plusieurs dizaines de millions d'années ! Mais c'est aux mammifères que revient le grand prix de l'innovation : ils ont mis au point

130 un organe spécial, le placenta, à travers lequel le marmot reçoit aliments et oxygène de sa mère.

Nourriture à volonté, température constante, ventilation parfaite, le petit mammifère est gâté. Le ventre de sa mère est un véritable palace !

135 D'autres, pendant ce temps, doivent se contenter d'une caverne. C'est le cas des pieuvres, qui pondent leurs œufs dans un trou de rocher. Question protection, rien à dire. En revanche, les

embryons respirent mal dans ce réduit minus-
140 cule. Heureusement, maman est là ! Pendant des
semaines et parfois même des mois, elle va souffler sans relâche de l'eau sur sa progéniture. Le
courant ainsi créé oxygène les œufs et les débarrasse du même coup de tous les parasites qui
145 auraient pu s'y fixer. Mais ce travail est harassant
et quand ses derniers enfants éclosent, la malheureuse n'en peut plus. Littéralement exténuée,
madame la pieuvre trépasse quelques jours après.

Chez les oiseaux, la température est le fac-
150 teur critique. Pour qu'un œuf donne naissance à
un oisillon, il faut impérativement que sa température tournicote autour de 34 °C. Voilà
pourquoi les oiseaux couvent. Accroupis sur les
coquilles, ils transmettent la chaleur de leur corps
155 aux embryons. Seule qualité exigée : la patience !

Tortues, lézards, serpents et crocodiles, bien
qu'ils pondent eux aussi, sont dispensés de cette
corvée. Incapables de maintenir constante leur
température corporelle, les reptiles se contentent
160 le plus souvent d'enfouir leurs œufs dans le sable
et comptent sur le soleil pour jouer le rôle de
radiateur.

La naissance est toujours un moment délicat.
Il n'est pas évident de s'extirper tout seul d'un
165 œuf. Le crocodile du Nil aide ses enfants à voir
le jour en brisant dans sa gueule les coquilles
récalcitrantes. Les nouveau-nés grimpent alors sur

le museau du monstre cuirassé qui les transporte
gentiment à la rivière la plus proche où leurs
170 chances de survie sont un peu plus grandes qu'à
terre. Car les prédateurs sont à l'affût des jeunots
sans défense. Pour leur éviter un funeste destin,
certains parents n'hésitent pas à les trimballer avec
eux, au moins les premiers jours, en attendant
175 qu'ils atteignent une taille suffisante pour se
débrouiller tout seuls.

Jouer les déménageurs, c'est bien joli, mais
il faut aussi apporter à boire et à manger à ces
enfants. Mais quel travail de galérien ! Un seul
180 exemple : les poussins des rousserolles effarvattes
ne restent que onze jours au nid. Dans ce court
laps de temps, les ornithologues ont calculé que
chaque oisillon recevait en moyenne 2800
becquées ! Vous imaginez le nombre d'allers-
185 retours pour les parents !

Au rayon alimentation, toutefois, ce sont une
fois de plus les mammifères qui remportent le prix
de l'innovation. Les femelles portent sur le corps
des glandes qui fabriquent un liquide blanchâtre,
190 le lait, dont la composition en graisses, en sucres
et en protéines est parfaitement adaptée aux
besoins des nouveau-nés. Deux rangées de tétines,
sous le ventre, distribuent automatiquement, à la
moindre pression, la pitance aux affamés. Ces
195 usines efficaces fonctionnent 24 heures sur 24
pendant plusieurs mois ! Qui dit mieux ?

Les fontaines à lait, pourtant, finissent un
jour ou l'autre par se
tarir. La mère
200 refuse de
servir plus
longtemps
le couvert
et les jeunes
205 doivent appren-
dre à trouver leur nour-
riture par eux-mêmes.

Pour un herbivore, la tâche est facile. Il n'y a qu'à baisser la tête. Mais pour les carnivores, c'est une autre paire de manches. Leur repas est monté sur quatre pattes et court souvent très vite. Afin de manger à sa faim, le novice doit s'exercer à chasser avec des adultes expérimentés. Et plus l'initiation est précoce, meilleur est le « dressage ».

La vie en société impose des contraintes supplémentaires aux enfants : il leur faut apprendre les règles de bonne conduite en vigueur dans le groupe. Chez les singes, par exemple, il est parfaitement déplacé de se regarder les yeux dans les yeux. Sauf quand on est en colère. Après quelques morsures bien senties, le jeune primate va vite apprendre à ne jeter que des regards furtifs à ses congénères.

Chez la quasi-totalité des mammifères, ce sont les femelles qui s'occupent de l'éducation. Cinq pour cent seulement des espèces élèvent leur progéniture en couple ! Pourquoi donc les mâles se désintéressent-ils autant de leurs enfants ? Question de stratégie ! Dans le monde animal, chaque individu essaye d'obtenir le plus de descendants possible. Or, les mâles produisent des milliards de spermatozoïdes avec lesquels, en théorie, ils peuvent féconder des milliers de femelles. Celles-ci, en revanche, ne fabriquent qu'un nombre limité d'œufs. En outre, ce sont elles qui portent les petits puis les allaitent. Si elles les abandonnent, elles ont bien plus à perdre que leurs amants qui, eux, n'ont pratiquement rien investi dans l'affaire. Résultat : les femelles se retrouvent coincées.

Les mâles ne participent que lorsque les femelles, avec la meilleure volonté du monde, ne peuvent élever seules leur progéniture. C'est le cas de plus de 90 % des 9000 espèces d'oiseaux.

Élever des enfants n'est pas une sinécure. Si les parents se lancent, c'est parce qu'ils souhaitent ardemment avoir des descendants. Bien sûr, il faut que le jeu en vaille la chandelle. Pas question d'être trompé sur la marchandise et d'élever les petits d'un ou d'une autre ! Voilà pourquoi les animaux apprennent très vite à reconnaître leurs rejetons. Il ne faut que cinq à dix minutes à une chèvre pour s'imprégner à jamais de l'odeur de son chevreau. Dès lors, tout autre jeune avec une odeur différente sera immédiatement rejeté.

Dans la nature, il n'y a pas de place pour les orphelins, qui sont condamnés à mort. Cela peut paraître cruel, mais tout se passe comme si chaque animal n'avait qu'une idée en tête : perpétuer ses gènes au travers de ses enfants. Avec cette logique dans la caboche, il est parfaitement aberrant de nourrir et protéger un animal dont vous ignorez tout du pedigree génétique.

Quoi qu'il en soit, pour les adoptés comme pour les enfants légitimes, l'histoire se termine toujours de la même manière. Un beau jour, maman et papa disent stop. Au mieux, ils vous refusent qui la becquée, qui la mamelle. Au pire, ils vous infligent un bon coup de bec ou de sabot pour vous faire rentrer le métier d'adulte dans la tête. Sans parler des sournois qui vous font un petit dans le dos. Un concurrent, non mais sans blague ! Ah, les ingrats ! Après toutes les joies que vous leur avez données...

Extraits de *Science & Vie Junior*, n° 95, août 1997, p. 80-87.

Sélection naturelle

La sélection naturelle est le mécanisme par lequel les organismes qui sont le mieux adaptés à un environnement donné voient leur nombre s'accroître au détriment de ceux qui le sont moins.

Gène

Le gène est une partie de chromosome qui détermine un caractère héréditaire : la forme d'une corne ou la couleur du poil, par exemple.

Pourquoi les kangourous sautent-ils ?

La plupart des animaux terrestres se déplacent en marchant ou en courant. Les kangourous, dont il existe une cinquantaine d'espèces, sont les seuls marsupiaux — mammifères portant leurs petits dans une poche — à se déplacer presque exclusivement par sauts successifs. Pour expliquer cette curieuse forme de locomotion, certains scientifiques remontent au tout début du processus d'évolution des kangourous. Il y a huit millions d'années, l'Australie centrale a commencé à s'assécher, et les forêts tropicales ont reculé vers le littoral. Mieux que d'autres espèces, les kangourous ont su s'adapter à un climat plus aride.

Un kangourou se déplaçant par bonds à plus de 15 km/h dépense un tiers d'énergie de moins qu'un animal de même poids qui court à une vitesse identique. Un avantage appréciable lorsqu'il faut parcourir de longues distances.

Les grands kangourous peuvent atteindre 65 km/h et franchir jusqu'à 10 m en un seul bond grâce à leurs pattes postérieures très développées, qui les propulsent à la manière d'un puissant ressort. Pendant la course, leur estomac ballotte d'avant en arrière. Ce mouvement favorise le renouvellement de l'air dans les poumons, ce qui facilite le travail musculaire et évite les déperditions d'énergie.

Si les autres animaux n'ont pas acquis un mode de locomotion similaire, c'est peut-être tout simplement parce qu'ils n'en avaient pas besoin, car leur régime était plus varié et leur nourriture plus aisée à trouver.

Pour marcher (à une vitesse inférieure à 5 km/h), le kangourou utilise sa queue comme membre supplémentaire.

Il prend appui sur les pattes antérieures et sur la queue, puis il ramène les pattes postérieures vers l'avant. Ce mode de locomotion, qui confère au kangourou une allure un peu gauche, entraîne une grande dépense énergétique — moins importante, cependant, que s'il devait se déplacer lentement par sauts.

Extrait de *Tous les pourquoi du monde*, © 1995, Sélection du Reader's Digest (Canada) Ltée, Montréal, p. 270, reproduit avec autorisation.

Récits merveilleux

Dossier 5

Ti-Jean et le géant

Le conte *Ti-Jean et le géant* fait partie de la culture orale francophone de l'Ontario. En 1955, on a enregistré le récit qu'en faisait Joseph Tremblay, né en 1878. Le texte qui suit constitue une transcription remaniée, donc plus aisée à lire, de ce conte. Ti-Jean est un archétype du héros francophone et on ne compte plus les récits canadiens, européens ou antillais qui ont Ti-Jean pour protagoniste.

Une fois, c'était un homme et une femme qui avaient trois garçons : Pierre, Jean et Jacques.

Vint une période où, dans leur région, les emplois rémunérateurs devinrent introuvables. Les trois frères décidèrent donc de s'en aller à l'étranger
5 pour gagner l'argent nécessaire à leur subsistance.

Ils quittent la maison paternelle, tous les trois, Pierre, Jean et Jacques. Comme vous le savez, Ti-Jean c'est toujours la tête faible de la famille. Ils prennent la route.

Après avoir parcouru une assez longue distance, ils arrivent un jour à une grande ville. Ti-Jean y va de sa suggestion : « Allons frapper chez le roi ! Peut-être
10 pourrait-il nous procurer un emploi ?

— Excellente idée, Ti-Jean ! »

Les trois frères se rendent au château du roi. Ti-Jean a l'air plus effronté que les autres. On pense parfois qu'il est le plus bête, mais on se trompe souvent.

Ti-Jean aborde le roi : « Sire mon roi, vous n'auriez pas un emploi pour cha-
15 cun de nous ? Nous sommes trois jeunes gens, en chômage, qui ne demandons pas mieux que travailler.

— Quelle sorte de travail êtes-vous capables d'entreprendre ?

— Eh bien ! répond Ti-Jean, voici mes frères ; l'un d'eux peut garder les vaches, l'autre, les cochons.

20 — Et toi ? demande le roi.

— Ah ! moi, j'accepterai la tâche que vous voudrez bien me confier !

— Très bien ! Je vous embauche ! » conclut le roi.

Le roi confie à Jacques la garde des cochons et à Pierre, celle des vaches.

25 Tout le monde est satisfait pendant un certain temps. Pendant que ses frères sont au travail, Ti-Jean se promène lentement sur la galerie. Pierre et Jacques sont un peu jaloux de Ti-Jean : eux, ils travaillent dans le fumier par-dessus la 30 tête, pour prendre soin des vaches et des cochons, alors que Ti-Jean mène la belle vie au château du roi.

« Comment ferions-nous, se disent-ils, pour lui jouer dans le dos, de façon 35 à lui faire perdre les faveurs du roi ? Il faudrait peut-être faire un faux rapport au roi. Nous lui dirons que, d'après des ouï-dire, Ti-Jean se serait vanté de pouvoir aller voler la lune du géant. Ce plan 40 n'est pas si mauvais ! »

L'un des deux frères jaloux aborde le roi. « Sire mon roi, dit-il. Ti-Jean que vous gardez ici à ne rien faire, s'est vanté de pouvoir aller voler la lune du géant !

45 — Oui ? Eh bien ! s'il s'est vanté de pouvoir accomplir ce haut fait, il va aller la chercher, la lune ! »

« Le roi fait venir Ti-Jean. »

Cette lune, les amis, quand on la fixait à l'encoignure extérieure d'une maison, elle éclairait comme l'astre céleste.

50 Le roi fait venir Ti-Jean : « Tu t'es vanté de pouvoir aller chercher la lune du géant !

— Je ne me suis jamais vanté d'une action si importante, Sire mon roi ! Mais, si cette lune existe, je ne refuserais pas d'essayer de l'apporter ici !

— Eh bien ! Ti-Jean, va la chercher. Sinon, je te ferai pendre ici, à la porte de mon château.

55 — Sachez, Sire mon roi, que la pendaison ne me fait pas peur du tout ! »

Le soir, Ti-Jean fait ses préparatifs. C'était en automne. Il y avait déjà un peu de neige. Ti-Jean prend la route et se rend au château du géant. Il savait que le géant rentrait tard, le soir. Il était obligé d'aller chercher l'eau dans un trou, comme nous faisions, nous aussi, autrefois, en nous penchant à quatre pattes pour
60 puiser de l'eau.

Ti-Jean arrive donc au château du géant et fait le guet près de la bâtisse. Bientôt, le géant sort avec sa lune. Il est arrivé du travail, de mauvaise humeur. «Tu n'as pas été chercher d'eau? demande-t-il à sa femme.

— Non; j'avais trop de besogne et j'ai manqué de temps!

65 — Eh bien! prends la lune et fixe-la sur le mur extérieur du château. Je vais aller puiser l'eau, moi!

Caché derrière le château, Ti-Jean surveille le va-et-vient des personnes. Le géant gagne le trou d'eau, se penche, il va sans dire, pour puiser de l'eau. Ti-Jean s'empare de la lune et la cache rapidement pour l'empêcher d'éclairer, puis il
70 décampe. Le géant revient, en fureur contre sa femme. «Pourquoi as-tu enlevé la lune qui pendait au mur?

— Je n'y ai pas touché, à la lune!

— Pourtant, elle n'est plus là!

— Écoute donc. Si elle n'y est plus, ce n'est pas ma faute!»

75 La femme sort du château et constate, en effet, que la lune a été enlevée! «Diable! s'écrie le géant, qui donc a pu voler ma lune? Je suis certain de la retrouver!»

Les heures passent. Ti-Jean revient chez le roi avec la lune du géant. Le roi fixe cet astre au mur extérieur du château. C'est merveilleux, tout est illuminé. Les gens
80 du château sortent et font un bout de veillée dehors. Une fois le travail terminé, on se promène au clair de lune, puis on rentre se chauffer quelques instants.

Pierre et Jacques se disent: «Ce petit diable-là, il a trouvé la lune du géant! Maintenant, nous allons tenter de lui envoyer chercher son soleil. On va prétexter que l'on a vu ce soleil en rêve, et on va le lui envoyer chercher!»

85 Les deux frères jaloux retournent voir le roi et lui disent: «Ti-Jean s'était vanté de pouvoir aller chercher la lune du géant. Il vous l'a apportée. À présent, il se vante de pouvoir vous rapporter son soleil!

— Oui? Eh bien! s'il s'en est vanté, il va aller le chercher!»

Le roi fait donc venir Ti-Jean. «Tu t'es vanté, Ti-Jean, de pouvoir voler le soleil
90 du géant? Tu vas aller me le chercher? J'en ai absolument besoin!

— Sire mon roi, si ce soleil existe, j'irai vous le chercher!

— Eh bien! il me faut ce soleil! Sinon, tu seras pendu à la porte de mon château!

— Ah! je n'ai pas peur de la corde! Si ce soleil existe, j'irai le chercher, mais s'il n'existe pas, vous ferez comme moi, vous vous en passerez!»

95 Ti-Jean part de nouveau et va faire le guet près du château du géant. Ce dernier est passablement craintif. Ti-Jean arrive là-bas, le soir, alors que le géant est encore

au travail. Soudain, le géant est de retour, mais fatigué et de mauvaise humeur. Dans l'obscurité, Ti-Jean l'attend et surveille les abords du château. Le géant crie à sa femme : «Tu as encore négligé d'aller chercher de l'eau !

100 « Ah ! je n'en ai pas eu le temps, mon bonhomme !

— Oui ! Comment allons-nous procéder ? Tu sais qu'il nous faut calculer prudemment nos déplacements, le soir ! Va accrocher le soleil à l'encoignure du château et jette un coup d'œil attentif au cas où quelqu'un nous épierait.

— Très bien ! »

105 Elle prend le soleil. Vous vous rendez bien compte qu'il fait clair. Le soleil !

Le géant se dirige vers le trou d'eau pendant que Ti-Jean le surveille. La bonne femme place son soleil près de la porte du château. Ti-Jean
110 se dissimule près d'un mur. Comme le géant va se plier pour puiser de l'eau, Ti-Jean s'empare habilement du soleil, le fait disparaître rapidement dans ses habits et s'enfuit.

115 Le géant, privé subitement de lumière, revient à son château tellement en colère qu'il menace de battre sa femme et commence à la chicaner. « Qu'allons-nous faire
120 maintenant ? demande le géant. Cependant un fait est à peu près certain ; c'est Ti-Jean qui vient voler nos biens ! Ha ! le petit démon ! Je vais essayer de l'attraper ! »

125 Ti-Jean passe une couple de jours au château du roi. Tout va bien, mais ses frères sont déçus de leurs plans. Ils

« Ti-Jean s'empare habilement du soleil, le fait disparaître rapidement dans ses habits et s'enfuit. »

pensent raconter des mensonges au roi. Pourtant, ces mensonges aboutissent à la vérité. Ils se disent entre eux : «Il ne nous reste qu'une chance de réussite. Allons
130 dire au roi que Ti-Jean s'est vanté de pouvoir rapporter le violon du géant ! »

Le géant tenait son violon sous son lit. L'instrument y était retenu par une chaîne d'acier dont les mailles avaient dix-huit centimètres de diamètre. Le tout était resserré par une technique de clé. Il était très difficile de libérer cet instrument.

Pierre et Jacques abordent le roi et lui racontent une nouvelle vantardise de
135 Ti-Jean : aller chercher le violon du géant. «Mais c'est une vantardise insensée ! dit le roi.

— Pas si insensée ! reprennent les deux frères. Le violon existe certainement, mais Ti-Jean risque de ne pouvoir le voler, puisque ce sera très difficile de le libérer de ses liens ! »

140   Le roi fait venir Ti-Jean et lui rappelle sa soi-disant vantardise à propos du violon du géant. «C'est une affaire qui n'a aucun sens! proteste Ti-Jean.

       — Pour moi, réplique le roi, c'est un projet magnifique et tu vas aller me chercher
ce violon!

       — Sire mon roi, comme ce violon est tenu en place par une chaîne dont l'acier
145   mesure dix-huit centimètres de diamètre, j'ai besoin d'une lime capable de scier
six centimètres d'acier d'un seul coup. Ainsi, j'aurai à utiliser la lime seulement à
trois reprises, sinon, je devrai dire adieu à la vie!

       — S'il te faut une lime qui coupe six ou huit centimètres à chaque coup, tu
l'auras, ta lime!

150   — Eh bien! Sire mon roi, faites fabriquer ma lime et quand elle sera prête, je
partirai à la conquête du violon!»

       Le roi entreprend immédiatement des démarches. Les rois, vous le savez bien,
ont toujours de l'argent en abondance. Le roi finit par trouver, dans certaines manu-
factures, une lime très efficace qui peut scier six centimètres d'acier d'un seul coup.
155   Le roi se dit: «Trois coups de lime vont suffire pour couper la chaîne qui entoure
le violon!»

       Il fait demander Ti-Jean et lui remet l'outil dont il a besoin. «Entendu, Sire
mon roi, dit Ti-Jean, je puis maintenant partir à la conquête du violon!»

       Cependant, Ti-Jean prévoyait certaines difficultés. Un bon soir, Ti-Jean gagne
160   le château du géant et commence à surveiller. Le géant, il le sait, couche dans un
grand lit — un lit de géant, quoi! — et la femme est de stature aussi imposante
que son mari. Il surveille le coucher du géant.

       Quand Ti-Jean se rend compte que le géant et sa femme sont couchés, il entre,
à quatre pattes, dans leur demeure. Il se faufile avec prudence pour ne pas faire
165   de bruit, et il se glisse sous le lit du géant, sa lime en main.

       Soudain, Ti-Jean entend ronfler le géant et sa bonne femme. Il saisit sa lime
et en attaque une maille de la chaîne dont il enlève six centimètres d'acier. Le géant
sursaute: «Qui a touché au violon? s'écrie-t-il.

       — Tais-toi et dors, répond la femme. Les rats ont dû se promener sur la chaîne
170   et les cordes du violon ont commencé à vibrer. Notre instrument est tellement
bien enserré par la chaîne qu'il est impossible à un humain de s'en emparer!»

       Le géant continue à sommeiller après avoir changé de position. Ti-Jean songe
alors à affaiblir de nouveau la chaîne. Il donne un second coup de lime. Hiou!
Le géant fait un saut et sort du lit en disant: «Il y a certainement un intrus!» Il
175   attrape Ti-Jean et le renferme dans une solide cage bâtie dans la cave. Ti-Jean n'en
est pas découragé pour autant. Le géant crie à sa femme: «Tu vas nourrir Ti-Jean,
tu vas l'engraisser et quand il sera bien gras, on le mangera au cours d'une belle
fête!

       — Le nourrir avec quoi? demande la femme.

180   — Ah! donne-lui une bonne ration de pois secs. Il va ainsi engraisser rapidement!»

Ti-Jean se tient coi dans sa cage et mange les pois secs que lui donne la femme du géant. Il a hâte d'être gras. Un
185 bon matin, le géant dit à sa femme : «Aujourd'hui, tu verras à tuer Ti-Jean. Il est suffisamment gras. Tu allumeras le four et tu feras rôtir ce jeune homme de façon qu'il soit bien jaune. Ce soir, nous
190 le mangerons !

— Entendu !»

Le géant se dirige vers la forêt pour y bûcher du bois. Dans l'après-midi, la femme descend à la cave et commence
195 à débiter du bois pour chauffer son four. Mais elle s'en tire péniblement. Elle n'est pas habituée à manier la hache. «Faites-moi sortir, la mère, lui crie Ti-Jean. Je pourrai vous aider à débiter
200 votre bois et à chauffer le four. Vous n'êtes pas habile à manier la hache. Vous allez voir comment je vais simplifier votre besogne !

— Ah ! non ; tu vas t'enfuir ! proteste
205 la femme.

— N'ayez aucune crainte, la mère ; je ne m'échapperai pas !»

« Ti-Jean s'empresse de monter dans la chambre du géant, coupe d'un dernier coup de lime la chaîne qui retient le violon [...]. »

La femme du géant ouvre la cage et en fait sortir Ti-Jean. Celui-ci saisit la hache et débite les bûches de bois. Il en remplit le four et y met le feu. Le bois s'enflamme.
210 Le four se réchauffe. Ti-Jean continue à lancer du bois dans le feu. «Quand vous viendrez voir, la mère, si le four est assez chaud, vous me le direz !

— Très bien !»

Ti-Jean chauffe le four. Quand ce dernier est bien garni de braise, Ti-Jean crie à la femme : «Venez donc vérifier, la mère, si le four est assez chaud pour me faire
215 rôtir juste à point !»

La bonne femme se penche vers la porte du four. Ti-Jean s'élance et assène de forts coups de pied dans le fessier de la femme, la précipite dans le feu et ferme la porte du four. «Bonne chance, crie Ti-Jean, tu vas rôtir facilement !»

Pendant que la bonne femme rôtit, Ti-Jean s'empresse de monter dans la cham-
220 bre du géant, coupe d'un dernier coup de lime la chaîne qui retient le violon sous le lit et décampe en vitesse avec l'instrument. Ti-Jean s'approche du château royal. Le roi le voit venir du haut de sa galerie. Ti-Jean commence à jouer le violon, un autre vient aussi le jouer. On en entend le son à huit ou dix kilomètres à la ronde. C'est tout un événement !

225 Le roi est entièrement satisfait de Ti-Jean. Plus aucune besogne n'est exigée du jeune héros qui a le privilège de manger à la table du roi. Tous les gens du château sont pleins d'égards pour Ti-Jean.

Pierre et Jacques sont désolés des succès de leur frère. « Ce petit démon, se disent-ils, a réussi à voler le violon du géant ! Il nous faut absolument le faire périr !
230 Autrement, nous serons condamnés à travailler du matin au soir dans la misère, pendant que Ti-Jean se prélassera en présence du roi, mangera à sa table le bon et le meilleur. Allons dire au roi que Ti-Jean s'est vanté de pouvoir ramener au château royal le géant en personne ! Il n'arrivera jamais à s'emparer du géant ! »

Les deux frères sont heureux de leur nouveau complot. L'un d'eux vient dire
235 au roi : « Sire mon roi, Ti-Jean s'est vanté de pouvoir s'emparer de la personne du géant et de vous l'amener ici ! »

Le roi fait venir Ti-Jean et lui répète sa soi-disant vantardise. « Eh bien ! Sire mon roi, je ne me suis pas vanté d'une telle prouesse, mais s'il me faut retourner au château du géant, j'y retournerai ! Si je ne puis ramener le géant, vous vous en
240 passerez ! S'il me tue, j'en aurai fini avec la vie. Si j'échappe à la mort, lui n'y échappera pas ! De toute façon, l'un de nous deux va mourir ! Pour m'acquitter de cette mission, il me faut beaucoup d'argent.

— Eh bien ! Ti-Jean, de l'argent tu en auras ! »

Ti-Jean se prépare une voiture assez solide, une grosse voiture de l'ancien temps.
245 Il y monte et apporte avec lui une bonne somme d'argent. Il s'arrête à un gros atelier de forge où deux ou trois forgerons servent la clientèle. Ti-Jean les aborde : « Vous, vous allez me fabriquer un coffre d'acier de plus de deux mètres cinquante de longueur, un coffre solide dont le couvercle soit pourvu de trois fortes pentures à l'arrière et de trois grosses serrures à l'avant. Quel sera le coût de ce cof-
250 fre, messieurs ?

— Le coffre coûtera tant !

— Je ne trouve pas cette somme si énorme. D'ailleurs c'est le roi qui va payer. Ce n'est pas moi ! »

Les forgerons s'affairent à fabriquer le coffre, une immense boîte faite de
255 plaques d'acier de quinze millimètres d'épaisseur, avec pentures, serrures et poignées proportionnées à la solidité du coffre.

Pendant que les forgerons fabriquent ce genre de cercueil, Ti-Jean voit venir le géant et le reconnaît : « Où vas-tu de ce pas ? demande Ti-Jean.

— Je suis à la recherche de Ti-Jean !

260 — Mais qu'est-ce qu'il t'a fait ?

— Ah ! répond le géant, il m'a volé ma lune, mon violon et mon soleil…

— Eh bien ! suis-moi, continue Ti-Jean, il a causé beaucoup de dommages chez le roi. Ce dernier est très mécontent de Ti-Jean et il m'a chargé de le rattraper. Je lui fais actuellement fabriquer un coffre pour l'y enfermer sans crainte de le voir
265 s'échapper. Viens avec moi, viens voir mon coffre ! »

De retour chez les forgerons, Ti-Jean constate que son coffre est préparé. Il dit au géant : «Toi qui es gros et fort, tu vas vérifier la solidité de mon coffre ! Si tu ne peux le briser, Ti-Jean ne le pourra pas davantage. Il est trop faible pour s'échapper de cette prison ! »

270   Ti-Jean ouvre le coffre. Le géant monte dans cette forte boîte, Ti-Jean referme le couvercle, en cadenasse les serrures et crie au géant : «Maintenant, déploie toute ta force ! »

«Eh bien ! géant, reste dans le coffre ! C'est moi, Ti-Jean, qui viens de t'y enfermer ! »

    — Jamais, reprend le géant, je ne serai capable d'affaiblir de telles parois ! Trois géants de mon espèce y réussiraient difficilement !

275   — Eh bien ! géant, reste dans le coffre ! C'est moi, Ti-Jean, qui viens de t'y enfermer ! »

    Ti-Jean fait faire demi-tour à son attelage et revient chez le roi. «Voici, Sire mon roi, le géant que je vous ai ramené. Mais si vous ouvrez ce coffre pour le laisser sortir, tant pis pour vous !

280   — N'aie aucune crainte, Ti-Jean, il ne sortira pas ! »

    Le roi fait accumuler une cinquantaine de cordes d'érable sec sur le coffre d'acier et y fait mettre le feu. Quand les valets procèdent à l'ouverture du coffre, ils n'y trouvent qu'une poignée de cendre. «Maintenant, de dire Ti-Jean au roi, vous allez me payer un bon salaire et je vais rester ici, au château. Il me semble que j'ai bien
285 mérité ce traitement.

    — Certainement, Ti-Jean, je suis heureux que tu vives ici, au château !

    Ti-Jean a continué de demeurer avec le roi. Ses deux frères ont toujours pris soin des porcs et des vaches.

Les vieux m'ont conté, tome 30, récits traditionnels, Répertoire de Joseph Tremblay, Publication du Centre franco-ontarien de folklore, Montréal, Les Éditions Bellarmin, Paris, Maisonneuve et Larose, 1990.

LE JOUR ET LA NUIT

Voici une légende amérindienne vénézué-lienne. Elle fait partie de la culture orale des Indiens Waraos qui vivent dans le delta de l'Orénoque, au Venezuela, en Amérique du Sud. Elle a été publiée en 1985 dans un recueil qui réunit d'autres légendes amérindiennes du Venezuela.

Il y a très longtemps le jour et la nuit n'existaient pas, ni les couleurs. Le jour comme la nuit appartenaient respectivement à deux *chamanes* (sorciers) appelés: *Jokojiarotu* (l'homme du soleil), et *Imanaidarotu* (l'homme de l'obscure nuit). *Imanaidarotu* tenait l'obscurité envelop-
5 pée dans un linge et cachée dans une sorte de panier. Quand il sor-tait de sa maison il disait toujours aux Indiens de ne jamais y toucher sinon la lumière disparaîtrait et plus jamais ils ne verraient le soleil.

Un jour qu'il partait pêcher il confia son panier à son beau-frère en lui faisant toutes les recommandations dont il avait l'habitude :

10 — N'y touche pas, ne laisse personne s'approcher !...

L'homme se demandait bien ce que cette corbeille contenait de si précieux. N'y tenant plus de curiosité il l'ouvrit. Quand il eut fini de dénouer la toile, l'obscu-rité envahit la terre, comme si c'était la nuit. Effrayé par ce qu'il venait de faire, le jeune homme s'enfuit vers la montagne sans savoir où il allait et se transforma
15 en hibou que les Indiens appellent *Tosbia*.

Imanaidarotu qui était au *morichal* (lieu planté de palmiers moriche) et cueillait des fruits, voyant la nuit envahir la terre de cette façon, comprit que son beau-frère n'avait pas tenu sa promesse et qu'il avait ouvert le panier.

S'éclairant d'une torche de bois mort, il parvint à sortir de la forêt et retourna
20 à sa pirogue. Alors qu'il pagayait en direction du village, il entendit de la musique qui provenait d'un lieu tout proche. C'était des sons de flûtes et des pipeaux accompagnés d'une *Maraca* utilisée pour les danses rituelles.

Paul Klee (1879-1940), *Céramique-Mystique.*
« Il y a très longtemps le jour et la nuit n'existaient pas. »

En arrivant sur le lieu d'où provenait la musique, *Imanaidarotu* se trouva en présence de *Jokojiarotu*, le propriétaire du soleil. *Jokojiarotu* tenait dans une de
25 ses mains une longue corde qui reliait le soleil à sa maison. Quand il voulait avoir de la lumière il ne faisait rien de plus que de tirer sur la corde et le soleil apparaissait. S'il ne tirait pas, le soleil restait caché et la nuit régnait continuellement. *Imanaidarotu*, l'homme de la nuit, dit à *Jokojiarotu*, l'homme du jour:

— Frère, je suis las de vivre dans le noir. Si tu nous redonnes la lumière, je t'amè-
30 nerai une femme.

Jokojiarotu accepta le marché, tira sur la corde et le soleil apparut. Après que six heures se furent écoulées, il laissa aller la corde et la nuit revint.

— Ami, dit l'homme de la nuit, six heures ne sont que la moitié du jour ; je te donne une autre femme si tu tires à nouveau sur la corde et que le soleil brille pen-
35 dant six heures encore. Ainsi nous aurons douze heures de soleil, l'équivalent d'une journée[1].

Jokojiarotu accepta la nouvelle proposition, mais *Imanaidarotu* n'avait pas de deuxième femme pour respecter son contrat.

Comme il avait très peur que la nuit revienne, il chercha par tous les moyens
40 à se procurer cette femme. C'est alors que lui vint l'idée de la tailler dans un tronc d'arbre. Cet arbre étant un *usiru*, il appela la femme *Usirumani*.

Quand elle fut terminée, il l'amena à l'homme du soleil. Elle était tellement belle que *Jokojiarotu* en tomba amoureux dès qu'il la vit. Malheureusement, il ne pouvait l'épouser parce que, malgré tout, elle demeurait une représentation de
45 femme, une statue.

— Comment faire pour qu'elle puisse être mienne, disait-il ?

Un singe vint à passer par là. *Jokojiarotu* l'appela et lui dit :

— Vois cette femme, elle est en bois, donne-lui la vie, anime-la, pour que je puisse me marier avec elle.

50 Mais le singe savait que ce n'était pas possible, car lui-même était un peu sorcier.

Il demanda alors au pic-vert de lui venir en aide. Celui-ci frappa le bois avec son bec. Quand il perça un certain endroit, le sang se mit à jaillir. Avec ce sang le pic-vert se teignit la tête. L'oiseau *Cidra* (*simoku*) qui passait par là à son tour se teignit, lui, les pattes et la tête, c'est pour cela qu'il est tout rouge.
55 C'est la poitrine que le *guacamayo* se colora.

Ce sang avait un caractère particulier, il pouvait changer de couleur. Ainsi les oiseaux choisissaient le plumage qui leur convenait le mieux.

Quand le sang fut blanc, comme le lait,
60 arrivèrent les hérons et autres oiseaux. Quand le sang fut coagulé et pourri, arrivèrent les *Zamuros* (vautours). C'est pour cela qu'ils sont vêtus de noir.

Jokojiarotu, l'homme du soleil, épousa
65 *Usirumani*, la statue de bois devenue femme.

Depuis lors existent le jour et la nuit. C'est aussi depuis ce temps que les oiseaux ont leur plumage coloré.

Raymond ZOCCHETTI, *Légendes indiennes du Venezuela*, Paris,
© Éditions L'Harmattan, 1985.

---

1. Pour les Waraos le jour, appelé *Ya*, mesure seulement le temps pendant lequel le soleil est au-dessus de l'horizon (*Légendes indiennes du Venezuela*, Paris, Éditions L'Harmattan, 1985).

Charles Perrault (1628-1703) est un écrivain français dont l'œuvre a traversé les siècles. Il a été l'un des premiers à s'intéresser à la transcription des contes issus de la tradition orale. L'adaptation qu'il a faite de certains de ces contes s'est transmise de génération en génération : qui ne connaît pas l'histoire de *Peau d'Âne*, du *Petit Chaperon rouge* ou encore de *La Belle au bois dormant* ? Le conte que nous présentons ici fait partie d'un recueil intitulé *Contes de ma mère l'Oye*, qui fut offert à la petite-fille de Louis XIV, en 1697. Les rééditions de ce recueil ne se comptent plus.

Il était une fois une veuve qui avait deux filles ; l'aînée lui ressemblait si fort et d'humeur et de visage, que qui la voyait voyait la mère. Elles étaient toutes deux si désagréables et si orgueilleuses qu'on ne pouvait vivre avec elles. La cadette, qui était le vrai por-
5 trait de son Père pour la douceur et l'honnêteté, était avec cela une des plus belles filles qu'on eût su voir. Comme on aime naturellement son semblable, cette mère était folle de sa fille aînée, et en même temps avait une aversion effroyable pour la cadette. Elle la faisait manger à la Cuisine et travailler sans cesse.

Il fallait entre autres choses que cette pauvre enfant allât deux fois le jour puiser
10 l'eau à une grande demi-lieue du logis, et qu'elle en rapportât plein une grande cruche. Un jour qu'elle était à cette fontaine, il vint à elle une pauvre femme qui la pria de lui donner à boire.

Oui-dà, ma bonne mère, dit cette belle fille ; et rinçant aussitôt sa cruche, elle
15 puisa de l'eau au plus bel endroit de la fontaine, et la lui présenta, soutenant toujours la cruche afin qu'elle bût plus aisément.

La bonne femme, ayant bu, lui dit :
20 Vous êtes si belle, si bonne, et si honnête, que je ne puis m'empêcher de vous faire un don (car c'était une Fée qui avait pris la forme d'une pauvre femme de village, pour voir jusqu'où irait l'honnêteté de
25 cette jeune fille). Je vous donne pour don, poursuivit la Fée, qu'à chaque parole que vous direz, il vous sortira de la bouche ou une Fleur, ou une Pierre précieuse.

Lorsque cette belle fille arriva au logis,
30 sa mère la gronda de revenir si tard de la fontaine.

Je vous demande pardon, ma mère, dit cette pauvre fille, d'avoir tardé si long-temps ; et en disant ces mots, il lui sortit
35 de la bouche deux Roses, deux Perles, et deux gros Diamants.

Paul Signac (1863-1935), *Femmes au puits*, 1892, Musée d'Orsay, Paris.

« Il fallait que cette pauvre enfant allât deux fois le jour puiser l'eau [...], et qu'elle en rapportât plein une grande cruche. »

Que vois-je dit sa mère tout éton-née ; je crois qu'il lui sort de la bouche des Perles et des Diamants ; d'où vient cela, ma fille ? (ce fut là la première fois qu'elle
40 l'appelle sa fille). La pauvre enfant lui raconta naïvement tout ce qui lui était arrivé, non sans jeter une infinité de Diamants.

Vraiment, dit la mère, il faut que j'y envoie ma fille ; tenez, Fanchon, voyez ce qui sort de la bouche de votre sœur quand elle parle ; ne seriez-vous pas bien aise d'avoir le même don ? Vous n'avez qu'à aller puiser de l'eau à la fontaine, et quand
45 une pauvre femme vous demandera à boire, lui en donner bien honnêtement.

Il me ferait beau voir, répondit la brutale, aller à la fontaine.

Je veux que vous y alliez, reprit la mère, et tout à l'heure.

Elle y alla, mais toujours en grondant. Elle prit le plus beau Flacon d'argent qui fût dans le logis. Elle ne fut pas plus tôt arrivée à la fontaine qu'elle vit sortir
50 du bois une Dame magnifiquement vêtue qui vint lui demander à boire : c'était la même Fée qui avait apparu à sa sœur, mais qui avait pris l'air et les habits d'une Princesse, pour voir jusqu'où irait la malhonnêteté de cette fille.

Est-ce que je suis venue, lui dit cette brutale orgueilleuse, pour vous donner à boire, justement j'ai apporté un Flacon d'argent tout exprès pour donner à boire
55 à Madame ! J'en suis d'avis, buvez à même, si vous voulez.

Vous n'êtes guère honnête, reprit la Fée, sans se mettre en colère ; hé bien ! puisque vous êtes si peu obligeante, je vous donne pour don qu'à chaque parole que vous direz, il vous sortira de la bouche un serpent ou un
60 crapaud.

D'abord que sa mère l'aperçut, elle lui cria : Eh bien, ma fille ! Hé bien, ma mère ! lui répondit la brutale, en jetant deux vipères, et deux crapauds.

Ô ciel ! s'écria la mère, que vois-je là ? C'est sa sœur
65 qui en est cause, elle me le paiera ; et aussitôt elle courut pour la battre. La pauvre enfant s'enfuit, et alla se sauver dans la Forêt prochaine. Le fils du Roi qui revenait de la chasse la rencontra et la voyant si belle, lui demanda ce qu'elle faisait là toute seule et ce qu'elle avait
70 à pleurer.

Hélas ! Monsieur, c'est ma mère qui m'a chassée du logis.

Le fils du Roi, qui vit sortir de sa bouche cinq ou six Perles, et autant de Diamants, la pria de lui dire d'où cela
75 lui venait. Elle lui conta toute son aventure. Le fils du Roi en devint amoureux, et considérant qu'un tel don valait mieux que tout ce qu'on pouvait donner en mariage à une autre, l'emmena au Palais du Roi son père où il l'épousa.

80 Pour sa sœur, elle se fit tant haïr, que sa propre mère la chassa de chez elle ; et la malheureuse, après avoir bien couru sans trouver personne qui voulût la recevoir, alla mourir au coin d'un bois.

MORALITÉ

85 *Les Diamants et les Pistoles,*
Peuvent beaucoup sur les Esprits ;
Cependant les douces paroles
Ont encor plus de force, et sont
d'un plus grand prix.

90 ## AUTRE MORALITÉ

L'honnêteté coûte des soins,
Elle veut un peu de complaisance,
Mais tôt ou tard elle a sa récompense,
Et souvent dans le temps qu'on y pense le moins.

Charles PERRAULT, *Contes de mère l'Oye*, 1697.

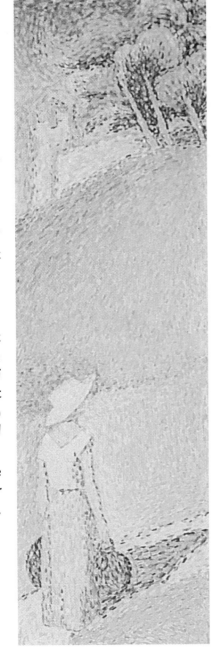

Blancheneige

Les écrivains allemands Jacob (1785-1863) et Wilhelm (1786-1859) Grimm s'étaient donné pour but de sauvegarder les témoignages du folklore oral de leur pays. Respectueux de la tradition, ils ont peu modifié les recueils de contes qu'ils ont transcrits et publiés.

Blancheneige, le conte qui suit, est maintenant considéré comme un classique et témoigne du succès remporté par l'œuvre des frères Grimm.

Un jour, c'était au beau milieu de l'hiver et les flocons de neige tombaient du ciel comme du duvet, une reine était assise auprès d'une fenêtre encadrée d'ébène noir, et cousait. Et tandis qu'elle cousait ainsi et regardait neiger, elle se piqua le doigt avec son
5 aiguille et trois gouttes de sang tombèrent dans la neige. Et le rouge était si joli à voir sur la neige blanche qu'elle se dit : « Oh, puissé-je avoir une enfant aussi blanche que la neige, aussi rouge que le sang et aussi noire que le bois de ce cadre ! » Peu après, elle eut une petite fille qui était aussi blanche que la neige, aussi rouge que le sang et aussi noire de cheveux que l'ébène, et que pour cette
10 raison on appela Blancheneige. Et quand l'enfant fut née, la reine mourut.

Un an plus tard, le roi prit une autre épouse. C'était une belle femme, mais fière et hautaine, et elle ne pouvait pas souffrir que quelqu'un la surpassât en beauté. Elle avait un miroir magique, quand elle se mettait devant et s'y contemplait, elle disait :

15   *Petit miroir, petit miroir chéri,*

    Quelle est la plus belle de tout le pays ?

    Et le miroir répondait :

    Madame la Reine, vous êtes la plus belle de tout le pays.

    Alors elle était tranquille, car elle savait que le miroir disait vrai.

20   Cependant Blancheneige grandissait et embellissait de plus en plus ; quand elle eut sept ans, elle était aussi belle que la lumière du jour et plus belle que la reine elle-même. Et un jour que celle-ci demandait au miroir :

    Petit miroir, petit miroir chéri,

    Quelle est la plus belle de tout le pays ?

25   Il répondit :

    Madame la Reine, vous êtes la plus belle ici,

    Mais Blancheneige est mille fois plus jolie.

    Alors, la reine prit peur et devint jaune
30 et verte de jalousie. Dès lors, quand elle apercevait Blancheneige, son cœur se retournait dans sa poitrine, tant elle haïssait l'enfant. Et sa jalousie et son orgueil ne cessaient de croître comme une mauvaise herbe, de sorte qu'elle n'avait de repos ni
35 le jour ni la nuit. Alors elle fit venir un chasseur et lui dit : « Emmène cette enfant dans la forêt, je ne veux plus l'avoir sous les yeux. Tu la tueras et tu me rapporteras son foie et ses poumons comme preuve. »

40   Le chasseur obéit et l'emmena, mais quand il eut tiré son poignard et voulut percer le cœur innocent de Blancheneige, elle se mit à pleurer et dit : « Mon bon chasseur, laisse-moi la vie, je m'enfuirai
45 dans le bois sauvage et je ne rentrerai plus jamais. » Et comme elle était si jolie, le chasseur eut pitié et dit : « Cours donc, pauvre enfant. — Les bêtes sauvages auront tôt fait de te dévorer », pensa-t-il, mais à
50 l'idée de n'avoir pas à la tuer, il se sentait soulagé d'un grand poids. Et comme un jeune marcassin venait vers lui en bondissant, il l'égorgea, prit ses poumons et son foie, et les rapporta à la reine comme
55 preuve. Le cuisinier dut les faire cuire au sel, et la méchante femme les mangea et crut avoir mangé les poumons et le foie de Blancheneige.

Pablo Picasso (1881-1973), *Jeune fille devant un miroir*, 1932,
Musée d'art moderne, New York.

« Petit miroir, petit miroir chéri,
Quelle est la plus belle de tout le pays ? »

Maintenant, la pauvre enfant était toute seule dans les grands bois et avait si grand-peur qu'elle regardait toutes les feuilles des arbres et ne savait à quel saint se vouer. Alors elle se mit à courir sur les cailloux et à travers les ronces, et les bêtes
60 sauvages passaient devant elle en bondissant, mais elles ne lui faisaient pas de mal. Elle courut aussi longtemps que ses jambes purent la porter jusqu'à la tombée du jour, alors elle vit une petite maison et y entra pour se reposer. Dans la cabane, tout était petit, mais si mignon et si propre qu'on ne saurait en donner une idée. Il y avait une petite table recouverte d'une nappe blanche avec sept petites
65 assiettes, chacune avec sa petite cuiller, puis sept petits couteaux et fourchettes et sept petits gobelets. Sept petits lits étaient placés l'un à côté de l'autre contre le mur, et ils étaient couverts de draps blancs comme neige. Blancheneige, qui avait grand-faim et grand-soif, mangea un peu de légumes et de pain dans chaque petite assiette et but une goutte de vin dans chaque petit gobelet, car elle ne voulait
70 pas tout prendre au même. Ensuite, elle était tellement lasse qu'elle se coucha dans un petit lit, mais aucun ne lui allait, l'un était trop long, l'autre trop court, enfin le septième fut à sa taille : elle y resta, se recommanda à Dieu et s'endormit.

Quand il fit tout à fait nuit, les maîtres du logis rentrèrent ; c'étaient les sept nains qui travaillaient dans les montagnes, creusant et piochant pour en extraire
75 le minerai. Ils allumèrent leurs sept petites chandelles et dès qu'il fit clair dans la maison, ils virent qu'il était venu quelqu'un, car tout n'était plus dans l'ordre où ils l'avaient laissé. Le premier dit : « Qui s'est assis sur ma petite chaise ? » Le second : « Qui a mangé dans ma petite assiette ? » Le troisième : « Qui a pris de mon petit pain ? » Le quatrième : « Qui a mangé de mes petits légumes ? » Le cinquième : « Qui
80 a piqué avec ma petite fourchette ? » Le sixième : « Qui a coupé avec mon petit couteau ? » Le septième : « Qui a bu dans mon petit gobelet ? » Puis le premier regarda autour de lui, vit un creux dans son lit et s'écria : « Qui est entré dans mon petit lit ? » Les autres accoururent et s'écrièrent : « Quelqu'un a couché dans le mien aussi ! » Mais en regardant dans son lit, le septième aperçut Blancheneige qui y était
85 couchée et dormait. Alors il appela les autres qui se précipitèrent et poussèrent des cris de surprise, ils allèrent chercher leurs sept petites chandelles, et éclairèrent Blancheneige. « Ô mon Dieu, s'écrièrent-ils, mon Dieu, que cette enfant est donc belle ! » Et leur joie fut si grande qu'ils ne la réveillèrent pas, mais la laissèrent dormir dans son petit lit. Quant au septième nain, il coucha avec ses compagnons, une
90 heure avec chacun, et la nuit se trouva passée.

Le matin venu, Blancheneige se réveilla et en voyant les sept nains, elle fut prise de peur. Mais ils se montrèrent gentils et lui demandèrent : « Comment t'ap-pelles-tu ? — Je m'appelle Blancheneige », répondit-elle. « Comment es-tu venue chez nous ? » Alors elle leur raconta que sa marâtre avait voulu la faire tuer, mais
95 que le chasseur lui avait laissé la vie, et qu'elle avait couru tout le jour, jusqu'au moment où elle avait enfin trouvé leur maisonnette. Les nains lui dirent : « Si tu veux t'occuper de notre ménage, faire la cuisine, les lits, la lessive, coudre et tri-coter, tu peux rester chez nous, tu ne manqueras de rien. — Oui, répondit Blancheneige, j'accepte de tout mon cœur », et elle resta chez eux. Elle tint la mai-
100 son en ordre. Le matin, ils partaient pour les montagnes où ils cherchaient le minerai

et l'or, le soir ils rentraient et alors leur repas devait être préparé. La fillette étant seule tout le jour, les bons nains lui conseillèrent la prudence et dirent : « Prends garde à ta belle-mère, elle saura bientôt que tu es ici, surtout ne laisse entrer personne. »

105 Mais la reine, croyant avoir mangé le foie et les poumons de Blancheneige, ne douta pas d'être de nouveau la première et la plus belle de toutes, elle se mit devant son miroir et dit :

> Petit miroir, petit miroir chéri,
> Quelle est la plus belle de tout le pays ?

110 Alors le miroir répondit :

> Madame la Reine, vous êtes la plus belle ici,
> Mais Blancheneige au-delà des monts
> Chez les sept nains
> Est encore mille fois plus jolie.

115 Alors la frayeur la prit, car elle savait que le miroir ne disait pas de mensonge, elle comprit que le chasseur l'avait trompée et que Blancheneige était toujours en vie. Et alors elle se creusa de nou-
120 veau la cervelle pour trouver un moyen de la tuer, car, tant qu'elle n'était pas la plus belle de tout le pays, la jalousie ne lui laissait pas de repos. Et quand elle eut enfin imaginé un moyen, elle se farda
125 le visage, s'habilla en vieille mercière et fut tout à fait méconnaissable. Ainsi faite, elle se rendit chez les sept nains par-delà les sept montagnes, frappa à la porte et cria : « Belle marchandise à vendre ! À ven-
130 dre ! » Blancheneige regarda par la fenêtre et dit : « Bonjour, ma brave femme, qu'avez-vous à vendre ? — De la bonne marchandise, de la belle marchandise, répondit-elle, des lacets de toutes les
135 couleurs », et elle en sortit un, qui était fait de tresses multicolores : « Je peux bien laisser entrer cette brave femme »,

William James Glackens (1870-1938), *Dire ses quatre vérités à sa belle-fille.*
« Maintenant, dit la vieille, tu as cessé d'être la plus belle. »

se dit Blancheneige, elle tira le verrou et fit emplette du joli lacet. « Enfant, dit la vieille, comment es-tu fagotée ! Viens ici, que je te lace comme il faut. » Blancheneige
140 ne se méfiait pas, elle se plaça devant elle et se fit mettre le lacet neuf. Mais la vieille la laça si vite et la serra tant que Blancheneige en perdit le souffle et tomba comme morte. « Maintenant, dit la vieille, tu as cessé d'être la plus belle », et elle s'en fut en courant.

Peu après, à l'heure du dîner, les sept nains rentrèrent chez eux, mais quelle
145 ne fut pas leur frayeur en voyant leur chère Blancheneige couchée par terre ; et
elle ne remuait et ne bougeait pas plus qu'une morte. Ils la relevèrent et, découvrant qu'elle était trop serrée, coupèrent le lacet. Alors elle se mit à respirer un
peu et se ranima petit à petit. Quand les nains apprirent ce qui s'était passé, ils
dirent : « La vieille mercière n'était autre que cette reine impie. Sois sur tes gardes,
150 et ne laisse entrer personne quand nous ne sommes pas près de toi. »

Sitôt rentrée chez elle cependant, la mégère alla devant son miroir et demanda :

Petit miroir, petit miroir chéri,

Quelle est la plus belle de tout le pays ?

Alors il répondit comme l'autre fois :

155 *Madame la Reine, vous êtes la plus belle ici,*

Mais Blancheneige au-delà des monts

Chez les sept nains

Est encore mille fois plus jolie.

En entendant ces mots, elle fut si effrayée que tout son sang reflua vers son cœur,
160 car elle voyait bien qu'une fois encore, Blancheneige avait recouvré la vie. « Mais maintenant, dit-elle, je vais inventer quelque chose qui te fera périr », et à l'aide de tours
magiques qu'elle connaissait, elle fabriqua un peigne empoisonné. Puis elle se déguisa
et prit la forme d'une autre vieille femme. Elle se rendit chez les sept nains par-delà
les sept montagnes, frappa à la porte et cria : « Bonne marchandise à vendre ! À ven-
165 dre ! » Blancheneige regarda dehors et dit : « Passez votre chemin, je ne peux laisser
entrer personne. — Tu as bien le droit de regarder », dit la vieille, elle sortit le peigne
empoisonné et le tint en l'air. Il plut tellement à l'enfant qu'elle se laissa tenter et
ouvrit la porte. Lorsqu'elles furent d'accord sur l'achat, la vieille lui dit : « À présent,
je vais te coiffer comme il faut. » La pauvre Blancheneige, qui ne se méfiait de rien,
170 laissa faire la vieille, mais à peine celle-ci lui eut-elle mis le peigne dans les cheveux
que le poison fit son effet et que la jeune fille tomba sans connaissance. « Ô prodige
de beauté, dit la méchante femme, maintenant c'en est fait de toi », et elle partit.
Par bonheur, c'était bientôt l'heure où les sept nains rentraient chez eux. Quand ils
virent Blancheneige couchée par terre, comme morte, ils soupçonnèrent aussitôt la
175 marâtre, cherchèrent et trouvèrent le peigne empoisonné, et à peine l'avaient-ils retiré
que Blancheneige revenait à elle et leur racontait ce qui était arrivé. Alors ils lui conseillèrent une fois de plus d'être sur ses gardes et de n'ouvrir la porte à personne.

Une fois chez elle, la reine se mit devant son miroir et dit :

Petit miroir, petit miroir chéri,

180 *Quelle est la plus belle de tout le pays ?*

Alors il répondit comme avant :

Madame la Reine, vous êtes la plus belle ici,

Mais Blancheneige au-delà des monts

Chez les sept nains

185 *Est encore mille fois plus jolie.*

En entendant le miroir parler ainsi, elle tressaillit et trembla de colère :
« Blancheneige doit mourir, dit-elle, quand il m'en coûterait ma propre vie. » Là-dessus, elle alla dans une chambre secrète et solitaire où personne n'entrait jamais, et elle fabriqua une pomme empoisonnée. Extérieurement elle avait belle apparence,
190 blanche avec des joues rouges, si bien qu'elle faisait envie à quiconque la voyait, mais quiconque en mangeait une bouchée était voué à la mort. Quand la pomme fut fabriquée, elle se farda le visage et se déguisa en paysanne, et ainsi faite, elle se rendit chez les sept nains par-delà les sept montagnes. Elle frappa à la porte,
Blancheneige passa la tête par la fenêtre et
195 dit : « Je ne dois laisser entrer personne, les sept nains me l'ont défendu. — Tant pis, dit la paysanne, je n'aurai pas de peine à me débarrasser de mes pommes. Tiens, je vais t'en donner une. — Non, dit Blancheneige,
200 je ne dois rien accepter. — Aurais-tu peur du poison ? dit la vieille, regarde, je coupe la pomme en deux, toi, tu mangeras la joue rouge et moi, la joue blanche. » Mais la pomme était faite si habilement que
205 seul le côté rouge était empoisonné. La belle pomme faisait envie à Blancheneige et quand elle vit la paysanne en manger, elle ne put résister plus longtemps, tendit la main et prit la moitié empoisonnée. Mais
210 à peine en avait-elle pris une bouchée qu'elle tombait morte. Alors la reine la

Juan Francisco Gonzalez (1862-1933), *Pommes*.

« Extérieurement elle avait belle apparence, blanche avec des joues rouges, [...] mais quiconque en mangeait une bouchée était voué à la mort. »

contempla avec des regards affreux, rit à gorge déployée et dit : « Blanche comme neige, rouge comme sang, noire comme ébène ! Cette fois les nains ne pourront pas te réveiller. » Et comme, une fois chez elle, elle interrogeait son miroir :

215 *Petit miroir, petit miroir chéri,*

Quelle est la plus belle de tout le pays ?

Il répondit enfin :

Madame la Reine, vous êtes la plus belle du pays.

Alors son cœur jaloux fut en repos, autant qu'un cœur jaloux puisse trouver
220 le repos.

Mais en rentrant chez eux le soir, les nains trouvèrent Blancheneige couchée par terre, et pas un souffle ne sortait plus de sa bouche, elle était morte. Ils la relevèrent, cherchèrent s'ils ne trouvaient pas quelque chose d'empoisonné, la délacèrent, lui peignèrent les cheveux, la lavèrent avec de l'eau et du vin, mais
225 tout cela fut inutile : la chère enfant était morte et le resta. Ils la mirent sur une civière, s'assirent tous les sept auprès d'elle, la pleurèrent, et pleurèrent trois jours durant. Puis ils voulurent l'enterrer, mais elle était encore aussi fraîche qu'une personne vivante, et elle avait toujours ses belles joues rouges. Ils dirent : « Nous ne

pouvons pas mettre cela dans la terre noire », et ils firent un cercueil de verre trans-
230 parent, afin qu'on pût la voir de tous les côtés, puis ils l'y couchèrent et écrivirent
dessus son nom en lettres d'or, et qu'elle était fille de roi. Puis ils portèrent le cercueil sur la montagne et l'un d'entre eux resta toujours auprès pour le garder. Et
les animaux vinrent aussi pleurer Blancheneige, d'abord une chouette, puis un cor-
beau, enfin une petite colombe.

235   Et Blancheneige demeura longtemps, longtemps dans le cercueil, et elle ne
se décomposait pas, elle avait l'air de dormir, car elle restait toujours blanche comme
neige, rouge comme sang et noir de cheveux comme bois d'ébène. Or il advint
qu'un fils de roi se trouva par hasard dans la forêt et alla à la maison des sept nains
pour y passer la nuit. Sur la montagne, il vit le cercueil et la jolie Blancheneige
240 couchée dedans, et il lut ce qui était écrit dessus en lettres d'or. Alors il dit aux
nains : « Laissez-moi ce cercueil, je vous donnerai tout ce que vous voudrez en
échange. » Mais les nains répondirent : « Nous ne vous le céderons pas pour tout
l'or du monde. » Alors il leur dit : « En ce cas, faites-m'en cadeau, car je ne puis
pas vivre sans voir Blancheneige, je le vénérerai et le tiendrai en estime comme
245 mon bien le plus cher. » En l'entendant parler ainsi, les bons nains eurent pitié de
lui et lui donnèrent le cercueil. Le prince ordonna à ses serviteurs de l'emporter
sur leurs épaules. Il advint alors qu'ils trébuchèrent contre un buisson et que, par
suite de la secousse, le trognon de pomme empoisonné dans lequel Blancheneige
avait mordu lui sortit du gosier. Et bientôt elle ouvrit les yeux, souleva le couver-
250 cle de son cercueil et se dressa, ressuscitée. « Ah Dieu, où suis-je ? » s'écria-t-elle.
Plein de joie, le prince lui dit : « Tu es auprès de moi », il lui raconta ce qui s'était
passé et dit : « Je t'aime plus que tout au monde ; viens avec moi au château de
mon père, tu seras ma femme. » Alors Blancheneige l'aima et le suivit, et leur noce
fut préparée en grande pompe et magnificence.

255   Mais on invita aussi à la fête la méchante marâtre de Blancheneige. Quand
elle eut revêtu de beaux habits, elle alla devant son miroir et dit :

Petit miroir, petit miroir chéri,

Quelle est la plus belle de tout le pays ?

Le miroir répondit :

260 Madame la Reine, vous êtes la plus belle ici,

Mais la jeune reine est mille fois plus jolie.

Alors la méchante femme poussa un juron et elle fut effrayée, tellement
effrayée qu'elle ne sut que faire. D'abord, elle ne voulut pas du tout aller à la noce.
Mais la curiosité ne lui laissa pas de répit, il lui fallut partir et aller voir la jeune
265 reine. Et en entrant, elle reconnut Blancheneige, et d'angoisse et d'effroi, elle resta
clouée sur place et ne put bouger. Mais déjà on avait fait rougir des mules de fer
sur des charbons ardents, on les apporta avec des tenailles et on les posa devant
elle. Alors il lui fallut mettre ces souliers chauffés à blanc et danser jusqu'à ce que
mort s'ensuive.

Jacob et Wilhelm GRIMM, *Contes* (traduits par Marthe Robert), coll. Folio classique, Paris,
© Éditions Gallimard, 1976.

La clé d'Or

Tout comme *Blancheneige*, conte que nous avons présenté à la page 16, *La clé d'or* est tiré de l'œuvre des frères Jacob et Wilhelm Grimm. Ce récit est toutefois beaucoup moins connu que le premier... et aussi beaucoup plus bref.

Par un jour d'hiver, la terre étant couverte d'une épaisse couche de neige, un pauvre
5 garçon dut sortir pour aller chercher du bois en traîneau. Quand il eut ramassé le bois et chargé le traîneau, il était tellement gelé qu'il ne voulut pas
10 rentrer chez lui tout de suite, mais faire du feu pour se réchauffer un peu d'abord. Il balaya la neige, et tout en raclant ainsi le sol, il trouva une
15 petite clé d'or. Croyant que là où était la clé, il devait y avoir aussi la serrure, il creusa la terre et trouva une cassette de fer.

Clarence Gagnon (1881-1942), *Village laurentien*, 1928, Musée du Québec.

« Par un jour d'hiver, la terre étant couverte d'une épaisse couche de neige [...]. »

Pourvu que la clé aille ! pensa-t-il, la cassette contient sûrement des choses pré-
20 cieuses. Il chercha, mais ne vit pas le moindre trou de serrure ; enfin il en découvrit un, mais si petit que c'est tout juste si on le voyait. Il essaya la clé, elle allait parfaitement. Puis il la tourna une fois dans la serrure, et maintenant il nous faut attendre qu'il ait fini d'ouvrir et soulevé le couvercle, nous saurons alors quelles choses merveilleuses étaient contenues dans la cassette.

Jacob et Wilhelm GRIMM, *Contes* (traduits par Marthe Robert), coll. Folio classique, Paris, © Éditions Gallimard, 1976.

Photographie : Musée du Québec, Jean-Guy Kérouac.

Un ange cornu avec des ailes de tôle

L'auteur québécois Michel Tremblay est né à Montréal en 1942. Son œuvre, qui se compose de pièces de théâtre, de romans, de scénarios de films et de chansons, lui a valu nombre de décorations et de prix littéraires. Il a notamment fait une description très vivante d'un quartier populaire de Montréal en brossant le portrait savoureux de ses habitants dans *Les chroniques du Plateau*, roman en plusieurs volumes publié à la fin des années 1970.

Dans *Un ange cornu avec des ailes de tôle*, il évoque ses lectures de jeunesse et les souvenirs qu'il en a conservés : Jules Verne, la comtesse de Ségur, Hergé, les frères Grimm, etc.

Michel Tremblay.

Je crois bien avoir consulté toutes les versions de Blanche-Neige et les sept nains avant d'atteindre l'âge de dix ans.

On oublie trop souvent que l'originale, celle des frères Grimm, est beaucoup plus terrifiante pour un enfant que, disons, celle du film de Walt Disney où tout est joli et en rondeurs innocentes. On me dira
5   que sa méchante sorcière est laide à faire peur, mais elle semble prendre plaisir à être laide, comme si elle ne se prenait pas au sérieux, tandis que celle des frères Grimm est *vraiment* laide et *vraiment* méchante ! En Américain bon enfant, l'oncle Walt a misé sur le folklore germanique à outrance en faisant des nains une bande
10 de joyeux drilles qui yoodlent à gorge déployée en s'accompagnant à l'accordéon ou à l'orgue à pédales quand, le soir venu, ils rentrent de leur mine de diamants déjà taillés pour finir la journée dans leur joli chalet suisse à toit cathédrale. [...]

Et que dire de la méchante sorcière, revenons-y, dont on se débarrasse d'une façon plutôt commode dans le film en la projetant du haut d'une montagne mais
15 qui, chez les frères Grimm, est condamnée à danser jusqu'à ce que mort s'ensuive dans des souliers de métal *chauffés à blanc*! Un esprit de sept ou huit ans le moindrement imaginatif en reste marqué pour longtemps, croyez-moi!

Mais ce n'est pas pour ces raisons que je dévorais toutes les versions que je pouvais trouver de ce conte. C'était à cause de la fin qui me vexait, littéralement. Les
20 livres avaient beau différer sur certains aspects du déroulement de l'histoire, la fin restait désespérément la même: à peine les nains s'étaient-ils habitués à la présence
25 de Blanche-Neige dans leur maison pourtant conçue pour de petites personnes, à l'impor-
30 tance que la princesse prenait dans leur vie (elle devenait rapidement une servante à leur service malgré
35 son éducation de privilégiée, évidemment, les nourrissait, les torchait, s'occupait de leurs loisirs le
40 soir venu, mais la misogynie des contes de fées n'est pas le propos de ce texte), que la méchante sorcière se présentait avec sa maudite pomme et, Blanche-Neige assommée, le grand insignifiant de Prince Charmant arrivait pour l'embrasser à peu près sur la bouche, comme on embrasse
45 une matante qui a de la barbe. Éveil de la princesse, pâmoison devant le damoiseau, ils se marièrent et eurent beaucoup d'enfants, fin de l'histoire.

Et les pauvres nains, eux?

Quand je sortais une autre version de *Blanche-Neige* de la salle pour enfants de la Bibliothèque municipale, la bibliothécaire, que j'avais fini par adorer parce
50 qu'elle me laissait sortir plus de livres que le nombre auquel j'avais droit, fronçait les sourcils.

«Encore ça! T'es pas tanné de toujours lire la même histoire?

— J'ai pas lu cette version-là...

— 'Coudonc, rêves-tu que le prince arrive pas pis que Blanche-Neige sèche
55 dans son cercueil de verre comme une vieille pomme pourrie?»

Ozias Leduc (1864-1955), *Le petit liseur* (aussi appelé *Le jeune élève*), 1894, Musée des beaux-arts du Canada, Ottawa.

«Je crois bien avoir consulté toutes les versions de Blanche-Neige et les sept nains avant d'atteindre l'âge de dix ans.»

Je n'allais tout de même pas lui avouer que je rêvais plutôt que la rescapée et le grand insignifiant emmènent les nains avec eux en voyage de noces, alors je me taisais. Mais chaque version du conte, illustrée ou non, longue ou courte, en petit format ou en grand album, finissait de la même façon, et je restais songeur, déçu,
60 enroulé comme un chat dans ma cabane de coussins.

Notre sofa du salon, une vieille affaire qui avait été en velours coupé et rouge vin dans des jours meilleurs mais qui avait fini par ressembler à un gigantesque animal battu couché sur le côté, était mon refuge pour la lecture. J'avais pris l'habitude de me construire avec trois des coussins (deux pour les murs, un pour le toit)
65 un abri dans lequel je me sentais en sécurité même quand je lisais ces histoires terrifiantes que j'avais déjà commencé à aimer et qui hanteraient mes nuits jusqu'à la fin de mon adolescence. J'appelais ça *ma caverne magique*, j'y passais des heures à rêvasser, à lire ou à écouter les radio-romans, *Grande Sœur*, *Jeunesse dorée* ou *Francine Louvain*, quand par chance j'attrapais la grippe au beau milieu de l'hiver.

70 Pour en revenir aux nains, toutes les versions du conte les laissaient donc sur le pas de leur porte, tête basse et chapeau à la main, pendant que les héros disparaissaient dans le soleil couchant sans même se retourner pour leur faire un dernier bobye. Quel toupet, cette Blanche-Neige! Quelle ingratitude! Ils l'avaient tout de même accueillie dans leur maison alors que le chasseur à la solde de la méchante
75 reine courait après elle pour lui arracher le cœur! D'accord, elle avait payé son gîte et son manger en les torchant, mais ils lui avaient sauvé la vie! *Et ils l'aimaient!* Je ne comprenais pas que le bec mouillé d'un Prince Charmant qu'elle n'avait jamais vu de sa sainte vie (sauf dans le film où il venait, au début, chanter une chanson plate sous son balcon pendant qu'elle se tortillait comme une idiote) suffise à
80 Blanche-Neige pour qu'elle laisse tout tomber, sans regrets et sans remords!

J'essayais d'imaginer la soirée des sept nains après le départ de leur amour, et je connaissais mes premières petites crises d'angoisse. Quelle horreur! Ils n'allaient quand même pas yoodler et danser comme des perdus sans Blanche-Neige pour les accompagner et les encourager quand ils commençaient à faiblir (après tout,
85 ils avaient pioché dans les diamants toute la journée)! Ce devait être ça, une peine d'amour... être obligé de tout faire comme avant alors que le monde vient de s'écrouler autour de soi... Je me recroquevillais dans ma caverne magique, je serrais le livre contre moi et j'inventais des fins à *Blanche-Neige et les sept nains*.

Michel TREMBLAY, «Blanche-Neige et les sept nains – Les frères Grimm», *Un ange cornu avec des ailes de tôle*, Montréal, Leméac Éditeur, 1994.

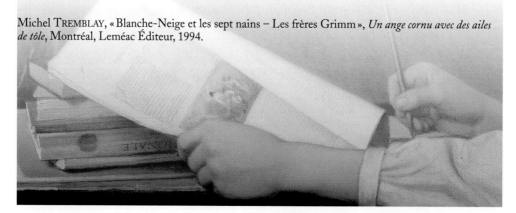

Les farfadets de Killarney

Les farfadets, les lutins et bien d'autres petits personnages surnaturels se retrouvent dans les récits merveilleux, aussi bien en Europe qu'au Nouveau Monde : ils ont franchi l'Atlantique en même temps que les nouveaux arrivants et continuent ainsi à peupler l'imaginaire des Canadiens d'aujourd'hui. La légende manitobaine que nous présentons ici est extraite d'un recueil de légendes publié en 1987.

Les farfadets ou feux follets, croit-on, ne vivent qu'en Irlande. On a tort car il en existe ailleurs, même au Canada.

Les Indiens croient que les esprits malicieux sont les maîtres de la nuit. Gare alors à celui qui les rencontre ! Selon les
5   autochtones du Manitoba, l'apparition d'une aurore boréale incite les esprits malins à danser. Ainsi, les jeunes chasseurs ne vont jamais se coucher avant de tirer quelques flèches pour éloigner ces visiteurs importuns qui pourraient les empêcher de dormir. « Les nuits où le vent souffle, il faut faire attention, disent-ils, car les farfadets se laissent porter et disperser par le vent. »

10   Si, au contraire, l'air est calme, les farfadets sortent en moins grand nombre car ils sont paresseux ; ils préfèrent se laisser porter plutôt que de marcher. Ils se déplacent donc en dansant au gré du vent puis, par petits groupes, se mettent à l'affût des passants et leur jouent des tours. Ils chantent et rient aux éclats dès qu'ils ont réussi un mauvais coup. Leurs cibles préférées sont les jeunes gens naïfs qui croient
15   tout savoir ; cependant, ils harcèlent aussi les personnes âgées qui pressent le pas dans la rue, à la tombée de la nuit.

Esprits nocturnes, ces lutins endiablés, impalpables et capricieux, ont le pouvoir d'éveiller la passion et les premiers rêves d'amour chez les jeunes qui, une fois ensorcelés, se mettent à danser sans pouvoir s'arrêter. La mort, toujours présente

William Fraser (1856-1921), *Bois au crépuscule.*

« Les Indiens croient que les esprits malicieux sont les maîtres de la nuit. »

20 aux fêtes infernales de ces créatures, s'empare de l'âme du danseur en laissant le corps inerte et froid sans que per- 25 sonne ne puisse expliquer les circonstances du drame.

Ce sont des croyances irlandaises, dit-on. 30 Au Canada, les farfadets n'existent pas.

Pourtant, les farfadets se sont déjà manifestés au Manitoba. On 35 les a vus, il y a quelques années, au village de Killarney. Deux jeunes Irlandais étaient allés fêter la fin d'une longue semaine de travail, au bar du motel « Lakeside ». Après avoir consommé quelques verres de bière, les deux amis s'étaient mis à rire et à parler à tue-tête, au point de gêner les autres 40 buveurs. La soirée se faisait de plus en plus joyeuse. À minuit, le patron du motel, qui avait fait preuve de patience envers ces garçons bruyants, décida de mettre fin à leur fête avant que la boisson n'ait raison d'eux. S'approchant des fêtards, il les pria poliment de rentrer chez eux.

— Oui, c'est ça, rentrez avant que les lutins vous entraînent dans leur danse 45 infernale, conseilla un vieillard.

Les deux camarades ne purent retenir leurs rires ; ils ne croyaient pas à de telles balivernes.

— Riez si vous voulez, ajouta le patron de l'établissement, mais sachez que les farfadets sont les rois de la nuit. Ils aiment surtout 50 les jeunets comme vous. Et il retourna derrière son comptoir en riant dans sa barbe.

Intrigués, les deux jeunes s'approchèrent du vieillard.

— Voyons, lui dirent-ils, vous ne croyez tout de même 55 pas à ces sornettes. Nous ne sommes pas en Irlande ici. C'est vrai qu'à Killarney, il n'y a que des gens d'origine irlandaise...

— Croyez ce que vous voulez. Moi, à votre place, je ne crierais pas si fort. Les farfadets sont susceptibles et ont 60 la vengeance facile, ajouta le vieil homme en hochant la tête.

L'avertissement fit réfléchir les écervelés qui décidèrent néanmoins de rentrer à la maison.

Chemin faisant, ils s'entretinrent des esprits maléfiques de la nuit.

65 — S'ils sont si malins que ça, dit l'un, qu'ils se montrent!

— Comment? demanda l'autre.

— Je ne sais pas... Tiens, tu vois cet arbre là-bas...

— Où?

70 — Là, à gauche.

— D'accord, je vois. Et alors?

— Eh bien! que les feuilles tombent immédiatement si les farfadets existent.

Son copain se mit à rire. C'était l'été. Les feuilles
75 vertes étaient solidement attachées aux branches. Au moment où il cherchait une réplique, l'arbre s'agita violemment de gauche à droite comme sous la poussée d'une bourrasque. En un rien de temps, toutes les feuilles tombèrent et jonchèrent le sol. L'arbre était complètement dépouillé.
80 L'un des deux remarqua :

— C'est vrai que les feuilles sont tombées, mais... mais c'est le vent qui a fait ça.

Ayant marché avec trop d'empressement, ils durent s'arrêter sous un lampadaire pour reprendre leur souf-
85 fle. Là, ils aperçurent une pompe à incendie; elle était neuve et d'un rouge éclatant. À la fois intrigués et amusés, les amis se regardèrent et s'écrièrent à l'unisson :

— S'il y a des farfadets, qu'ils changent la couleur de la pompe.

À l'instant même, la pompe se
90 teinta d'une couleur vert pomme, brillante et superbe! Sans attendre une seconde de plus, les jeunes fous prirent leurs jambes à leur cou et coururent se barricader dans leur maison.

95 Depuis ce jour, la pompe à incendie peinte en vert est devenue l'une des curiosités de la ville; elle intrigue les touristes à qui on raconte la légende des farfadets.

Si vous allez à Killarney, demandez à un jeune
100 s'il croit aux esprits de la nuit. Sa réponse vous surprendra.

Edwige GROLET et Louisa PICOUX, *Légendes manitobaines*, Saint-Boniface, Éditions des Plaines, 1987.

L'étranger

Le journaliste et romancier québécois Philippe Aubert de Gaspé (1814-1841) est né à Québec. En 1837, il publie le roman historique *L'influence d'un livre*. Dans la préface, il écrit : « J'offre à mon pays le premier roman de mœurs canadien, [...]. » Le roman est composé de plusieurs chapitres ; le cinquième, *L'étranger*, raconte la légende de Rose Latulipe, qui se laissera séduire par un personnage bien inquiétant...

> *Descend to darkness, and the burning lake:*
> *False fiend, avoid!*[1]
> SHAKESPEARE

C'était le mardi gras de l'année 17—. Je revenais à Montréal, après cinq ans de séjour dans le Nord-Ouest. Il tombait une neige collante et, quoique le temps fût très calme, je songeai à camper de bonne heure. J'avais un bois d'une lieue à passer, sans habitation, et je connais-
5 sais trop bien le climat pour m'y engager à l'entrée de la nuit. Ce fut donc avec une vraie satisfaction que j'aperçus une petite maison, à l'entrée de ce bois, où j'entrai demander à couvert. Il n'y avait que trois personnes dans ce logis lorsque j'y entrai : un vieillard d'une soixantaine d'années, sa femme et une jeune et jolie fille de dix-sept à dix-huit ans qui chaussait un bas de laine bleue dans un coin de
10 la chambre, le dos tourné à nous, bien entendu ; en un mot, elle achevait sa toilette. « Tu ferais mieux de ne pas y aller, Marguerite », avait dit le père comme je franchissais le seuil de la porte. Il s'arrêta court en me voyant et, me présentant

---

Note de l'éditeur. — Nous avons corrigé les fautes que comportait l'édition originale de 1837 et modernisé la ponctuation, afin de faciliter la lecture de ce texte.

1. *Descends dans les ténèbres et dans le lac brûlant. Démon perfide, disparais !* (William SHAKESPEARE, *Henry VI*, tiré de *Œuvres complètes*, Paris, Éditions Gallimard, 1959.)

un siège, il me dit, avec politesse : « Donnez-vous la peine de vous asseoir, Monsieur, vous paraissez fatigué ; notre femme rince un verre ; Monsieur prendra un coup,
15 ça le délassera. »

Les habitants n'étaient pas aussi cossus dans ce temps-là qu'ils le sont aujourd'hui, oh ! non. La bonne femme prit un petit verre sans pied, qui servait à deux fins, savoir : à boucher la bouteille et ensuite à abreuver le monde ; puis, le passant deux à trois fois dans le seau à boire suspendu à un crochet de bois derrière
20 la porte, le bonhomme me le présenta encore tout brillant des perles de l'ancienne liqueur, que l'eau n'avait pas entièrement détachée, et me dit : « Prenez, Monsieur, c'est de la franche
25 eau-de-vie, et de la vergeuse ; on n'en boit guère de semblable depuis que l'Anglais a pris le pays. »

Pendant que le bonhomme me faisait des politesses, la jeune fille ajustait une
30 fontange autour de sa coiffe de mousseline en se mirant dans le même seau qui avait servi à rincer mon verre, car les miroirs n'étaient pas communs alors chez les habitants. Sa mère la regardait en
35 dessous, avec complaisance, tandis que le bonhomme paraissait peu content.

« En effet, c'était une jolie brune que Rose Latulipe, mais [...] elle aimait beaucoup les divertissements. »

« Encore une fois, dit-il, en se relevant de devant la porte du poêle et en assujettissant sur sa pipe un charbon ardent
40 d'érable avec son couteau plombé, tu ferais mieux de ne pas y aller, Marguerite.

— Ah ! voilà comme vous êtes toujours, papa ; avec vous, on ne pourrait jamais s'amuser.

— Mais aussi, mon vieux, dit la femme, il n'y a pas de mal, et puis José va venir
45 la chercher, tu ne voudrais pas qu'elle lui fît un tel affront ? »

Le nom de José sembla radoucir le bonhomme.

« C'est vrai, c'est vrai, dit-il, entre ses dents ; mais promets-moi toujours de ne pas danser sur le mercredi des Cendres : tu sais ce qui est arrivé à Rose Latulipe...

— Non, non, mon père, ne craignez pas : tenez, voilà José. »

50 Et en effet, on avait entendu une voiture ; un gaillard, assez bien découplé, entra en sautant et en se frappant les deux pieds l'un contre l'autre, ce qui couvrit l'entrée de la chambre d'une couche de neige d'un demi-pouce d'épaisseur. José fit le galant, et vous auriez bien ri, vous autres qui êtes si bien nippés, de le voir dans son accoutrement des dimanches : d'abord un bonnet gris qui lui cou-
55 vrait la tête, un capot d'étoffe noire dont la taille lui descendait six pouces plus

bas que les reins, avec une ceinture de laine de plusieurs couleurs qui lui battait sur les talons, et enfin une paire de culottes vertes à mitasses bordées en tavelle rouge complétait cette bizarre toilette.

« Je crois, dit le bonhomme, que nous allons avoir un furieux temps ; vous feriez
60 mieux d'enterrer le mardi gras avec nous.

— Que craignez-vous, Père, dit José, en se tournant tout à coup, et faisant claquer un beau fouet à manche rouge, et dont la mise était de peau d'anguille, croyez-vous que ma guevale ne soit pas capable de nous traîner ? Il est vrai qu'elle a déjà sorti trente cordes d'érable du bois ; mais ça n'a fait que la mettre en appétit. »

65 Le bonhomme réduit enfin au silence, le galant fit embarquer sa belle dans sa carriole, sans autre chose sur la tête qu'une coiffe de mousseline, par le temps qu'il faisait ; s'enveloppa dans une couverte, car il n'y avait que les gros qui eussent des robes de peaux dans ce temps-là ; donna un vigoureux coup de fouet à Charmante qui partit au petit galop, et dans un instant ils disparurent gens et bête dans la
70 poudrerie.

« Il faut espérer qu'il ne leur arrivera rien de fâcheux, dit le vieillard, en chargeant de nou-
75 veau sa pipe.

— Mais, dites-moi donc, Père, ce que vous avez à craindre pour votre fille ; elle va sans
80 doute le soir chez des gens honnêtes.

— Ha ! Monsieur, reprit le vieillard, vous ne savez pas ; c'est une vieille
85 histoire, mais qui n'en est pas moins vraie ! Tenez : allons bientôt nous mettre à table, et je vous conterai cela en frappant
90 la fiole. Je tiens cette histoire de mon grand-père, dit le bonhomme ; et je vais vous la conter comme il me la contait
95 lui-même :

"Il y avait autrefois un nommé Latulipe qui avait une fille dont il

Henri Beaulac (né en 1914), *Rose Latulipe*, 1938, Musée des beaux-arts du Canada, Ottawa.

était fou. En effet, c'était une jolie brune que Rose Latulipe, mais elle était un
peu scabreuse, pour ne pas dire éventée. Elle avait un amoureux nommé Gabriel
Lepard, qu'elle aimait comme la prunelle de ses yeux. Cependant, quand d'autres
l'accostaient, on dit qu'elle lui en faisait passer; elle aimait beaucoup les divertissements, si bien qu'un jour de mardi gras, un jour comme aujourd'hui, il y avait
plus de cinquante personnes assemblées chez Latulipe et Rose, contre son ordinaire, quoique coquette, avait tenu, toute la soirée, fidèle compagnie à son pré-
tendu : c'était assez naturel, ils devaient se marier à Pâques suivant. Il pouvait être
onze heures du soir, lorsque tout à coup, au milieu d'un cotillon, on entendit une
voiture s'arrêter devant la porte. Plusieurs personnes coururent aux fenêtres et, frappant avec leurs poings sur les châssis, en dégagèrent la neige collée en dehors afin
de voir le nouvel arrivé, car il faisait bien mauvais. «Certes ! cria quelqu'un, c'est
un gros, comptes-tu, Jean, quel beau cheval noir; comme les yeux lui flambent,
on dirait, le diable m'emporte, qu'il va grimper sur la maison.» Pendant ce discours, le monsieur était entré et avait demandé au maître de la maison la permission de se divertir un peu. «C'est trop d'honneur nous faire, avait dit Latulipe,
dégrayez-vous, s'il vous plaît — nous allons faire dételer votre cheval.» L'étranger
s'y refusa absolument — sous prétexte qu'il ne resterait qu'une demi-heure, étant
très pressé. Il ôta cependant un superbe capot de chat sauvage et parut habillé
en velours noir et galonné sur tous les sens. Il garda ses gants dans ses mains et
demanda permission de garder aussi son casque, se plaignant du mal de tête.

«Monsieur prendrait bien un coup d'eau-de-vie», dit Latulipe en lui présentant un verre. L'inconnu fit une grimace infernale en l'avalant, car Latulipe, ayant
manqué de bouteilles, avait vidé l'eau bénite de celle qu'il tenait à la main et l'avait
remplie de cette liqueur. C'était bien mal au moins. Il était beau cet étranger, si
ce n'est qu'il était très brun et avait quelque chose de sournois dans les yeux. Il
s'avança vers Rose, lui prit les deux mains et lui dit:

«J'espère, ma belle demoiselle, que vous serez à moi ce soir et que nous
danserons toujours ensemble.

— Certainement, dit Rose, à demi-voix et en jetant un coup d'œil timide sur
le pauvre Lepard, qui se mordit les lèvres à en faire sortir le sang.»

L'inconnu n'abandonna pas Rose du reste de la soirée, en sorte que le pauvre Gabriel renfrogné dans un coin ne paraissait pas manger son avoine de trop
bon appétit.

Dans un petit cabinet qui donnait sur la chambre de bal était une vieille et
sainte femme qui, assise sur un coffre, au pied d'un lit, priait avec ferveur; d'une
main elle tenait un chapelet et de l'autre, se frappait fréquemment la poitrine.
Elle s'arrêta tout à coup et fit signe à Rose qu'elle voulait lui parler.

«Écoute, ma fille, lui dit-elle; c'est bien mal à toi d'abandonner le bon
Gabriel, ton fiancé, pour ce monsieur. Il y a quelque chose qui ne va pas bien, car
chaque fois que je prononce les saints noms de Jésus et de Marie, il jette sur moi
des regards de fureur. Vois comme il vient de nous regarder avec des yeux enflam-
més de colère.

— Allons, tantante, dit Rose, roulez votre chapelet et laissez les gens du monde s'amuser.

— Que vous a dit cette vieille radoteuse ? dit l'étranger.

145 — Bah, dit Rose, vous savez que les anciennes prêchent toujours les jeunes. »

Minuit sonna et le maître du logis voulut alors faire cesser la danse, observant qu'il était peu convenable de danser sur le mercredi des Cendres.

« Encore une petite danse, dit l'étranger.

— Oh ! oui, mon cher père, dit Rose, et la danse continua.

150 — Vous m'avez promis, belle Rose, dit l'inconnu, d'être à moi toute la veillée : pourquoi ne seriez-vous pas à moi pour toujours ?

— Finissez donc, Monsieur, ce n'est pas bien à vous de vous moquer d'une pauvre fille d'habitant comme moi, répliqua Rose.

— Je vous jure, dit l'étranger, que rien n'est plus sérieux que ce que je vous
155 propose ; dites : Oui... seulement, et rien ne pourra nous séparer à l'avenir.

— Mais, Monsieur !... et elle jeta un coup d'œil sur le malheureux Lepard.

— J'entends, dit l'étranger, d'un air hautain, vous aimez ce Gabriel ? Ainsi n'en parlons plus.

— Oh ! oui... je l'aime... je l'ai aimé... mais tenez, vous autres gros messieurs,
160 vous êtes si enjôleurs de filles que je ne puis m'y fier.

— Quoi ! belle Rose, vous me croiriez capable de vous tromper, s'écria l'inconnu, je vous jure par ce que j'ai de plus sacré... par...

— Oh ! non, ne jurez pas ; je vous crois, dit la pauvre fille, mais mon père n'y consentira peut-être pas ?

165 — Votre père, dit l'étranger avec un sourire amer ; dites que vous êtes à moi et je me charge du reste.

— Eh bien ! Oui, répondit-elle.

— Donnez-moi votre main, dit-il, comme sceau de votre promesse. »

L'infortunée Rose lui présenta la main qu'elle retira aussitôt en poussant un
170 petit cri de douleur, car elle s'était senti piquer. Elle devint pâle comme une morte et, prétendant un mal subit, elle abandonna la danse. Deux jeunes maquignons rentraient dans cet instant, d'un air effaré, et prenant Latulipe à part lui dirent : « Nous venons de dehors examiner le cheval de ce monsieur. Croiriez-vous que toute la neige est fondue autour de lui, et que ses pieds portent sur la terre ? »
175 Latulipe vérifia ce rapport et parut d'autant plus saisi d'épouvante qu'ayant remarqué, tout à coup, la pâleur de sa fille auparavant, il avait obtenu d'elle un demi-aveu de ce qui s'était passé entre elle et l'inconnu. La consternation se répandit bien vite dans le bal ; on chuchotait et les prières seules de Latulipe empêchaient les convives de se retirer.

180 L'étranger, paraissant indifférent à tout ce qui se passait autour de lui, continuait ses galanteries auprès de Rose et lui disait en riant, et tout en lui présentant un superbe collier en perles et en or : « Ôtez votre collier de verre, belle Rose,

et acceptez, pour l'amour de moi, ce collier de vraies perles. » Or, à ce collier de verre, pendait une petite croix et la pauvre fille refusait de l'ôter.

185   Cependant une autre scène se passait au presbytère de la paroisse où le vieux curé, agenouillé depuis neuf heures du soir, ne cessait d'invoquer Dieu, le priant de pardonner les péchés que commettaient ses paroissiens dans cette nuit de désordre : le mardi gras. Le saint vieillard s'était endormi, en priant avec ferveur, et était enseveli, depuis une heure, dans un profond sommeil, lorsque s'éveillant tout à

190 coup, il courut à son domestique, en lui criant :

    « Ambroise, mon cher Ambroise, lève-toi, et attèle vite ma jument. Au nom de Dieu, attèle vite. Je te ferai présent

195 d'un mois, de deux mois, de six mois de gages.

    — Qu'y a-t-il, Monsieur, cria Ambroise, qui connaissait le zèle du charitable curé ; y a-t-il

200 quelqu'un en danger de mort ?

    — En danger de mort ! répéta le curé, plus que cela, mon cher Ambroise ! Une âme en danger de son salut éternel.

205 Attèle, attèle promptement. »

    Au bout de cinq minutes, le curé était sur le chemin qui conduisait à la demeure de Latulipe et, malgré le temps

210 affreux qu'il faisait, avançait avec une rapidité incroyable ; c'était, voyez-vous, sainte Rose qui aplanissait la route.

    Il était temps que le curé

215 arrivât. L'inconnu, en tirant sur le fil du collier, l'avait rompu, et se préparait à saisir la pauvre Rose, lorsque le curé, prompt comme l'éclair, l'avait prévenu

Bridget MacDonald (née en 1943) , *Tête de satyre*.
« Il était beau cet étranger, si ce n'est qu'il était très brun et avait quelque chose de sournois dans les yeux. »

220 en passant son étole autour du col de la jeune fille et, la serrant contre sa poitrine où il avait reçu son Dieu le matin, s'écria d'une voix tonnante : « Que fais-tu ici, malheureux, parmi des chrétiens ? »

    Les assistants étaient tombés à genoux à ce terrible spectacle et sanglotaient en voyant leur vénérable pasteur qui leur avait toujours paru si timide et si faible, et main-

225 tenant si fort et si courageux, face à face avec l'ennemi de Dieu et des hommes.

«Je ne reconnais pas pour chrétiens, répliqua Lucifer en roulant des yeux ensanglantés, ceux qui, par mépris de votre religion, passent à danser, à boire et à se divertir, des jours consacrés à la pénitence par vos préceptes maudits. D'ailleurs, cette jeune fille s'est donnée à moi et le sang qui a coulé de sa main est le sceau
230 qui me l'attache pour toujours.

— Retire-toi, Satan, s'écria le curé, en lui frappant le visage de son étole et en prononçant des mots latins que personne ne put comprendre. Le diable disparut aussitôt avec un bruit épouvantable et laissant une odeur de soufre qui pensa suffoquer l'assemblée. Le bon curé, s'agenouillant alors, prononça une fervente prière
235 en tenant toujours la malheureuse Rose, qui avait perdu connaissance, collée sur son sein, et tous y répondirent par de nouveaux soupirs et par des gémissements.

— Où est-il? où est-il? s'écria la pauvre fille, en recouvrant l'usage de ses sens.

240 — Il est disparu, s'écria-t-on de toutes parts.

— Oh mon père! mon père! Ne m'abandonnez pas! s'écria Rose, en se traînant aux pieds de son vénérable pasteur, emmenez-moi avec vous... Vous seul pouvez me protéger... Je me suis donnée à lui... Je crains toujours qu'il
245 ne revienne... un couvent! un couvent!

— Eh bien, pauvre brebis égarée, et maintenant repentante, lui dit le vénérable pasteur, venez chez moi, je veillerai sur vous, je vous entourerai de saintes reliques, et si votre
250 vocation est sincère, comme je n'en doute pas après cette terrible épreuve, vous renoncerez à ce monde qui vous a été si funeste.»

Cinq ans après, la cloche du cou-
255 vent de... avait annoncé depuis deux jours qu'une religieuse, de trois ans de profession seulement, avait rejoint son époux céleste et une foule de curieux s'étaient réunis dans l'église, de grand matin,
260 pour assister à ses funérailles. Tandis que chacun assistait à cette cérémonie lugubre avec la légèreté des gens du monde, trois personnes paraissaient navrées de douleur: un vieux prêtre agenouillé dans le sanctuaire priait avec ferveur, un vieillard dans la nef déplorait en sanglotant la mort d'une fille unique et un jeune
265 homme, en habit de deuil, faisait ses derniers adieux à celle qui fut autrefois sa fiancée: la malheureuse Rose Latulipe.″

Philippe Aubert de GASPÉ fils, *L'influence d'un livre, roman historique*, Québec, imprimé par William Cowan & Fils, 1837.

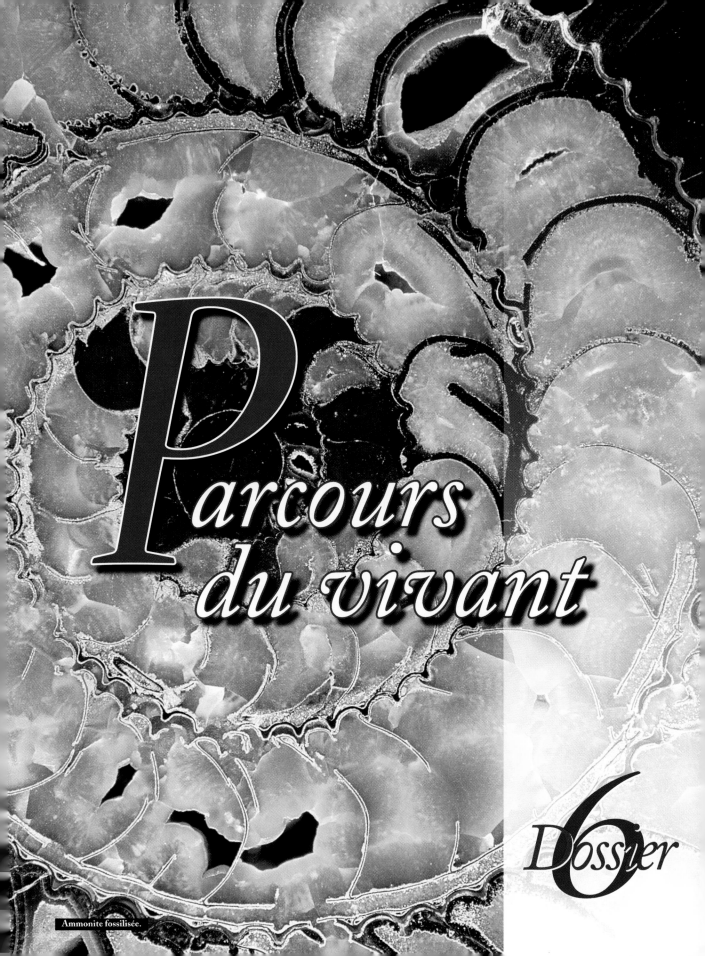

Parcours du vivant

Dossier 6

Ammonite fossilisée.

SOMMAIRE

Bipédie

Debout
comme un homme

par Jérôme Strazzula

En se dressant sur ses jambes, il y a quatre millions d'années, l'homme [5] *se singularise à tout jamais dans le règne animal. Pourquoi et comment la bipédie* [10] *s'est-elle imposée? Trois théories s'affrontent.*

es Grecs cultivaient déjà la mémoire de cet événement décisif, en se répétant l'énigme [15] posée par le Sphinx à Œdipe : quel est l'animal qui marche à quatre pattes le matin, deux à midi et trois le soir ? L'homme, bien sûr, issu de la famille des hominoïdes, l'unique famille de mammifères ayant appris à marcher sur deux jambes et [20] non plus avec quatre membres. L'acquis est considérable : l'emploi de la bipédie comme moyen de locomotion a permis à notre ancêtre, il y a environ quatre millions d'années, de se différencier du reste du monde animal.

[25] 3 millions d'années pour arriver à l'homme moderne

Quatre millions d'années, c'était avant que le cerveau de ce pré-humain ne commence à prendre du poids et lui donne l'intelligence. [30] C'était également avant l'invention de l'outil. Dans sa définition la plus lointaine, l'homme est donc avant tout un singe qui a su marcher debout : la bipédie est la première étape évolutive du long chemin qui, sur trois millions d'an-[35]nées, a mené de l'australopithèque à l'*Homo sapiens sapiens* — celui qui, paraît-il, est doué de raison, autrement dit nous.

L'événement est si lointain qu'il en conserve presque tous ses mystères. On sait qu'un [40] singe s'est progressivement relevé. Mais on sait à peine « comment » et « où ». Quant au « pourquoi », il demeure l'un des grands sujets de polémique entre différentes écoles con-[45]temporaines d'anthropologues.

Aux débuts de la science moderne, tout était relativement plus simple. Tout le [50] 19e siècle et une bonne partie du début du 20e siècle, les adeptes de Darwin estimaient que l'ancêtre de l'homme était devenu bipède pour libérer ses [55] mains. Il aurait subitement eu besoin de ses dix doigts pour un usage autrement plus intéressant que la marche. Il voulait employer l'outil ou [60] l'arme, qui lui donnaient un avantage décisif sur le reste du monde animal.

Darwin, l'Africain
Au 19e siècle, Charles Darwin a réuni les indices qui lui inspireront la théorie de l'évolution des espèces. Il situe également les origines de l'humanité en Afrique.

Ingénieuse et cartésienne, l'hypothèse est néanmoins fausse. La très vieille Lucy (*Australopithecus afarensis*, découverte en 1974, en Éthiopie) vivait il y a 3,3 millions d'années. Son squelette présente d'indiscutables caractéristiques de bipédie. Il est très probable qu'elle vivait également dans les arbres, sans doute pour dormir à l'abri des prédateurs. Mais quand elle en descendait, Lucy marchait sur deux jambes. Pourtant, il faudra attendre encore un million d'années avant que l'ancêtre de l'homme invente l'outil. Lucy s'est donc redressée pour une autre raison.

De même, au 19ᵉ siècle, les chercheurs sont imprégnés de l'impression biblique « Lève-toi et marche » : on a longtemps supposé que la bipédie avait été un événement brutal. Il n'en est rien. Il a fallu des millions d'années à nos ancêtres, au fur et à mesure qu'ils se séparaient de leurs cousins les grands singes africains, pour devenir bipèdes.

Et plus on trouve de vestiges, plus les surprises augmentent. Situé près du volcan Sandiman, en Tanzanie, le site de Laetoli est constitué de couches volcaniques dont les plus vieilles ont 3,8 millions d'années. Des traces de pas d'australopithèques y ont été conservées dans les cendres volcaniques solidifiées.

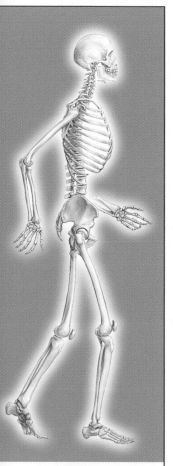

La conquête de la marche
Pour que le singe anthropoïde devienne un homme, il a fallu que le trou occipital se déplace vers l'avant et que sa colonne vertébrale se courbe trois fois.

Ramidus détrône Lucy

Mieux, en 1993 la famille des ancêtres de l'homme a pris un soudain « coup de vieux ». En Éthiopie, à 75 km seulement de l'endroit où l'on avait découvert la fameuse Lucy, une mission scientifique américano-nippo-éthiopienne a déniché les restes d'un hominoïde plus vieux que Lucy d'un million d'années. Il est, à cette heure, le plus ancien du genre. Les bouts de squelette de l'*Ardipithecus ramidus*, c'est son nom, prouvent qu'il marchait, au moins temporairement, sur deux jambes.

C'est que le passage à la verticale a exigé des transformations considérables. Chez les singes quadrupèdes, le bassin est très allongé, empêchant l'animal de se redresser. L'ancêtre de l'homme a élargi et raccourci son bassin. Chez les primates, la tête est penchée en avant parce que le trou occipital (où s'insère la première vertèbre) est situé en arrière du crâne, et dans un plan oblique. Enfin la colonne vertébrale du primate est rigide. En se redressant, le bipède a déplacé son trou occipital vers l'avant et a courbé trois fois sa colonne vertébrale. Enfin, les jambes se sont adaptées. La diaphyse (le fût) du fémur s'est inclinée en dedans, rapprochant ainsi le centre de gravité au niveau des genoux.

Selon les théories actuelles de l'évolution et de la biologie, toutes ces modifications correspondent nécessairement à une évolution du patrimoine génétique. Reste à en comprendre le moteur. Là, le mystère est entier. Pour quelles raisons l'ancêtre de l'homme s'est-il progressivement redressé ? Quels bénéfices pouvait-il en retirer ? Trois théories s'affrontent actuellement.

La plus ancienne date du début des années 1960. Elle a été émise par un anthropologue américain, John Robinson (université du Wisconsin). Selon lui, les pré-hommes auraient pris l'habitude de marcher sur deux jambes à force de se mettre temporairement debout, dans la position de sentinelle, pour surveiller les alentours.

Debout pour impressionner l'adversaire

145 　　La seconde théorie, formulée par l'Américain Owen Lovejoy, date du début des années 1980. La lignée des hominidés (ancêtres de l'homme) est la seule, parmi les hominoïdes (comprenant les grands singes et l'homme) à avoir résisté à
150 l'expansion des petits singes (babouins, macaques) qui ont depuis pris la place des grands. Elle est également la seule à avoir eu une extension mondiale. Selon Lovejoy, ces succès tiennent... aux performances sexuelles des
155 hominidés. À la différence des singes, la sexualité des hominidés est continue. Lovejoy estime que cette spécificité a poussé à la formation de couples stables. L'homme chassait et rapportait la nourriture, la femme enfantait et élevait. Dans
160 les deux cas, ils avaient besoin de leurs mains et seraient donc passés, par nécessité, à la station debout. Cette théorie, après un succès temporaire, est aujourd'hui contestée. Rien n'assure en particulier que les ancêtres de l'homme aient
165 vécu en couple. La troisième hypothèse se rapproche de la première. Émise par plusieurs anthropologues, en particulier l'Australien Jablonski, au début des années 1990, elle replace les hominidés dans leur contexte environ-
170 nemental, lorsque apparaissent les premiers signes de bipédie. Il y a cinq millions d'années, l'Afrique de l'Est (lieu de résidence de Lucy et de ramidus) a vécu d'intenses bouleversements climatiques, passant progressivement d'un envi-
175 ronnement forestier, facile à vivre pour les hominoïdes, à un milieu plus sec et plus ouvert. Il est alors devenu plus compliqué de se nourrir et de se cacher. La station debout, celle de l'intimidation, aurait permis à l'hominidé de mieux
180 survivre, tout en le conduisant progressivement à la bipédie. De là découle l'accroissement de sa taille. Par ailleurs, sa capacité cérébrale augmente, jusqu'à l'étape décisive et cruciale : le dialogue main-cerveau.

Extrait de *Science & Vie*,
collection XXᵉ siècle, 1996, p. 44-46.

Traces de pas d'australopithèques conservées dans les cendres volcaniques solidifiées. Ces traces ont été découvertes en 1978, à Laetoli, par les membres d'une expédition dirigée par Mary Leakey. Elles constituent une preuve de la bipédie des australopithèques.

Bipédie
La surprise de la forêt

Comment

sommes-nous

devenus bipèdes ?

L'étude

5 des modes

de déplacement

des grands singes

réserve

une surprise…

*L*es hypothèses ne manquent pas sur les
10 avantages présentés par la bipédie et qui ont pu
favoriser son apparition. Ainsi, en libérant les
membres supérieurs, elle permet de transporter
plus aisément les enfants, la nourriture, les outils,
15 ou encore de lancer des objets. La station debout
offre également des avantages comportementaux : repérer plus vite les dangers potentiels,
menacer et agresser, exposer ses caractères
sexuels… Elle rend plus facile la collecte de nour-
20 riture dans les buissons, la chasse et la prise de
possession des charognes. Sans oublier que la
marche bipède nécessite une dépense énergétique modeste.

Les chercheurs combinent ces facteurs —
25 aussi bien écologiques (sélection naturelle) que
comportementaux (sélection sexuelle) — pour
proposer de nombreux modèles. La plupart inter-
prètent la bipédie comme une adaptation à la
savane, ce qui conduit à des scénarios excessifs
30 — simples transpositions dans le passé de caractéristiques humaines très actuelles et très occi-
dentales…

Ainsi, certains ont considéré que les femelles
avaient continué à vivre dans les arbres, tandis que
35 les mâles acquéraient une position plus verticale,
liée à des activités « masculines » (chasse, utilisation d'armes, approvisionnement des femelles,
menace…) dans la savane.

Selon ces hypothèses, le redressement du
40 corps découlerait donc d'un nouvel environnement. Mais est-ce aussi simple ? Une condition
nécessaire pour l'acquisition de la bipédie est une
relative familiarité avec la position verticale — que
l'on retrouve dans la suspension, pratiquée par
45 tous les hominoïdes actuels (homme, chimpanzés,
gorilles, orangs-outans et gibbons). Or, la découverte récente d'un hominoïde fossile âgé de
20 millions d'années, *Morotopithecus bishopi,* confirme la grande ancienneté de cette posture.

50 Par ailleurs, les études expérimentales de Jack
Stern et Randall Susman, de l'université de New
York, ont montré que le grimper vertical dans les
arbres mobilise les muscles des hanches et des
cuisses de la même façon que la marche bipède.
55 Ces habitudes posturales et locomotrices,
fréquentes chez les grands singes dans les arbres,
sont autant de facteurs prédisposant à la bipédie.

En fait, les grands singes et l'homme pratiquent tous peu ou prou la bipédie, la quadru-
60 pédie, la suspension et le grimper vertical. Ce qui
varie, c'est la part respective de ces différents
modes de déplacement : c'est ce que l'on appelle
un « répertoire locomoteur ».

Le répertoire de l'homme consiste en 95 %
65 de bipédie (marche et course) et 5 % de grimper
et autres fantaisies. Celui des gorilles se décompose en 70 % de quadrupédie et 30 % de grimper
(la bipédie est réservée aux attitudes de menace).

Les chimpanzés utilisent de 40 % à 50 % de
70 quadrupédie, 40 % de grimper, et de 5 % à 10 %
de bipédie. Les chimpanzés nains (encore appelés
bonobos) sont les plus bipèdes des grands singes :
ils passent de 15 % à 20 % de leur temps debout.
Le reste de leurs déplacements s'effectue en grim-
75 pant ou en se suspendant (50 %), ou encore à quatre pattes (30 %).

À partir de ces chiffres, on peut reconstituer
le répertoire locomoteur de l'ancêtre commun de
tous ces hominidés. Michael Rose, de l'université
80 du New Jersey, estime qu'il se composait d'environ 30 % de quadrupédie, 30 % de grimper et 30 %
de bipédie. Par conséquent, cet ancêtre commun
aurait été moins bipède que ses descendants
hominidés, mais... plus que les grands singes
85 actuels. Renversant !

Une apparition tardive

Les australopithèques de l'Afar sont les mieux
étudiés des hominidés anciens. La célèbre Lucy possède un répertoire locomoteur comprenant essen-
90 tiellement le grimper vertical dans les arbres (40 %)
et la bipédie (40 %) pour la marche dans la savane
— il semble que son anatomie lui interdisait cependant de courir comme le font les hommes. Le
squelette d'un *Homo habilis* (O.H. 67) âgé de 1,7 mil-
95 lion d'années, retrouvé à Olduvai (Tanzanie), révèle
que les premiers hommes n'étaient guère plus
avancés vers la bipédie que Lucy.

Une bipédie comparable à la nôtre apparaît
donc assez tard dans l'évolution humaine, avec
100 *Homo ergaster*. Son répertoire locomoteur donne
la priorité à la marche bipède, mais aussi à la
course sur deux jambes. En développant et en perfectionnant la biomécanique de la bipédie, les
hommes ont considérablement réduit les autres
105 composants de leur répertoire locomoteur.

Reste à comprendre pourquoi la bipédie s'est
estompée dans une lignée, celle des grands singes
africains, et perfectionnée dans une autre, celle des
australopithèques puis des hommes...

Pascal PICQ, *Science & Vie*, n° 958, juillet 1997, p. 92-93.

L'homme descend de l'arbre
Bipède par excellence, l'homme garde de
ses origines de bonnes aptitudes au grimper
vertical dans les arbres.

Seuil D'HOMINITÉ: DENTS ET ORTEIL

par Pierre-François Puech et Henri Albertini

Les spécialistes qui étudient l'origine de l'homme distinguent nos ancêtres des singes par quelques caractères : le volume du cerveau, la bipédie et l'usage du langage ou de l'outil. C'est pourquoi ils fouillent les sols d'Afrique à la recherche d'ossements de préhumains qui témoignent de la mise en place de ces marques distinctives.

Nous savons depuis quelques années que les *Australopithecus afarensis,* la famille de Lucy, âgés de trois à quatre millions d'années, possédaient un cerveau de volume intermédiaire entre celui du singe et celui des premiers hommes. De même il a été précisé depuis que d'autres espèces voisines plus anciennes, *Australopithecus anamensis* et *Ardipithecus ramidus,* marchaient aussi, mais probablement de diverses manières, en position relevée, dans les forêts d'Afrique de l'Est, il y a plus de quatre millions d'années. La bipédie et le cerveau élargi sont donc des caractères partagés par au moins sept espèces pré-humaines,

car il faut ajouter les espèces plus tardives d'australopithèques, *A. africanus, A. aethiopus, A. robustus* et *A. boisei.*

Les pré-hommes vivaient en forêt avant de faire la conquête de la savane. On peut le déduire des adaptations particulières de leurs mains et de leurs pieds, ainsi que des restes d'espèces animales et végétales de forêt qui ont été fossilisés avec eux. Quelles ont été les causes de la bipédie ? Les ossements nous fournissent un début de réponse à travers les adaptations pour la nouvelle alimentation omnivore du bipède en forêt. En abandonnant partiellement une alimentation à base de feuilles et de fruits au profit des aliments ramassés au sol, les pré-hommes ont accéléré l'usure de leurs dents et ont développé les protections nécessaires pour ne pas être réduits à manger avec les gencives ni à mourir de faim. Les molaires des différentes espèces de pré-hommes sont devenues de plus en plus volumineuses, entre 4,4 et 1,5 millions d'années.

Comme l'émail des dents du pré-homme le plus archaïque, *Ardipithecus*, était aussi moins épais que celui des australopithèques, nous pouvons supposer que la station debout, acquise en forêt, a été pour un temps liée à une modification de l'alimentation : l'épaisseur de l'émail dépend des contraintes exercées sur la surface dentaire. Pour une même dent, la couche la plus épaisse correspond toujours à la zone la plus utilisée pour fractionner les aliments. Ce mécanisme, qui pourvoit une plus grosse épaisseur là où l'usure sera plus rapide, a produit chez les différents australopithèques une épaisseur générale de l'émail des dents, qui n'a cessé d'augmenter dans les espèces successives.

La savane serait apparue plus tard, alors que les espèces concurrentes de pré-hommes parcouraient depuis longtemps la forêt. Parmi ces préhumains qui portaient la tête au sommet de la colonne vertébrale, en position plus apte à s'épanouir car libérée d'une partie des muscles nécessaires au soutien, il s'est produit pour l'homme une ultime poussée cérébrale. Parallèlement on constate, dès le premier homme, une diminution du volume des prémolaires et des molaires et de l'épaisseur de l'émail qui les recouvre, marquant la fin de la vie en forêt.

C'est en Tanzanie, à Olduvai, que l'on a découvert les ossements qui ont permis de reconnaître et de définir ce premier homme que l'on a nommé *Homo habilis*. L'examen au microscope électronique de la surface de ses dents, que nous avons comparée à celle de l'australopithèque avec qui il partageait les bords des cours d'eau de la savane il y a deux millions d'années, a mis en évidence un régime alimentaire différent de celui des précédents hominidés. Ce choix alimentaire n'a cependant pas été rendu obligatoire par l'environnement puisque l'homme a coexisté avec l'australopithèque dans cette région jusqu'à ce que ce dernier disparaisse il y a 1,5 million d'années.

La savane n'aurait donc pas créé l'homme : elle aurait seulement éliminé son proche parent. Une explication peut être aujourd'hui proposée : des paléontologues sud-africains ont récemment affirmé que le pied de l'australopithèque avait gardé ses adaptations pour se mouvoir avec aisance dans les arbres. Dans ce cas, le gros orteil, écarté des autres doigts comme le pouce d'une main, ne donne pas l'assise au sol nécessaire pour que le corps tourne aisément autour de la colonne vertébrale. Cette adaptation humaine nous permet non seulement de jouer au golf mais aussi de jeter des pierres pour nous défendre d'animaux plus agiles ou plus forts que nous. Il ne restait plus à l'homme, devenu amateur de viande, qu'à perfectionner ses outils pour entreprendre la conquête de la planète.

De nombreux caractères permettent de distinguer les mâchoires humaines de celles des pré-hominidés. Quand on compare la dentition d'un être humain à celle d'un de ses lointains ancêtres, on constate immédiatement le volume différent des prémolaires et des molaires.

Partie du palais et de la dentition de *Ramapithecus* (à gauche) et de *Homo sapiens sapiens* (à droite).

Extrait de *Pour la science*, n° 217, novembre 1995, p. 8.

Culture

Naissance de l'Homme

L'homme est le résultat d'une longue histoire. Elle commença il y a plus de
5 3 milliards d'années, lorsque apparurent les premières formes de vie sur la Terre. C'est en effet à partir
10 d'êtres microcospiques et indifférenciés que tout a commencé.

Depuis, l'histoire de la vie fut à la fois un long cheminement et un grand mouve-
15 ment. L'évolution, qui lie entre eux tous les êtres vivants, les fait dériver les uns des autres suivant des lois que nous commençons à mieux connaître. De la première cellule jusqu'à nous, le fil est continu. Tous les animaux vivants descendent d'autres
20 animaux, qui ont vécu il y a plus ou moins longtemps. Aucun être vivant ne s'est fait seul. Nous devons tous quelque chose à l'amibe, au ver de terre, au scarabée, au cœlacanthe.

L'homme est donc, comme tout ce qui vit, un
25 produit de l'évolution. Mais son arrivée a été un événement singulier dans l'histoire de la vie. C'est le dernier maillon et l'étape jusqu'ici la plus complexe de cet enchaînement de 3 milliards d'années. L'homme n'est donc pas un animal comme les
30 autres — ne serait-ce que parce que la Terre n'est plus la même, depuis que l'homme existe.

Les autres animaux s'installent dans des zones géographiques et climatiques bien précises. Ils y trouvent ce qu'on appelle leur « niche écologique ».
35 L'homme, lui, envahit tout. Il vit dans les neiges polaires ou dans la forêt équatoriale, dans le désert et sur la montagne. Partout il imprime sa marque, plus que ne peut le faire aucun animal. Rien ne lui résiste : les êtres et les choses subissent sa loi —
40 qui est souvent une loi de destruction.

L'intelligence de l'homme lui a donné une place à part dans le monde vivant. Elle lui a permis d'acquérir une puissance qui le rend redoutable. Et
45 redoutable, non seulement il l'est vis-à-vis de tous les autres animaux, mais aussi vis-à-vis de lui-même. L'homme est le seul produit de l'évolution
50 qui soit capable de maîtriser l'évolution : il favorise les espèces animales qui l'intéressent et élimine les autres : plus : il agit sur leur hérédité.

55 L'homme sera peut-être capable un jour de fabriquer sur commande et sur mesure des êtres vivants — et, pourquoi pas ? d'autres hommes. Il multipliera, comme on le voit dans des romans
60 d'anticipation, un génie à 10 000 exemplaires ou décidera, on ne sait en fonction de quel critère, de favoriser tel ou tel caractère, au détriment d'autres. N'a-t-il pas d'ores et déjà « amélioré » des races de plantes ou d'animaux, qui désormais ne savent plus
65 vivre hors de l'environnement humain ?

Le jour où l'homme saura utiliser entièrement cette puissance qui transperce timidement des manipulations génétiques, il disposera des moyens d'assurer sa perte. Ce jour-là marquera le début
70 d'une autre histoire. Celle de l'évolution d'après l'homme. La place sera libre, sur la Terre, pour qu'une autre espèce se développe et prenne notre suite.

Extrait de Robert CLARKE, *Naissance de l'Homme*, Paris, © Éditions du Seuil, 1980, p. 9.

ENTREVUE AVEC
Yves Coppens

Interview de Sylvestre Huet

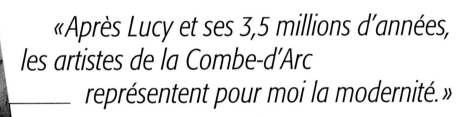

*«Après Lucy et ses 3,5 millions d'années,
les artistes de la Combe-d'Arc
représentent pour moi la modernité.»*

Professeur au Collège de France et codécou-
[5] vreur en 1974 de Lucy, la plus célèbre de nos
ancêtres australopithèques, Yves Coppens a
été ébloui par les images de la grotte de la
Combe-d'Arc[1].

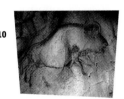

[10] *Sylvestre Huet.* **Que ressent le
spécialiste des toutes premières origines de la lignée
humaine devant la grotte
Chauvet ?**

Yves Coppens. Incontestablement, une vive émo-
[15] tion. Pour moi, les quelque 20 000 ans qui nous
séparent de ces peintres et de ces graveurs sont
bien peu au regard des 3,5 millions d'années de
Lucy. Je me souviens d'un dialogue avec André
Leroi-Gourhan sur l'évolution humaine. À mesure

1. *Note de l'éditeur : La grotte de la Combe-d'Arc est située dans la vallée de l'Ardèche, en France. Elle a été découverte le 18 décembre 1994
par un agent de surveillance au service régional de l'archéologie, Jean-
Marie Chauvet. La grotte date du Solutréen, période qui s'étend de
−22 000 ans à −18 000 ans. Les spécialistes considèrent cette grotte
comme exceptionnelle par la richesse des indications qu'elle recèle.*

[20] que nous parlions, il est devenu évident que chacun avait tendance à partir de la période qu'il connaissait le mieux. Lui considérait surtout la perspective à partir des chasseurs de rennes
magdaléniens de Pincevent et des peintures
[25] rupestres des Cro-Magnon. À mes yeux, ces
artistes représentaient pratiquement la modernité,
alors que, de son point de vue, mes australopithèques semblaient presque relever du monde animal. Je vous raconte cela pour souligner l'im-
[30] mensité de la préhistoire.

J'ai été très choqué d'entendre, il y a peu, un
cinéaste américain lancer : « J'ai choisi un homme
qui ressemblerait un peu à Cro-Magnon. » Il quali-
fiait ainsi son héros, qu'il voulait décrire comme
[35] un peu simplet mais physiquement bien doté.
Cette vision de l'homme de Cro-Magnon ne lui
rend pas justice, et le ou les peintres et graveurs
de la grotte de la Combe-d'Arc n'ont rien à voir
avec cette caricature. On serait certainement
[40] surpris d'avoir un entretien avec des Cro-Magnon.
Ce sont des hommes modernes, biologiquement
identiques à nous. Évidemment, leur technologie

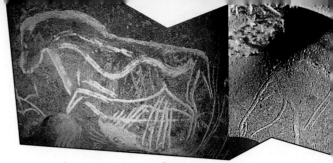

est rudimentaire comparée à la nôtre, mais elle est déjà complexe relativement à celle des
45 hommes plus anciens. [...] Sur le plan spirituel, intellectuel ou symbolique, ils ont atteint un très haut degré de réflexion et de débat. Leurs gravures, sculptures, peintures sont les marques codées de leur sens du sacré.

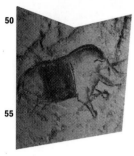

50 *S.H.* **Vous avez souligné l'immensité du temps préhistorique ; pouvez-vous retracer le chemin qui va de Lucy aux peintres des**
55 **grottes de Lascaux ou de la Combe-d'Arc ?**

Y.C. La notion de préhistoire s'attache à l'origine de la lignée humaine. On peut l'enraciner au moment où le rameau humain se distingue pour
60 la dernière fois d'une branche où se trouvent d'autres animaux. Ce rameau va porter durant toute une période des êtres de notre famille, mais non encore humains : ce sont les australopithèques, en Afrique du Sud et de l'Est. C'est
65 probablement vers la fin de cette période, vers 3 millions d'années, qu'apparaissent les véritables outils « aménagés », ce qui signifie que pour faire un outil on en utilise un autre. L'idée de fabriquer une forme, préconçue en fonction d'un usage
70 précis, est un pas énorme de la pensée. Elle surgit chez des hominidés, qui ne sont pas encore des hommes par leur anatomie, et illustre les tout débuts de la perception et de la maîtrise des formes. Au bout, il y aura l'art...

75 La phase proprement humaine commence ensuite avec les premiers *Homo habilis* puis *erectus*. Ils se déploient dans tout l'ancien monde et suivent une évolution biologique qui les conduira aux formes *sapiens*. En multipliant leurs activités,
80 ils développent les outils, perfectionnant leur forme, leur efficacité et leur diversité. Ils inventent ainsi, il y a 1,7 million d'années, la double symétrie (latérale et faciale) des silex taillés en bifaces.

Une étape majeure se situe probablement
85 vers 500 000 ans. L'homme invente alors l'« éclat Levallois ». Cette technique de taille commence

par treize coups « aveugles » et se termine avec un quatorzième qui dévoile soudain la forme souhaitée. Un peu comme les pliages successifs
90 d'une feuille de papier permettent de former une cocotte, sans que l'on puisse discerner la forme finale dans les phases préparatoires. Notre connaissance de cette technique est le fruit de fouilles très précises et du remontage des silex taillés à
95 partir de leurs éclats. On voit où ont été portés les coups successifs et on distingue les « bons tailleurs » des apprentis par leur maîtrise de la matière et des coups. Cette avancée coïncide avec d'autres innovations et des transformations
100 sociales qui ont probablement permis l'adoption et la généralisation de l'éclat Levallois. Apparaît également l'usage de percuteurs tendres — bois de renne, bois végétal —, qui autorisent des éclats plus fins par percussion ou compression. Et,
105 surtout, la maîtrise du feu. C'est une véritable révolution technologique qui représente un nouveau pas en avant dans la pensée symbolique et la perception des formes. La phase suivante débute il y a environ 100 000 ans. Elle voit naître le souci d'in-
110 humer certains morts. Les cadavres sont disposés dans des fosses aux parois parfois frottées à l'ocre. Ils sont accompagnés d'objets usuels ou de grande qualité, de fleurs, de quartiers de viande... Autant de signes d'une spiritualité grandissante.

115 Le palier suivant, vers 40 000 ans, voit la projection, sur des objets en os ou en ivoire et sur les parois des grottes, de la perception du monde propre aux hommes de l'époque. La complexité des combinaisons de représentations animales
120 et de signes abstraits dénote une pensée symbolique elle-même complexe. Des milliers d'objets — les Vénus de Lespugue ou Brassempouy, par exemple — et les grottes ornées, dont la dernière découverte à la Combe-d'Arc,
125 témoignent de l'avancée décisive réalisée alors par l'esprit humain.

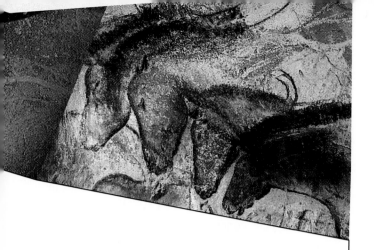

Outils
La culture partagée

par Pascal Picq

André Leroi-Gourhan a proposé une manière simple de se représenter cette évolution à travers un indice technologique. Elle consiste à peser un
130 kilogramme de silex taillé et à mesurer la longueur de coupe totale qui en est issue. En gros, on obtient 10 cm il y a 2 millions d'années ; 40 cm, il y a 500 000 ans ; 2 m, il y a 50 000 ans ; et 20 m, il y a 20 000 ans, c'est-à-dire à l'époque des grottes
135 ornées.

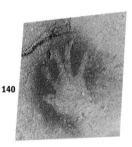

S.H. **À choisir entre la recherche des origines de l'homme en Afrique et dix ans de fouilles à la grotte Chauvet, que conseilleriez-vous à un jeune chercheur ?**
140

Y.C. Je crois bien que je lui conseillerais la grotte Chauvet. Les deux sujets sont peu comparables,
145 mais nous commençons à disposer de bonnes données sur les australopithèques. À vrai dire, la grande découverte serait maintenant de mettre au jour leurs homologues du côté des grands singes, les ancêtres des chimpanzés et des gorilles.
150 Le Paléolithique supérieur est connu, mais la grotte Chauvet recèle sûrement des informations nombreuses et précises. Les préhistoriens devraient donc pouvoir retirer de précieuses indications [...] d'une fouille utilisant tous les
155 moyens modernes à leur disposition.

Extraits de *Science & Vie*, Édition spéciale : « La grotte de la Combe-d'Arc », p. 8-9.

**L'homme n'est pas le seul animal culturel. L'usage d'outils et la transmission de savoirs ont toujours fait partie de
5 l'adaptation des hominidés.**

Chez les animaux, on connaît de nombreux exemples de comportements nouvellement acquis qui se répandent parmi les individus d'une population.
10 Est-ce une preuve que les animaux manifestent des comportements culturels ? Et l'outil en pierre est-il le meilleur gage d'une activité culturelle ?

Qui a utilisé ce tranchoir ?
Cet outil vieux de 2 millions d'années, qui sert à briser des végétaux ou des os, a pu être utilisé aussi bien par les premiers hommes que par les australopithèques.

Plus qu'un savoir-faire
Chez les chimpanzés, les techniques de pêche aux termites varient d'une troupe à l'autre. Le choix de consommer des fourmis ou des termites est guidé par des préférences culturelles.

L'affirmation que seuls les hommes utilisent
15 des outils s'appuie sur des concepts philosophiques. Mais les études sur le terrain de Christophe Bœsch, de l'université de Zurich, montrent que certaines troupes de chimpanzés d'Afrique occidentale utilisent des outils en
20 pierre pour briser des noix, alors que d'autres préfèrent utiliser des bâtons. Ces comportements sont appris et transmis. Pourquoi les chimpanzés, les hommes et probablement d'autres hominidés sont-ils devenus des animaux
25 culturels ?

Les comportements culturels requièrent une transmission, avec des innovations mais aussi des abandons, entre individus d'une même génération et entre générations. Ce qui demande
30 du temps.

Homo promotheus
Fabriquer du feu est une invention majeure de l'humanité qu'on ne retrouve chez aucune autre espèce.

Les premiers hominidés utilisaient des outils pour collecter leur nourriture. Ils déterraient les parties souterraines des plantes, tels que rizhomes, bulbes, racines, oignons et tubercules, autant de
35 nourritures de bonne qualité, abondantes dans les savanes arborées et non accessibles sans bâton aux espèces concurrentes telles que les babouins ou les phacochères. La recherche de telles nourritures souterraines, non visibles, demande une
40 très grande connaissance du milieu et fait certainement l'objet de transmissions culturelles.

Ce n'est que plus tard que les hommes deviennent capables d'abattre des proies de grande taille. Les chimpanzés, tout comme les australo-
45 pithèques et les premiers hommes, chassaient de petits animaux (antilopes, lièvres, petits cochons, singes...), mais ils ne pouvaient pas occire des proies de plus de 10 kg. À partir de 1,5 Ma, les hommes inventent de véritables armes. Ils devien-
50 nent de super-prédateurs et font ce qu'aucun grand singe n'a pu faire : vivre loin des arbres.

Dès 1,8 Ma, l'homme construit des abris, il se répand aussi hors d'Afrique. Mais, pendant plus de 1,5 Ma encore, son évolution biologique ira plus
55 vite que celle des cultures et des techniques. C'est pourtant grâce à ses capacités d'adaptation technique et culturelle que l'homme sera le seul hominidé à survivre après les extinctions, vers 1 Ma. Ainsi, à un moment de l'évolution des
60 hominidés, la culture a fait partie de leurs stratégies de survie. Les hommes ont hérité de cette capacité, qui est devenue, bien plus tard, un élément fondamental de leur adaptation.

Extraits de *Science & Vie*, n° 958, juillet 1997, p. 98-99.

Un cousin
qui a mal tourné

À l'époque où l'on découvre ses plus anciens restes, l'homme de Néandertal vivait, en Europe, dans un climat modérément froid, comparable à celui que connaît actuellement la Scandinavie.

Qu'est-il donc, au juste, cet homme de Néandertal dont on faisait autrefois notre ancêtre et que les préhistoriens relèguent, aujourd'hui, au rang de cousin qui aurait mal tourné, représentant d'un rameau avorté de l'évolution qui conduit vers nous? Son destin réel est encore mal connu, bien qu'on ait étudié avec beaucoup d'attention la centaine de restes retrouvés, notamment en Europe, mais aussi au Proche-Orient et en Afrique […].

D'où venait-il? On l'ignore. Il semble que la lignée des Néandertaliens remonte loin dans le passé — probablement il y a plusieurs centaines de milliers d'années. Pourquoi n'a-t-il pas abouti à nous? L'homme de Néandertal faisait-il partie d'un type qui, normalement, aurait dû évoluer vers l'homme d'aujourd'hui? Ce serait alors, par une sorte de régression lente, commencée il y a 100 000 ans, que Néandertal aurait vu ses différences s'accentuer au point de devenir un être à part, incapable d'évoluer davantage et qui a fini par s'éteindre.

Pendant ce temps, un autre rameau de l'humanité, plus vert, plus malléable, plus hardi aussi, sans doute, s'épanouissait pour arriver jusqu'à nous.

Cousins ou non, les Néandertaliens forment un groupe passionnant. Non seulement par ce halo de mystère qui les entoure, mais surtout parce que leur monde précède immédiatement celui de nos ancêtres les plus directs. Ils ont vécu un moment de transition essentiel de la préhistoire, d'où l'on date la première trace retrouvée d'un geste rituel essentiel, le premier, peut-être, qui puisse être qualifié de « religieux »: le cérémonial d'enfouissement du mort.

À l'époque où l'on découvre ses plus anciens restes, l'homme de Néandertal vivait, en Europe, dans un climat modérément froid, comparable à celui que connaît actuellement la Scandinavie. Les forêts s'étendaient, alors, à perte de vue et étaient peuplées d'éléphants à défenses droites, d'hippopotames, de bisons, d'élans. Puis la température s'abaisse. Les glaces recouvrent en partie le continent, faisant reculer l'arbre. Apparaissent alors d'autres animaux, comme le rhinocéros laineux, le mammouth, l'aurochs, le renne.

Il y a 60 000 ans environ, le climat se radoucit et les forêts se reconstituent. Mais bientôt, une nouvelle période glaciaire survient, plus rude encore. L'impitoyable vent d'est balaie la steppe désolée. L'homme de Néandertal se retrouve dans des conditions de vie difficiles. Il doit disputer sa nourriture aux lions, aux hyènes des cavernes, aux ours, affamés eux aussi, et qui, comme lui, traquent les rennes et les éléphants.

Pendant cette période dure, les Néandertaliens inventèrent de nouveaux outils de pierre. Ils vivaient, alors, par petits groupes, comptant chacun quelques dizaines d'individus qui devaient avoir peu de contacts entre eux. Les différences

65 que l'on retrouve dans la forme des outils, sur les divers sites néandertaliens, traduisent un relatif isolement des tribus. Cha-
70 cune défendait sans doute avec acharnement son territoire de chasse, à une époque où la nourriture était rare, et cela a pu conduire les hommes à vivre séparés les uns des autres, voire à se combattre avec vigueur, afin de conquérir le gibier tant convoité.

Reconstitution d'une scène de la vie d'un groupe de Néandertaliens. Quelques huttes faites d'os et de peau de mammouths délimitent un espace central où quelques individus sont réunis autour d'un feu.

80 L'homme et la mort

Mais l'homme de Néandertal est, avant tout, celui qui nous montre les premières traces évidentes d'un rituel funéraire. À Shanidar, dans le
85 nord de l'Irak, le préhistorien américain Ralph Solecki a mis au jour un squelette d'homme, visiblement inhumé. En analysant les pollens fossiles, trouvés en grand nombre autour du corps, on s'est aperçu que cet homme avait été enterré, il y a
90 60 000 ans, sur un véritable lit de fleurs rassemblées en bouquets.

Qui était ce personnage ? Un sorcier, suggère Ralph Solecki, qui n'a pas retrouvé, dans d'autres tombes néandertaliennes voisines, les traces des

95 mêmes fleurs — dont certaines ont encore de nos jours, dans la région, des vertus médicinales, voire magiques.

Cette sépulture aux fleurs est unique. Mais d'autres tombes néandertaliennes traduisent, de
100 façon différente, la volonté d'inhumation, le rite funéraire, le souci qui n'existait pas auparavant d'entourer le mort d'un cérémonial et d'une protection — comme pour retarder son attaque par les animaux et sa dégradation naturelle. On a
105 retrouvé des corps enfouis dans des fosses, parfois recouvertes d'un monticule de terre, de branchages ou de pierres. Les squelettes étaient placés dans des positions diverses, souvent à moitié fléchis, comme un homme surpris dans son som-
110 meil. Des pierres taillées, des restes de nourriture accompagnaient parfois les corps, ce qui fait penser à un rituel, à un cérémonial mortuaire, à un événement devenu important dans la vie
115 des hommes, qui tranche nettement avec l'indifférence qui semblait être, jusque-là, la règle devant la mort.

Extraits de Robert CLARKE,
Naissance de l'Homme, Paris,
© Éditions du Seuil, 1980, p. 93-97.

Glaciation
Les parties en blanc correspondent aux zones où s'étendaient les glaces et le désert polaire, il y a près de 30 000 ans.

Langage et intelligence

Langage

L'ÈRE DE LA COMMUNICATION

> *Le langage est-il le propre de l'homme ou bien est-il né de l'évolution d'autres modes de communication? L'étude des singes semble privilégier la seconde hypothèse.*

Il y a deux façons de considérer le problème
5 des origines du langage. Certains chercheurs postulent qu'il est le propre de l'homme. D'autres pensent que le langage est un mode de communication qui, au cours de l'évolution humaine, est né de divers modes de communication. Cela
10 implique, pour les premiers, que les animaux, dont les grands singes, sont totalement dénués de pensée et d'aptitude à la représentation symbolique. Pour les seconds, la psychologie animale doit s'efforcer de reconnaître de telles capacités
15 cognitives chez les singes.

Le langage n'est pas lié à la taille du cerveau

Les expériences visant à enseigner le langage à des grands singes — principalement des chim-
20 panzés — sont bien connues. Les plus originales sont celles que Sue Savage-Rumbaugh, de l'université d'Atlanta (Géorgie, États-Unis), a engagées. Par exemple, le chimpanzé nain

nommé Kanzi manifeste une réelle compré-
25 hension du langage parlé, puisqu'il comprend ce qu'on lui dit au téléphone. Il fait usage d'un panneau muni de touches pour exprimer des situations complexes. Cet emploi (ou celui de jetons) montre que les chimpanzés peuvent
30 substituer des symboles à des objets réels et les utiliser pour les organiser en catégories. Ainsi, une touche bleue avec un triangle peut représenter une pomme, et le chimpanzé n'a aucune difficulté à la ranger dans la catégorie «fruits»,
35 représentée par un autre symbole.

Ces travaux en laboratoire s'ajoutent aux nombreuses études en captivité ou dans la nature qui décrivent des comportements sociaux: intentions, compréhension des états mentaux des
40 autres, mensonge, réconciliation, intercession, apaisement, etc. Autant de traits psychologiques qu'on croyait exclusivement humains, car notre espèce les exprime essentiellement par le langage. Alors, à quoi sert le langage? Pourquoi est-il
45 apparu?

D'après Steven Pinker, du Massachussetts Institute of Technology, le langage est le seul mode de communication qui permette de diffuser des informations sur le passé, le futur, les intentions, les devoirs, les obligations, les croyances, les désirs, les objets et leur localisation, etc. Mais ce mode de communication est-il un luxe exclusivement réservé à l'homme moderne ou a-t-il évolué, et comment ?

On a associé l'apparition du langage à la vie dans la savane. Une meilleure communication peut être utile pour indiquer au groupe l'imminence d'un danger. C'est ce que font les singes vervets, qui émettent trois cris, trois mots très distincts, pour annoncer la menace d'un prédateur aérien (aigle), terrestre (léopard) ou rampant (serpent). Les jeunes apprennent ces cris, qui se comparent à des mots, mais véhiculent plus d'informations qu'une simple alarme. Cependant, on n'a jamais vu des vervets « discuter »

Le premier à parler ?
La boîte crânienne d'*Homo habilis* présente des traces d'asymétrie du cerveau. Ce qui permet de penser qu'il disposait des aires spécialisées du langage. Mais on ne peut pas en déduire qu'il parlait. Du moins en avait-il la possibilité.

de prédateurs en dehors de ce contexte… En fait, les tentatives pour associer l'apparition du langage et des facteurs environnementaux demeurent peu convaincantes. C'est plutôt dans le cadre de l'évolution des systèmes sociaux qu'il faut rechercher ces facteurs.

La vie sociale ne laisse pas de traces fossiles. Mais on peut supposer que les systèmes sociaux des premiers hommes exigent de nouveaux modes de communication, en relation avec l'exploitation d'un territoire toujours plus vaste. La recherche de la nourriture entraîne une dispersion des individus. Se retrouver, convenir d'un site où passer la nuit, s'assurer de la fidélité des partenaires sexuels et des alliés politiques exigent des qualités communicatives propres au langage.

On dispose de peu de moyens pour vérifier cette hypothèse. Toutefois, Philip Tobias, de l'université du Witwatersrand, à Johannesburg (Afrique du Sud), a montré que la boîte crânienne d'*Homo habilis* présente des traces d'asymétrie du cerveau autour du lobe temporal gauche. Notre lointain ancêtre disposait donc des aires spécialisées de la compréhension et de l'élaboration du langage (aires de Broca et de Wernicke). Mais, pour autant, parlait-il ? Nul ne peut le dire. Mais il en avait la possibilité.

Cette importante observation prouve que le langage n'est pas lié à la taille du cerveau, puisque le volume de celui d'*Homo habilis* est à peine la moitié du nôtre. La même observation montre aussi que le langage n'est pas apparu récemment dans l'évolution humaine.

Pour l'homme actuel, il en va du langage comme de la bipédie : ce mode de communication et ce mode de locomotion ont occulté, au cours de l'évolution, les autres modes de communication et de locomotion. Cependant, nous conservons les bases de modes de communication multimodaux, puisque nous ponctuons nos discours de gestes de la main, de hochements de tête, de regards et de mimiques dont le sens ne nous échappe pas.

Pascal PICQ, *Science & Vie*, n° 958, juillet 1997, p. 100-101.

À quoi sert le langage?

par Thierry Pilorge

Selon certaines théories, le langage aurait été nécessaire à nos ancêtres pour organiser la fabrication des outils. Pour étayer cette thèse, certains chercheurs en appellent à la localisation
5 cérébrale des aptitudes à manipuler, qui se situent dans l'hémisphère gauche (chez les droitiers), tout comme les aptitudes au langage. Mais les chimpanzés, qui, dans la nature tout au moins, ne parlent pas, sont capables eux aussi de
10 fabriquer des outils en pierre très primitifs, semblables à ceux que taillaient les premiers hommes, voire les australopithèques il y a 2,6 millions d'années.

L'uniformité du design de tous les
15 bifaces acheuléens (outils datant de 1,5 million d'années à 150 000 ans) traduit aussi, selon certains, le fait que les hommes de cette époque concevaient une image mentale claire du produit fini qu'ils voulaient fabriquer,
20 image qui ne pouvait être transmise que par le langage. Toutefois, on peut difficilement imaginer que les hommes d'Afrique et d'Asie se soient transmis la recette du biface acheuléen de manière à fabriquer des outils identiques. La ressemblance, à une
25 si grande distance, s'expliquerait plutôt par des limitations liées à l'anatomie de la main et du bras, qui imposait les dimensions et la forme, ainsi que la technique pour tailler les pierres.

À ces théories d'un langage à
30 vocation initialement utilitaire s'opposent des thèses lui attribuant un rôle essentiellement culturel et intellectuel. Ainsi, pour Iain Davidson et William Noble,
35 tous deux professeurs à l'université de New England à Armidale, en Australie, «deux événements dans l'évolution préhistorique du comporte-
40 ment humain peuvent être considérés comme prouvant sans ambiguïté l'existence du langage : la colonisation de l'Australie, il y a plus de
45 40 000 ans, par des êtres traversant la mer en direction d'une côte inconnue ; et l'apparition de sculp-
50 tures et de bas-reliefs portant des symboles codés en différentes régions d'Europe il y a 32 000 ans». Selon
55 ces chercheurs, le langage se serait aussi imposé pour établir les règles de la vie sociale : conventions, rituels, répartition des tâches et du pouvoir, et pour
60 développer l'agriculture. Jusqu'à présent, aucune de ces thèses n'a vraiment réussi à s'imposer.

Extrait de *Science & Vie*, n° 940, janvier 1996, p. 57.

Préhistoire de l'intelligence

L'homme moderne, «Homo sapiens», se voit volontiers en surdoué de l'Évolution. Les travaux récents des paléontologues battent en brèche cet anthropocentrisme et nous remettent à notre juste place.

par Rachel Fléaux

Pourquoi le cerveau s'est-il développé chez l'homme jusqu'à atteindre un volume double de celui des grands singes? Son accroissement ne suit-il pas un continuum apparent? De 360 cm^3 pour Lucy à une moyenne de 1450 cm^3 pour l'homme moderne, le volume cérébral aurait plus que triplé en trois millions d'années. «*C'est exact*, convient le neuroanatomiste Stéphane Hergueta, du Muséum national d'histoire naturelle de Paris. *Mais l'homme n'est pas le seul animal dans ce cas. Les systèmes nerveux ont évolué parallèlement dans les diverses lignées animales, avec des résultats comparables: l'apparition de cerveaux plus gros et des aptitudes comportementales qui accompagnent cet accroissement de taille: c'est le cas des abeilles parmi les arthropodes, ou des céphalopodes parmi les mollusques.*»

Les animaux à système nerveux très simple n'ont pas disparu ou été éliminés pour autant, comme en témoigne le succès des bactéries dont le naturaliste Stephen Jay Gould assure qu'elles «*sont la forme de vie dominante sur Terre*». L'accroissement cérébral n'est que l'une des multiples réponses adaptatives de la sélection naturelle: «*Il faut bien retenir qu'"évolution des espèces" ne signifie pas "hiérarchie entre elles", mais plutôt "modification successive du vivant"*», conclut Stéphane Hergueta.

Voilà qui invite à davantage de modestie. «*Pourtant*, reconnaît Donato Bergandi, philosophe des sciences au Muséum, *il est légitime de se demander si l'émergence de la conscience humaine n'est pas la conséquence de l'augmentation du volume encéphalique — et en particulier du cortex — amorcée il y a plus de 3 millions d'années, chez une lignée d'hominidés.*» Selon les données des anthropologues, la capacité endocrânienne aurait ainsi augmenté de 45% entre *Australopithecus africanus* (entre −3,5 millions et −2,8 millions d'années) et les tout premiers *Homo* (entre −2,5 millions et −1,6 million d'années).

Capacité crânienne moyenne de cinq hominidés

Australopithecus afarensis	de 360 cm^3 à 410 cm^3
Homo habilis	de 530 cm^3 à 750 cm^3
Homo erectus	de 900 cm^3 à 1250 cm^3
Homo neanderthalensis	de 1500 cm^3 à 1700 cm^3
Homo sapiens sapiens	1450 cm^3 en moyenne

Ces chiffres ont longtemps donné le vertige aux scientifiques qui travaillaient à définir l'intelligence humaine. C'est ainsi que fut inventé le «Rubicon cérébral», le seuil en deçà duquel on ne saurait raisonnablement être un homme. D'abord fixé à 750 cm³, il s'est abaissé à 600 cm³ avec la découverte (et l'intronisation), dans les années 1960, du tout premier homme, *Homo habilis*. «*C'est LE chiffre magique*, ironise la paléontologue Brigitte Senut, du Muséum national d'histoire naturelle de Paris. *On dépasse une capacité endocrânienne, et tout à coup tout s'éclaire! Pourtant, l'autopsie d'Anatole France l'a démontré: l'intelligence n'est pas proportionnelle à la taille de la cervelle! Par ailleurs, un tel postulat témoigne d'une méconnaissance de la variabilité du cerveau et de la boîte crânienne d'un individu à un autre au sein d'une même espèce.*» On a d'ailleurs, depuis, exhumé des crânes d'australopithèques dits robustes crédités d'une capacité endocrânienne de 600 cm³ tandis que certains *Homo habilis* frôlent tant bien que mal les 530 cm³.

«*Homo loquens*»,
LE CERVEAU BAVARD

Aujourd'hui, les paléontologues préfèrent donc s'intéresser à la cervelle des hommes préhistoriques d'un point de vue fonctionnel. Plus que le volume, c'est la structure du cerveau qui leur importe, sa réorganisation interne au fil du temps. Ils ont ainsi découvert que les préhumains, les australopithèques, avaient déjà une organisation cérébrale proche de celle de l'homme: des asymétries — ou *petalia* — apparaissent chez certains d'entre eux, ce qui confirmerait — outre leur habileté manuelle — leur aptitude à la reconnaissance des autres. Cette asymétrie s'accentuera progressivement chez les hommes, notamment au niveau des lobes pariétaux, qui traitent de plus en plus d'informations entre les aires visuelles, auditives, sensorielles et motrices. C'est essentiellement dans les zones frontales, permettant le raffinement des capacités de symbolisation et d'abstraction, que la cervelle s'est développée.

Le développement des techniques de manipulation semble en outre être lié à l'acquisition du langage, deux activités qui trouvent leur source dans les mêmes zones cérébrales du cervau gauche: les aires de Broca et de Wernicke. Certains chercheurs pensent ainsi qu'il existe une relation directe entre le fait de construire des phrases avec un enchaînement de sons (phonèmes) produisant un sens et les séquences de gestes nécessaires à la fabrication d'un outil ou au lancement d'un objet dans un but précis. «*L'activité cérébrale doit aussi être étudiée à travers les productions des hominidés: outils taillés, os gravés, art pariétal, ou rite funéraire*, explique la paléontologue Brigitte Senut. *Une modification des activités technologiques ou artistiques peut ainsi être suivie en relation avec l'accroissement de la boîte crânienne, donc du cerveau et de sa complexité. D'autant plus que ces productions sont liées au mode comme à la finesse de la communication.*»

Pour Stéphane Hergueta, ces études de contexte sont essentielles: «*Il serait ridicule d'essayer d'évaluer l'intelligence d'une espèce fossile dont on ignore le niveau de socialisation*, explique-t-il tout en soulignant les limites de toutes ces approches. *On sait désormais à quel point l'environnement — et notamment l'environnement culturel et social — peut influencer nos aptitudes cérébrales. Au départ, l'organisme fabrique un plus grand nombre de neurones que ce qui sera conservé chez l'adulte. Les neurones non fonctionnels ou non activés — dans l'enfance notamment — sont éliminés ou "mis en dormance". Or, nous ne savons pas comment et à quel point les enfants* Homo habilis *étaient stimulés, par exemple, ni quelle était la richesse de leur apprentissage.*»

Reconstitution d'*Homo erectus*

Grâce à ses 900 cm³ à 1250 cm³ de capacité crânienne, il est parvenu à domestiquer le feu, une invention déterminante pour l'humanité.

Extraits de *Sciences et avenir*, n° 622, décembre 1998, p. 54-57.

Quelle évolution pour l'homme?

*Libéré des contraintes de la sélection naturelle, l'homme est maintenant
confronté à la menace de la surpopulation et de la famine. Ses
facultés d'adaptation et d'innovation lui permettront-
elles de trouver des solutions?*

par Philippe Chambon

5 L'homme est-il maître de son évolution? Cela sup-
poserait tout d'abord qu'il ait un projet global allant dans
ce sens, ce qui n'est pas le cas. Mais qu'il soit acteur de
sa propre évolution, cela par contre ne fait aucun
doute. Acteur d'un scénario qui s'écrit à son insu et
10 dont il ignore où il le conduit. L'évolution des premiers
hominidés à l'homme moderne ne suit pas les mêmes
chemins que le reste du règne animal. C'est avant tout
parce que les sociétés humaines (par l'intelligence et
l'altruisme qui caractérisent notre espèce) ne laissent
15 pas la sélection naturelle s'exprimer pleinement. Cette
sélection naturelle exerce normalement une pression
constante sur les êtres vivants. Les prédateurs et les
modifications de l'environnement sélectionnent les
individus les plus aptes, lesquels se reproduisent plus
20 abondamment que les autres. Leurs gènes tendent
alors à s'imposer dans la population. Chez l'homme, par
exemple, on peut en voir une illustration dans la forte
présence, au sein de la population africaine, d'un gène
qui donne une conformation particulière aux globules
25 rouges qui les protège de la malaria. Ce gène est pourtant celui d'une maladie, l'anémie falciforme (de la
forme en faucille des globules rouges). Elle n'est pas assez
grave pour mettre en cause la survie et la reproduction de l'individu, alors que la malaria entraîne, elle, une
30 très forte mortalité infantile. Ce processus, dans certaines conditions, est l'un des facteurs qui président à
l'apparition de nouvelles espèces animales ou végétales.

L'homme a ainsi su échapper, au moins en partie, à la dure loi de la sélec-
35 tion naturelle. En particulier grâce à son sens aigu de l'altruisme. Ce comporte-ment, véritable instinct social, nous pousse à secourir les plus faibles, ceux qui peut-être n'auraient pas pu se repro-
40 duire. Comme le résume Patrick Tort, philosophe exégète du darwinisme, « la sélection naturelle – par le canal des instincts sociaux – sélec-tionne la civilisation, qui s'oppose ensuite à la sélection naturelle ». L'accroissement de la population devient
45 préoccupant. Nous sommes déjà 6 milliards, et rien ne laisse penser que nous allons nous en tenir là. La planète pourra-t-elle nourrir tout ce monde ? Les experts en discutent et avancent souvent une limite de viabilité qui se situerait autour de 12 milliards d'ha-
50 bitants. Que se passera-t-il alors ? Il se pourrait que la nature reprenne ses droits de façon plus radicale que jamais, la sélection prenant alors des allures de famine généralisée. Mais les démographes soulignent que le taux de croissance des populations humaines est
55 directement proportionnel à leur développement économique. L'humanité ferait donc un grand pas en avant dans la maîtrise de sa propre histoire en favorisant le développement économique des régions les plus défavorisées. Une belle démonstration de la supériorité
60 de l'intelligence politique et stratégique sur l'état de nature… Démonstration qu'il reste à faire.

LA CIVILISATION AGIT SUR NOTRE ÉVOLUTION GÉNÉTIQUE

« Sans être maître de son évolution, l'homme en
65 est cependant parfois directement responsable », estime Louis Thaler, évolutionniste moléculaire au CNRS. Il observe, par exemple, que la pratique très répandue de la césarienne tend à relâcher la pression sur les femmes au
70 bassin étroit. Cela favorise la trans-mission de la caractéristique « bassin étroit » dans leur descen-dance féminine. À terme, tous les accouchements devront donc
75 être assistés, dans les populations qui pratiquent la césarienne de longue date. Cette pratique va à l'encontre de la sélection naturelle, qui

Vieux pays de l'Occident
La médecine sait de mieux en mieux prévenir ou soigner les maladies. La qualité de la vie s'accroît, l'espérance de vie s'allonge. Comme, parallèlement, la natalité baisse, la popula-tion occidentale vieillit.

favoriserait plutôt l'élargissement du bassin s'adaptant
80 à la taille du cerveau du nouveau-né humain. Autre exemple, nos modes de vie comportent une dose de stress de plus en plus importante. Il est donc proba-ble que ceux qui n'y sont pas adaptés se reproduisent moins, laissant les plus résistants prendre le dessus.

85 PRÉSERVER NOTRE INSTINCT DE « SYMPATHIE »

On le voit, non seulement l'homme est loin d'être maître de son évolution, mais il est préférable qu'il résiste à son penchant d'apprenti sorcier ou qu'il ne
90 s'y aventure pas sans mesurer clairement les con-séquences de ses actes. En fait, de nombreux évolu-tionnistes estiment que la dernière grande catastro-phe écologique planétaire en date est l'avènement de l'homme, grand ravageur de la nature. À moins que les
95 extraordinaires facultés de réponse comportementale dont nous a dotés l'évolution ne nous permettent de changer de stratégie. Il est d'ailleurs essentiel à ce propos de relire Darwin. Selon la logique de sa théorie : « Notre instinct de sympathie nous pousse à secourir
100 les malheureux […]. [Instinct qui] tend toujours à devenir plus large et plus universel. Nous ne saurions restreindre notre sympathie, en admettant même que l'inflexible raison nous en fit une loi, sans porter atteinte à la plus noble partie de notre nature » (*La descendance*
105 *de l'Homme*, chapitre 5).

Tri d'embryons
Les spécialistes de la reproduction sont désormais capables de trier les embryons en fonction de leurs caractéristiques géné-tiques. Au départ, il s'agit surtout d'éviter les maladies graves. En viendra-t-on à sélectionner selon des critères de couleur des yeux, de taille, etc. ?

Extraits de *Science & Vie*, collection XXᵉ siècle, 1996, p. 114-116.

LA CIVILISATION DU VIRTUEL A DÉJÀ COMMENCÉ

par François Jeanne

La capacité des processeurs augmentant sans cesse, la réalité virtuelle envahit tous les secteurs. Une mutation technologique majeure non dépourvue de danger.

Depuis les traces plus ou moins habiles qu'il a laissées sur les murs des grottes préhistoriques, l'homme n'a jamais cessé de vouloir représenter ce qui l'entourait. L'informatique et les logiciels ont démultiplié ses possibilités d'expression sous forme de modélisation, ainsi que les capacités de stockage et d'acheminement de ces représentations. Désormais, les techniques de simulation lui permettent d'animer, de donner « vie » aux objets représentés sous forme numérique. L'homme peut donc concevoir entièrement son environnement et ses mouvements. Il peut même s'immerger dans ces représentations, et interagir avec elles à l'aide de nouveaux périphériques : casques, gants... Il a donné naissance à une, à des réalités virtuelles.

L'industrie, la médecine, l'armée et la communication utilisent déjà ces technologies. Dans vingt-cinq ans, elles auront envahi les bureaux, les écoles, les maisons. « La simulation sera l'industrie phare du XXIe siècle, affirme même Denis Ettighoffer, consultant et fondateur d'Euro-technopolis Institut. Il n'y aura pas d'activité humaine qui puisse y échapper. »

Ce formidable essor s'appuiera sur les progrès des microprocesseurs, sur l'augmentation des débits de télécommunications et enfin, sur les performances accrues des algorithmes de manipulation des images, fixes ou animées. Une véritable ingénierie de la visualisation est en train de naître, pour permettre à l'utilisateur d'évoluer dans les mondes virtuels, simplifiés, avec un réalisme étonnant. Ces manipulations peuvent désormais porter sur des objets complexes.

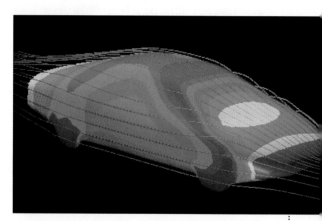

Étude de l'aérodynamisme d'un nouveau modèle d'automobile à partir d'une simulation.

L'industrie est une grande consommatrice de ces techniques. Les militaires utilisent depuis longtemps des simulateurs de vol et des simulateurs de conduite de char pour les pilotes et les conducteurs débutants. Dans le domaine civil, aéronautique ou ferroviaire, ce moyen de formation à la conduite est désormais acquis.

Simulacres de conversation

Les échanges entre personnes sont également
50 concernés. Internet se banalise, de même que la
téléconférence qui permet, en combinant
réseaux de communication et
caméras, de réunir plusieurs
personnes situées à dis-
55 tance les unes des
autres. Mais il y
aura mieux. Par
exemple, le par-
tage de docu-
60 ments virtuels,
avec possibi-
lité de les an-
noter et de les
modifier. Ou
65 encore l'utilisa-
tion de « simu-
lacres » reprodui-
sant, par exemple,
des visages humains
70 pour renseigner les personnes à un guichet.

La télénévrose des « accros »

Le grand public n'est pas oublié. Les jeux vidéo
75 se basent le plus souvent sur des simulations. Les
prochaines générations de jeux vont utiliser les
casques de visualisation 3D, dont les « verres » à
ailettes mobiles permettent d'obtenir l'effet de
relief. Dans le domaine de l'art et des loisirs, on
80 voit apparaître des simulateurs pour jardiner sans
herbe, ou pour élever des poissons sans eau. Les
premières expositions d'art virtuel se sont déjà
tenues.

L'éducation va se transformer. Certaines uni-
85 versités proposent à leurs étudiants en gestion de
travailler sur des simulateurs pour suivre une
entreprise, ses difficultés, évaluer ses chances de
survie.

La médecine tire également parti de ces tech-
90 niques. L'une des expériences les plus marquantes
a permis à des médecins de Philadelphie d'enlever
à distance la vésicule biliaire d'un patient. « La
télémédecine va révolutionner l'huma-
nisme médical et bouleverser les
95 relations entre médecins, ges-
tionnaires, infirmières et
patients », explique le
Pr Jean-Louis Funck-
Brentano, spécialis-
100 te du rein artificiel
et ancien président
du Centre mondial
informatique.

Les nouvelles générations
de jeux utilisent les casques
de visualisation 3D et
les « gants numériques ».
Il est désormais possible
d'interagir avec un monde
virtuel.

« Il reste cependant une limite, et
105 c'est heureux, à l'exploitation et aux performances
des modèles utilisés en médecine. D'ailleurs,
même les sciences comme la climatologie ou
l'astronomie, qui ont poussé l'usage de la simulation au plus haut degré, ne sont pas exemptes
110 d'erreurs. » Selon le professeur, ces imperfec-
tions offrent des garanties contre le risque de confusion entre la réalité et le virtuel. Cette crainte,
partagée par tous les spécialistes, peut se résumer
en quelques mots : que se passera-t-il, demain,
115 pour tous les « accros » des simulateurs décon-
nectés de la réalité ? Les psychologues évoquent
déjà une nouvelle pathologie, appelée « télé-
névrose », dans un récent article de la *Lettre
d'Eurotechnopolis*, qui vient de lancer une étude
120 sur ce sujet.

Extraits de *Science & Vie*, collection xxe siècle, 1996,
p. 110-112.

LES PREMIERS PAS VERS LA VIE ARTIFICIELLE

Avant d'insuffler
une intelligence artificielle
à l'ordinateur,
il faudra encore faire
5 des progrès scientifiques prodigieux.
Mais cet obstacle stimule
plus qu'il ne décourage
toute une génération
de chercheurs.

par Félix Légaré

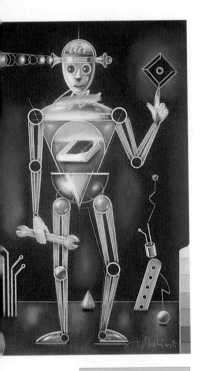

Andrzej Dudzinski,
Homo roboticus, 1988.

10 Au lendemain de la victoire de Garry Kasparov contre l'ordinateur Deep Blue, les médias titraient: «L'hu-
15 manité peut respirer, la machine n'a pas *encore* vaincu l'intelligence humaine!» Mais si Deep Blue n'a pas encore battu
20 le numéro I des échecs, il faut admettre qu'il peut aplatir à peu près n'importe quel autre joueur! Et on se demande par-
25 fois quand et comment la machine parviendra finalement à développer une véritable conscience artificielle.

30 On est encore loin de là. On met trop de pression sur les épaules d'une machine dépourvue d'organe de perception comparable à l'un de nos cinq sens. Privés de ces sens, Deep Blue et ses collègues demeurent de simples et bêtes machines
35 à calculer, incapables d'appréhender la réalité autrement qu'à l'aide des données prédigérées que lui fournissent les humains.

Même les systèmes experts, les produits les plus évolués de l'intelligence artificielle (Deep
40 Blue fait figure de locomotive au charbon com-

paré à ces turbotrains de l'informatique!), ne sont pas prêts d'y parvenir.

Cela dit, des progrès ont tout de même été accomplis.

45 Les systèmes experts résultent de l'approche symbolique, qui se résume, très sommairement, à une façon de classer chaque élément d'une gigantesque banque de connaissances en divers sous-groupes représentés par des symboles. On
50 croit que le cerveau humain fonctionne d'une manière semblable. Grâce à l'évolution de cette méthode et surtout à la puissance des ordinateurs actuels, les systèmes experts donnent aujourd'hui de prodigieux résultats, supplantant parfois
55 les compétences humaines. Déjà, de grandes entreprises les utilisent pour conseiller des travailleurs et même prendre des décisions.

Daniel Crevier, expert en vision artificielle à l'École de technologie supérieure (ÉTS), également
60 auteur du livre *The Tumultuous Story of Artificial Intelligence*, cite l'exemple de David Smith, un employé de General Electric. Smith était le seul ingénieur de la compagnie à posséder l'expérience nécessaire pour régler les problèmes posés par
65 les locomotives électriques. En 1981, alors qu'il songeait à la retraite, General Electric lui a demandé de transmettre toutes ses connaissances à un système expert, le DELTA (Diesel Locomotive Troubleshooting), mis en service en 1984. Grâce
70 à quelques questions clés posées à l'utilisateur, la machine peut maintenant dresser un portrait

rapide de la situation et diagnostiquer 80 % des pannes en proposant des solutions illustrées sur un vidéodisque.

75 Le grand avantage du système expert sur les humains, c'est qu'il n'oublie rien, n'est jamais fatigué et passe en revue un nombre astronomique de possibilités en un temps record. Il n'est pas non plus tenté, comme bien des employés, de choisir 80 les options les moins exigeantes pour lui. À l'opposé, on peut imaginer que les décisions de ces machines peuvent avoir des effets démoralisants sur le personnel d'une entreprise. Dépourvues des sens dont 85 nous disposons, elles ne peuvent saisir directement la réalité des humains qui les entourent et éprouver de la compassion pour eux. Ou, à tout le moins, leur laisser le temps de souffler un peu !

90 Doter la machine de vrais sens reste donc une tâche monstrueuse, bien qu'on progresse peu à peu.

À elle seule, la vision artificielle mobilise actuellement l'énergie de la 95 plupart des spécialistes. « Voir, ce n'est vraiment pas simple », dit Daniel Crevier.

Certaines des techniques les plus récentes ont permis de concevoir des robots mobiles qui évitent ou con- 100 tournent des obstacles. Cependant, ces créatures de métal ne voient pas : au mieux, elles détectent des formes et les reproduisent dans une sorte de réalité virtuelle.

105 Les réseaux de neurones artificiels, créés il y a près de 40 ans, pourraient cependant nous faire parcourir un bout de chemin supplémentaire. Les réseaux neuronaux (RN) sont issus d'une école de l'intelligence artificielle radicalement différente 110 de celle des systèmes experts, sauf que ce concept, trop progressiste pour son époque, a longtemps été relégué aux oubliettes. Cependant, depuis le milieu des années 1980, plusieurs percées technologiques et théoriques ont permis à 115 l'idée de refaire surface.

« Contrairement aux ordinateurs, qui disposent d'un seul processeur très puissant et

effectuent des opérations une à la suite de l'autre, les RN emploient un grand nombre de pro- 120 cesseurs, moins puissants mais qui travaillent tous en même temps, chacun à une tâche différente, ce qui leur donne une vitesse étonnante », explique Richard Lepage, directeur du Laboratoire d'imagerie, de vision et d'intelligence artificielle (LIVIA) 125 de L'ÉTS. L'avantage : leur utilisation convient très bien aux systèmes de perception.

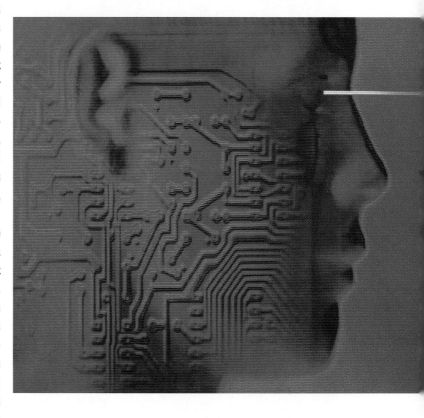

Les RN ont aussi l'intéressante propriété de traiter de l'information à partir de l'expérience directe. Comme nous, ils apprennent naturellement 130 au contact d'un environnement. « On peut aussi y intégrer certaines règles afin qu'ils apprennent à reconnaître des choses précises », ajoute Richard Lepage. On en utilise déjà dans l'industrie : après un apprentissage, un RN peut détecter rapidement 135 une pièce défectueuse en vérifiant si elle correspond à l'image de la pièce en bon état qu'il a mémorisée. « Dans le cas des machines dites " à apprentissage non supervisé ", ajoute-t-il, les RN peuvent même apprendre seuls, sans aucune direc- 140 tive. »

En clair, ces machines peuvent reconnaître des formes, les distinguer et même les classer. Et comme les enfants, plus on leur répète une information, plus rapidement et mieux ils l'apprennent !

Cette photo, prise à l'aide d'un microscope électronique, montre un circuit électronique constitué d'une cellule nerveuse humaine greffée à une puce.

En théorie, la capacité d'apprentissage des réseaux neuronaux est sans limite, et on croit qu'ils pourront également apprendre à jouer aux échecs.

Richard Lepage apporte cependant un bémol : « Une des limites des systèmes neuronaux tient au fait qu'ils sont simplement simulés, qu'ils n'existent pas physiquement. La technologie actuelle ne permet pas de concevoir des circuits intégrés contenant un nombre assez élevé de neurones. On doit donc les simuler sur un ordinateur conventionnel, ce qui ralentit beaucoup les travaux. »

Daniel Crevier va plus loin. « Je crois qu'il est plausible d'imaginer que les machines du futur pourront éventuellement développer une conscience. » Selon lui, si on se contente de suivre l'évolution actuelle des ordinateurs, on peut espérer que, dans 20 ou 30 ans, on se paiera pour quelques dizaines de milliers de dollars un ordinateur dont la puissance de calcul équivaudra à celle de notre cerveau. Mais a-t-on vraiment besoin d'une machine qui pense ? se demande le chercheur. « Je ne le souhaite pas personnellement : après tout, qui a besoin d'un guichet automatique qui a des humeurs ! »

Fantaisiste, tout cela ? Une simple balade dans Internet laisse croire le contraire : à peu près toutes les universités dignes de ce nom comptent maintenant un ou plusieurs centres de recherche sur l'intelligence artificielle ou la robotique. Et de plus en plus de chercheurs tentent des mariages entre biotechnologies et informatique.

Parmi les projets immédiats : l'ordinateur moléculaire, une machine dont les circuits imprimés seraient remplacés par des molécules d'origine biologique. Infiniment plus petites, plus rapides et surtout peu gourmandes en terme d'énergie, elles pourraient multiplier par 1000 la puissance actuelle des ordinateurs. On tente même de greffer des tissus vivants à des circuits électroniques !

Toutefois, ces recherches ne plaisent pas à tout le monde. « J'ai vu des bricolages de pattes d'insectes sur des robots et je ne trouve pas ça agréable, avoue Georges Giralt, pionnier de la robotique en France. Et le plus inquiétant, c'est que ceux qui tentent ces expériences ne savent pas où elles vont les mener... »

Extraits de *Québec Science*, vol. 35, n° 1, septembre 1996, p. 15-18.

Évolution Extinction

L'ASSAUT CONTRE DARWIN

par Thierry Pilorge

Caricature (datant de 1871) de Charles Darwin et de sa théorie de la sélection naturelle des espèces, selon laquelle l'être humain descendrait du singe.

La théorie de l'évolution subit, depuis une vingtaine d'années, de virulentes attaques. Pourtant, la pensée de Darwin est bien plus variée que ses successeurs ne l'ont laissé croire. Mais une critique pourrait lui être fatale : et si la sélection naturelle ne jouait pas le premier rôle dans l'évolution?

La grande idée de Charles Darwin (1809-1882), c'est la sélection naturelle. Pour reprendre les termes de Jean Gayon, philosophe et historien des sciences à l'université de Bourgogne et à l'Institut universitaire de France, « une théorie darwinienne de l'évolution est une théorie qui voit dans la sélection naturelle, sinon le facteur exclusif, du moins, le facteur principal qui oriente le changement des espèces ». Mais qu'est-ce donc que la sélection naturelle ?

Darwin part d'un postulat et d'une observation. Le postulat lui est en quelque sorte imposé par l'air du temps : à cette époque, le monde est entraîné dans un mouvement inexorable de progrès. L'idée de progrès, appliquée à la nature, se traduit ainsi : les espèces tendent vers une adaptation toujours meilleure aux milieux dans lesquels elles vivent.

L'observation, c'est celle de l'extrême diversité de la nature. Darwin constate cette variabilité lors de son voyage autour du monde sur le *Beagle* ; en particulier chez les pinsons des Galapagos (qu'on appelle aussi, depuis, pinsons de Darwin). Chez ces oiseaux, il remarque notamment les différences de forme du bec, en parfaite adéquation avec les besoins alimentaires de chaque espèce.

Enfin, Darwin a l'intuition de prendre pour modèle la sélection artificielle que pratiquent les éleveurs pour obtenir des races domestiques répondant à des critères précis. Il a sous les yeux la grande diversité des races de pigeons, obtenues par les colombophiles par sélection de variations apparues chez certains individus, et qu'ils essaient, par croisement, de généraliser, voire d'amplifier, dans la descendance. Darwin élabore donc l'hypothèse d'une sélection naturelle triant les individus, non pas pour répondre à la fantaisie des éleveurs mais en fonction de leur adaptation au milieu.

La sélection naturelle prend donc la place des éleveurs. Comment agit-elle ? Là encore, c'est des grandes tendances économiques et sociales de l'époque que jaillit l'inspiration : la sélection naturelle, à travers la lutte entre individus et l'action du milieu physique, conduit à la « conservation des variations favorables, et à la destruction de celles qui sont nuisibles », écrit Darwin. C'est à ce mécanisme qu'il applique « le nom de "sélection naturelle" ou de "survivance du plus apte" ».

Banc de poissons fossiles

Les fossiles intriguaient le 19e siècle. Les découvertes de fossiles se multipliant, une question finit par s'imposer : quel rapport existe-t-il entre les espèces disparues et les espèces actuelles ? L'idée selon laquelle les espèces se transforment est un élément de réponse à cette question.

Reste à savoir de quelle nature sont les variations sur lesquelles s'exerce la sélection naturelle, comment elles apparaissent, comment elles se transmettent. Darwin, à ce sujet, n'a pas les idées plus claires que ses contemporains. Il faut dire que Mendel ne formule ses lois que six ans après la parution de l'*Origine des espèces...* et que ses travaux resteront totalement ignorés jusqu'à leur découverte en 1900.

Si Darwin pense que lesdites variations peuvent apparaître spontanément et de manière aléatoire chez les individus, il n'exclut pas que l'environnement puisse induire lui-même de telles

variations, entraînant de nouvelles adaptations, notamment par le biais de l'usage et du non-usage : un membre ou un organe qui s'avère particulièrement utile sera progressivement renforcé et développé, alors qu'il régressera, jusqu'à éventuellement disparaître, s'il ne sert à rien. L'exemple le plus célèbre est celui du cou de la girafe, qu'avait présenté Lamark : en résumé, le naturaliste français (1744-1829) prétendait que c'est à force de chercher à atteindre les feuilles des plus hautes branches des acacias que la girafe a vu son cou s'allonger peu à peu. Les changements acquis à chaque génération se transmettraient à la génération suivante. Ce mécanisme est connu sous le nom d'hérédité des caractères acquis.

Pour Niles Eldredge et Stephen Jay Gould, qui ont publié, en 1972, leur théorie des « équilibres ponctués », fondée sur l'analyse de séries d'invertébrés fossiles, il faut cesser d'invoquer les « chaînons manquants » dès qu'apparaît un trou dans la succession des espèces fossiles d'une même lignée.

Darwin pensait, en effet, que la transformation des espèces intervient de manière graduelle, par l'accumulation de légères variations. Entre deux espèces d'une même lignée fossile séparées par un certain laps de temps devait nécessairement exister toute une série d'intermédiaires, assurant la continuité de la transition. Par conséquent, si des intermédiaires manquaient à l'appel, c'est qu'ils n'avaient pas été fossilisés ou qu'on ne les avait pas encore découverts. Autrement dit, il s'agissait de «chaînons manquants» — provisoirement, devrait-on ajouter. Le plus célèbre de ces chaînons manquants — objet d'une véritable quête du Graal —, c'est évidemment celui qui devrait assurer la transition entre la lignée des grands singes et celle des hommes.

Pour Eldredge et Gould, donc, les chaînons manquants n'existent pas. Selon eux, ces trous apparents dans l'évolution sont dus à l'existence de longues périodes de «stase» (d'équilibre) — pendant lesquelles un groupe d'espèces donné ne présente pas de modifications significatives et encore moins de création d'espèces nouvelles (ou spéciation) — ponctuées de courtes phases au cours desquelles la spéciation est intense. Ces brusques épisodes de spéciation s'étendraient tout de même sur de 5000 à 50 000 ans; à peine le temps d'un clin d'œil, il est vrai, en comparaison des stases, qui s'étireraient sur plusieurs millions d'années.

Pour expliquer une telle rapidité de l'évolution, Gould suggéra que, loin d'induire à chaque génération d'imperceptibles changements, les mutations pouvaient engendrer de véritables bouleversements. Des modifications affectant des gènes régulateurs du développement, notamment, seraient capables d'altérer la vitesse et l'importance relatives des diverses phases du développement embryonnaire. Pour certains chercheurs, c'est ainsi qu'aurait évolué la lignée humaine.

L'autre aspect de la théorie des équilibres ponctués qui porte un coup au darwinisme, c'est la question des extinctions. Selon cette théorie, les périodes d'extinction apparaissent, au moins dans certains cas, soudaines, rapides et massives, tout comme les phases de spéciation. La plus connue est celle de la disparition des dinosaures. Pour les néodarwiniens, c'est la

Albertosaurus. La question des extinctions est un aspect contesté du darwinisme.

concurrence entre espèces qui cause les extinctions, les moins bien adaptées étant éliminées par les mieux adaptées. Mais, pour les ponctualistes comme David Raup, paléontologue à l'université de Chicago, la sélection naturelle n'a pas grand-chose à y voir: disparaissent les espèces qui ont eu la malchance de se trouver au mauvais endroit au mauvais moment, même si elles étaient jusque-là parfaitement adaptées à leur environnement.

Cependant, comme le fait remarquer Gayon, on peut penser que Darwin aurait parfaitement agréé un tel mécanisme de disparition: après tout, qu'il s'agisse de la chute d'une météorite ou d'un accroissement du volcanisme, il ne s'agit ni plus ni moins que de l'action d'un facteur physique modifiant le milieu et éliminant tous les êtres vivants inadaptés aux nouvelles conditions.

Extraits de *Science & Vie*, nº 945, juin 1996, p. 78-81.

L'évolution *est une loterie*

est une loterie
est une
loterie

L'histoire de l'homme, c'est celle de la grenouille qui se prenait pour le
5 bœuf, dit Stephen Jay Gould. Entretien avec un scientifique accompli, un provocateur hors pair et un magnifique
10 conteur.

par Michel Groulx

« S i on tient compte de l'abondance relative des organismes présents aujourd'hui sur Terre, nous ne vivons pas à l'ère des mammifères ou à celle de l'homme, nous vivons à l'ère des bac-
15 téries, et ce, depuis le commencement des temps ! »

À l'image de Darwin, son père spirituel, Stephen Jay Gould captive et dérange tout à la fois. Volubile, les idées tranchantes comme un silex taillé, il se plaît à ébranler nos rassurantes cer-
20 titudes sur l'histoire de la vie. Et ne manque pas, en cours de route, d'égratigner la place que nous y revendiquons. « Par chauvinisme, l'homme se place au sommet d'une hiérarchie imaginaire, qui va des êtres les plus simples aux plus complexes,
25 poursuit-il. Tout cela est un mythe et il est temps qu'on s'en débarrasse ! »

Pourquoi « l'ère des bactéries » ? « Parce que ce sont les organismes les plus nombreux et les plus diversifiés de cette planète. Il y en a plus dans l'in-
30 testin d'un seul individu qu'il y a eu d'humains sur cette planète dans toute l'histoire ! Mais ce sont aussi les êtres les plus simples. Cela prouve que l'évolution ne favorise pas les organismes les plus complexes aux dépens des plus simples. »

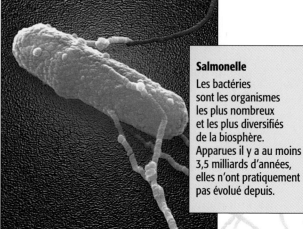

Salmonelle
Les bactéries sont les organismes les plus nombreux et les plus diversifiés de la biosphère. Apparues il y a au moins 3,5 milliards d'années, elles n'ont pratiquement pas évolué depuis.

35 Cette idée est à l'image de son auteur : originale et provocante. On présumait, depuis Darwin, que l'évolution suivait une grande tendance de complexification des formes de vie. Il est vrai qu'au cours de l'histoire de la vie des groupes d'orga-
40 nismes de plus en plus complexes ont successivement fait leur apparition. D'abord, les microorganismes, puis les plantes et les animaux primitifs, les vertébrés, les primates et enfin l'homme, qui se plaît à se considérer comme le
45 point culminant d'une inévitable ascension vers la perfection.

«Prenez le cas des parasites. Ce sont des organismes simples qui descendent d'ancêtres plus complexes. Chez eux, l'évolution a donc "progressé" vers la simplicité et non pas vers la complexité. Ça ne les empêche pas d'avoir fort bien réussi dans la vie!»

Le cas des bactéries est tout aussi troublant. Apparues il y a au moins 3,5 milliards d'années, elles n'ont pratiquement pas évolué depuis. «Tout simplement parce que rien ne les a *incitées* à changer, dit le biologiste. Au fil du temps, les formes de vie *peuvent* devenir plus complexes si les circonstances leur *permettent* de le faire, mais rien ne les y oblige!»

Comment expliquer l'adhésion quasi unanime à cette idée fausse? Pour Stephen Jay Gould, le «mythe du progrès» est le grand coupable. «Ce mythe déforme notre vision des choses depuis le XVIIᵉ siècle, accuse-t-il. Il nous fait croire qu'à l'instar des sociétés ou des technologies les espèces vivantes doivent "s'améliorer" avec le temps.»

L'idée centrale du darwinisme, c'est la sélection naturelle. Dans son interprétation traditionnelle, ce mécanisme évolutif élimine les formes de vie les moins adaptées pour épargner les mieux adaptées. Grâce à l'accumulation graduelle de petits avantages, les espèces se modifient avec le temps. Le naturaliste anglais résuma cette idée géniale par une formule devenue fameuse: «la survie du plus fort dans la lutte pour l'existence».

Ainsi présentée, la sélection naturelle devint populaire dans l'Angleterre victorienne parce qu'elle permettait de justifier la dominance des classes sociales les plus riches sur les plus pauvres. «Je ne remets pas en question l'importance de la sélection naturelle dans l'évolution, dit le biologiste, mais je crois qu'elle agit d'une manière beaucoup plus subtile que Darwin l'imaginait. Ce ne sont pas toujours les "meilleurs" ou les "mieux adaptés" qui gagnent.»

Un exemple: il y a 65 millions d'années, une catastrophe planétaire, peut-être causée par la chute d'un astéroïde, entraîna la disparition des dinosaures. Les mammifères, eux, survécurent, supposément parce qu'ils étaient plus intelligents,

donc avantagés par rapport aux grands reptiles.

«C'est faux, les dinosaures étaient merveilleusement adaptés! s'exclame-t-il. Si les mammifères ont survécu, ce n'est pas à cause de leur intelligence ou d'une quelconque supériorité, mais en raison de leur bonne étoile. Les mammifères étaient petits. Ce n'était pas un avantage mais plutôt une faiblesse qui les avait rendus

Trilobite
Les trilobites étaient très abondants dans les océans au cours de l'ère cambrienne (entre −600 et −530 millions d'années). Ils ont disparu lors de la grande crise de la fin du permien (vers −245 millions d'années). Cette extinction en masse, qui fit disparaître entre 80 % à 90 % des espèces vivantes, est la plus importante crise qu'ait jamais connue la biosphère.

incapables, jusque-là, de concurrencer les dinosaures. Cependant, la chance a tourné en leur faveur le jour de la catastrophe, peut-être parce qu'étant petits, ils ont réussi à se cacher, au contraire de leurs énormes concurrents. C'est donc un heureux concours de circonstances si les mammifères ont réussi à survivre.»

Un heureux... hasard? Stephen Jay Gould répond sans un instant d'hésitation: «Oui, je suis persuadé que le hasard a joué, dans l'évolution, un rôle beaucoup plus important que l'on croyait.»

Cette idée a pris du poil de la bête, si l'on peut dire, lorsque Stephen Jay Gould contribua à la redécouverte du site fossilifère « le plus extraor-
115 dinaire au monde » et l'un des plus anciens, celui de Burgess, en Colombie-Britannique. En réexaminant les fossiles de ce site, Gould et d'autres cher-
120 cheurs furent étonnés de constater qu'à l'ère cam-brienne, soit entre 600 et 530 millions d'années avant notre ère, une faune incroyablement
125 diversifiée d'animaux marins s'était déjà établie. Puis, une catastrophe balaya la plupart de ces organismes, n'épar-gnant que quelques survivants
130 dont descendent toutes les formes de vie actuelles.

Stephen Jay Gould compare ce phé-nomène à une sorte de loterie où seuls survivent les orga-
135 nismes qui tirent des

> Darwin a obligé ses contemporains à repenser les liens qui existent entre l'être humain et le monde vivant. Dès sa parution, *L'origine des espèces* fit scandale. De nombreux scientifiques refusaient de critiquer la version biblique de la création du monde.

numéros chanceux. « Il y a sûrement des raisons pour les-quelles certains orga-
140 nismes évoluent et d'autres pas, tient-il à préciser. Mais on ne peut prédire à l'avance lesquels vont sortir. »
145 Et voilà Stephen Jay Gould jetant un nouveau pavé, cette fois dans la mare de ceux qui estiment

que la science pourra, un jour, tout expliquer et tout prédire en invoquant l'action des lois naturelles. « Si on se tourne vers le passé, on croit
150 pouvoir affirmer que les animaux, les vertébrés, les mammifères, les primates et enfin l'homme *devaient* apparaître. Il n'en est rien.
155 La naissance de chacune de ces lignées d'organismes a été purement fortuite et imprévisible. »

Parmi les fossiles de
160 Burgess, il a retrouvé un de nos plus vieux ancêtres, un petit organisme marin du nom de *Pikaia*. Si *Pikaia* n'avait pas survécu à l'hé-
165 catombe qui a décimé la plu-part de ses contemporains, les vertébrés, donc les humains, n'auraient probablement jamais vu le jour.

Notre incapacité à prédire l'évolution n'est-elle pas un aveu d'impuissance de la part des
170 scientifiques ? « Absolument pas ! s'insurge le bouillant intellectuel. Elle ne rend pas l'évolution moins riche, ni moins fascinante ! »

Selon Darwin, l'évolution pro-
175 gresse vers la complexité, large-ment sous l'action de la sélec-tion naturelle, et elle est en partie prévisible. Selon Gould, elle va dans toutes les directions, largement sous l'effet
180 du hasard, et elle est complètement imprévisible. Une lecture de l'évolution qui n'a pas encore fait l'unanimité chez ses collègues. « On peut toujours l'espérer, souhaite le biologiste, le sourire aux lèvres. En rétablissant les liens qui existent entre
185 l'homme et le monde vivant, Darwin s'était attaqué à des préjugés beaucoup plus tenaces que ceux-là. Je ne fais qu'appliquer une mince couche de vernis sur sa sublime théorie ! »

Extraits de *Québec Science*, vol. 33, n° 7, avril 1995, p. 15-17.

> « Si on se tourne vers le passé, on croit pouvoir affirmer que les animaux, les vertébrés, les mammifères, les primates et enfin l'homme *devaient* apparaître. Il n'en est rien. La naissance de chacune de ces lignées d'organismes a été purement fortuite et imprévisible. »

La fin chaotique des espèces vivantes

par Roman Ikonicoff

La science a aussi son « star system », peuplé d'étoiles et de seconds rôles. Si l'extinction des dinosaures, il y a 65 millions d'années, arrive largement en tête de
5 l'audimat des grandes énigmes de l'évolution, elle n'est pas, loin s'en faut, son mystère le plus troublant. Car l'histoire « récente » de la vie sur Terre
10 (600 millions d'années, alors que la vie est née voilà plus de 3,5 milliards d'années) est ponctuée de multiples et tragiques disparitions. Parfois bru-
15 talement, parfois incroyablement lentement, des milliards d'espèces (entre 5 et 50, estime-t-on) ont été jetées aux oubliettes de l'évolution. Là gît
20 la véritable énigme.

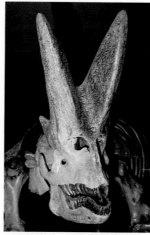

Arsinoitherium. Mammifère de l'oligocène (-35 Ma à -23 Ma).

Mais voici qu'un article iconoclaste de la revue *Nature* (21 août 1997) replace sur le devant de la scène le débat sur les causes des innombrables extinctions, au point d'éclipser la tragédie
25 des dinosaures elle-même. La nouveauté ne réside pas dans l'élaboration d'une énième hypothèse sur ces causes, à côté de celles qui prévalent déjà : énormes éruptions volcaniques,
30 gigantesques météorites heurtant la Terre, dévastatrices épidémies planétaires, etc. L'innovation vient cette fois des mathématiques et de la physique. Elle porte un nom : « théorie des sys-
35 tèmes critiques auto-organisés », l'une des branches issues de la « théorie de la complexité ».

En résumé, les quatre auteurs de l'article, le biologiste et physicien
40 Ricard Solé, la physicienne Susanna

Manrubia (tous deux espagnols), le paléonto-logue britannique Michael Benton et le physicien danois Per Bak, démontrent, équations à l'appui, que les extinctions (grandes et petites)
45 des espèces suivent une dynamique comparable à celle des avalanches qui se produisent dans un tas de sable.

Une loi dite de « bruit de scintillation »

50 Tout enfant sait qu'un tas de sable est un édi-fice instable et capricieux : si l'on y verse un filet de sable, le tas croît bizarrement. En termes plus techniques, la croissance d'une telle struc-ture se fait par une succession d'avalanches plus

55 ou moins impor-tantes. Au début, les grains de sable ajoutés glissent, puis s'immobi-
60 lisent rapidement sur la paroi du tas, dont la pente s'ac-centue. Vient un moment où le
65 supplément d'une infime quantité de sable (en théorie, un seul grain) provoque l'avalanche générale. La pente du tas décroît et sa base s'élargit.

Puis, de nouveau, les grains de sable s'accu-
70 mulent sur les flancs du tas ; le tas s'effondre…

Uintatherium. Mammifère de l'éocène (-54 Ma à -35 Ma).

Les cinq plus grandes extinctions

Parmi les innombrables extinctions qui ont ponctué le développement de la vie depuis 600 millions d'années, les paléontologues en dis-tinguent cinq, particulièrement meurtrières. Ils les nomment les « extinctions de masse ».

La première a lieu il y a 440 millions d'années, à la fin de l'ordovicien : 60 % des espèces (animales et végétales), dont 85 % des espèces marines, disparaissent. La deuxième prend place à la fin du dévonien (il y a 360 millions d'années). Elle ne dure que 7 millions d'années et atteint aussi 60 % des espèces.

La troisième grande ex-tinction de masse, la plus terri-fiante, est mieux connue que les précédentes. À la fin du permien (voilà 250 millions d'années), 90 % des espèces marines s'éteignent en 1 million d'années seulement. Chez les espèces terrestres, plus des deux tiers des familles de reptiles et d'am-phibiens ainsi que 30 % des ordres d'insectes disparaissent. Or, il est avéré qu'au moment de cette extinction l'environnement est très dégradé : le niveau de la mer a énormément baissé, l'atmos-phère est moins riche en oxygène et de gigan-tesques éruptions volcaniques font rage en Chine du Sud. Une modification radicale de la biodi-versité de la planète succède à cette catastrophe.

La quatrième extinction, à la fin du trias (205 millions d'années), supprime 20 % des familles peuplant la Terre. Nombre de reptiles, les gastéropodes et les bivalves sont éliminés.

Enfin, l'extinction la plus célèbre éclate il y a 65 millions d'années, entre la fin du crétacé et le début du tertiaire. Outre les sympathiques et photogéniques dinosaures, plus de la moitié des reptiles succombent, ainsi que la moitié des genres marins. En revanche, les amphibiens et les mammifères s'en tirent sains et saufs. Principale (mais pas forcément unique) coupable : une météorite de 10 km de diamètre qui s'écrase près de l'actuelle péninsule du Yucatán, au Mexique.

Les scientifiques voient là l'exemple d'un système critique auto-organisé (SCAO). « Critique » car il est instable, « auto-organisé » car il se réarrange naturellement. Les systèmes de ce type, d'une complexité insurmontable pour qui cherche à modéliser le comportement de l'ensemble à partir de chacun des éléments (en l'occurrence, le grain de sable), ont paradoxalement des caractéristiques globales simples. Notamment, la fréquence des avalanches et leur amplitude sont liées par une loi dite de « bruit de scintillation » : plus l'avalanche est importante, moins elle est fréquente, et inversement.

Que signifie « Notre biosphère est un système critique auto-organisé » ? Le jargon scientifique masque parfois la simplicité des concepts. En l'occurrence, cela signifie que la totalité des êtres vivants et le milieu dans lequel ils s'épanouissent forment un ensemble stable mais fragile (« critique »), aux liens multiples et complexes. La modification, même modeste, de l'un des paramètres du système peut altérer son équilibre global — instable — et entraîner une « avalanche » au cours de laquelle les liens se réorganisent. Le système retrouve alors une stabilité précaire. Le tas de sable répond à cette définition […].

Des milliards d'espèces ont vécu ; 99,9 % ont disparu

Pour en revenir au problème de l'extinction, les spécialistes ont déjà formulé des avalanches d'hypothèses sur leurs causes probables. Mais la paléontologie est une science si complexe que les conjectures naissent et s'éteignent à un rythme effréné… L'analyse du phénomène de l'extinction des espèces au moyen de la dynamique des SCAO non seulement n'infirme aucune des hypothèses couramment admises, mais permet même de les relier à l'intérieur d'un concept plus global. C'est précisément ce qui manquait aux paléontologues.

Car ces derniers sont confrontés à un très large éventail de faits plus ou moins établis. Depuis 600 millions d'années, au moins 99,9 % des 5 à 50 milliards d'espèces qui ont vu le jour se sont éteintes : le nombre d'espèces vivantes avoisine aujourd'hui 40 millions. Les extinctions ont été soit très rapides (au regard du temps géologique), soit très lentes. Pour ajouter

Archaeonycteris. Mammifère volant ressemblant à une chauve-souris (éocène : -54 Ma à -35 Ma).

à la confusion, les extinctions touchent simultanément de nombreuses espèces — on parle alors d'extinction de masse (voir encadré) — ou bien se concentrent sur quelques-unes, voire une seule. De plus, les espèces ont une durée de vie moyenne de 4 millions d'années, mais certaines (notamment les requins, les cœlacanthes, les blattes et les limules) existent sous la même forme depuis des centaines de millions d'années, et rien ne dit qu'elles disparaîtront un jour.

L'extinction n'en reste pas moins un phénomène si commun que — première hypothèse — on lui attribue un caractère « évolutionniste » ou darwinien : les espèces s'éteignent car elles sont génétiquement moins bien adaptées à la vie. S'il est vrai que les extinctions ont autorisé l'apparition d'espèces plus évoluées, plusieurs lignages prometteurs ont aussi été éliminés. Bref, dans un nombre non négligeable de cas, le destin semble avoir choisi ses victimes au hasard.

D'où la seconde hypothèse : les extinctions sont certes sélectives, mais non au sens darwinien. Les causes seraient non pas génétiques mais environnementales : les espèces auraient succombé à un changement des conditions extérieures survenu au sein de leur habitat. Il pourrait s'agir d'une variation du climat (réchauffement ou refroidissement), de la montée ou de la descente du niveau de la mer, d'une altération des gaz qui composent l'atmosphère, de l'avènement d'une catastrophe naturelle (éruptions volcaniques ou chute d'une météorite), de l'extinction d'une espèce géographiquement voisine constituant une source alimentaire importante, etc. Un faisceau de preuves plaide en faveur de cette théorie, sans pour autant exclure l'hypothèse darwinienne.

Glyptodon. Mammifère du pliocène (-5,3 Ma à -1,8 Ma).

Si la cause principale de la disparition des dinosaures (et des vertébrés marins) à la fin du crétacé est aujourd'hui attribuée à une météorite, de nombreuses autres extinctions restent partiellement, voire totalement, inexpliquées. Dès lors, qu'apportent de neuf les quatre chercheurs ? Ils relient, sans les exclure, toutes les hypothèses à l'intérieur d'une structure cohérente.

Mais leur construction va plus loin. Les systèmes critiques auto-organisés se caractérisent principalement par leur extrême sensibilité aux perturbations. Pourquoi évoquer une catastrophe naturelle majeure, alors qu'une minime altération de la biosphère suffit ? Le battement d'ailes d'un archéoptéryx aurait pu provoquer l'extinction de milliers d'individus !

Peut-on espérer déterminer, grâce au nouveau modèle, l'ensemble des causes des extinctions passées et prévoir les prochaines ? Hélas, non. Les systèmes auto-organisés ne se prêtent pas à la prédiction.

Extraits de *Science & Vie*, n° 962, novembre 1997, p. 74-80.

Comprendre l'extinction

L'extinction est un sujet de recherche difficile. On ne peut, dans ce domaine, faire d'expérience cruciale, et les déductions y sont souvent influencées par des présupposés fondés sur des théories générales. Il y a, cependant, un certain nombre de choses que nous pouvons avancer au sujet des extinctions avec une confiance assurée — à partir de solides observations faites sur les fossiles et les organismes vivants :

1. *Les espèces ne sont pas éternelles.* Aucune espèce d'organisme complexe n'a duré plus que l'équivalent d'une petite partie de l'histoire de la vie. On pourrait dire d'une espèce qui aurait duré 10 millions d'années qu'elle aurait eu une vie inhabituellement longue, et pourtant cela ne représente qu'environ 0,25 % de la durée totale de la vie sur la Terre.

2. *Les espèces représentées seulement par une petite population sont faciles à tuer.* Si une espèce compte moins d'individus que sa population viable minimum (PVM), son extinction à bref délai est probable, quoique pas automatique.

3. *Les espèces très répandues sont difficiles à tuer.* L'extinction d'une espèce ne peut être accomplie que par l'élimination de toutes ses populations reproductrices. Si elle est produite par un prédateur, il faut que celui-ci agisse sur toute l'aire de distribution de l'espèce. Si la cause de l'extinction est une perturbation physique mortelle, elle doit se manifester partout où vit l'espèce.

4. *L'extinction des espèces très répandues est favorisée par une première agression.* La résistance d'une espèce largement répandue à l'extinction peut être entamée si une agression (biologique ou physique grave) survient soudainement sur une vaste superficie.

5. L'extinction d'espèces largement répandues est favorisée par des agressions auxquelles elles ne sont habituellement pas exposées. La plupart des plantes et des animaux ont acquis par évolution des défenses contre les vicissitudes normales de leur environnement. Mais une agression que n'a jamais rencontrée une espèce peut conduire celle-ci à l'extinction.

6. *L'extinction simultanée de nombreuses espèces requiert des agressions affectant en même temps des milieux variés.* Les mécanismes d'extinction qui provoquent l'effondrement de tout un écosystème affectent rarement plus qu'un genre d'habitat. Mais les plus grandes extinctions observées dans les archives fossiles ont clairement eu une plus grande ampleur.

Stegosaurus. Dinosaure du jurassique (-200 Ma à -136 Ma).

Des six points présentés précédemment, le cinquième — selon lequel des agressions « normales » ne peuvent éliminer des espèces très répandues — mérite une discussion plus approfondie. Il y a peut-être une exception, représentée par les maladies épidémiques.

On dispose de nombreuses données au sujet de décimations rapides d'espèces sur de vastes régions par le biais de maladies, un exemple étant d'ailleurs les épidémies provoquées dans l'espèce humaine par divers organismes infectieux.

Cependant, les cas où des espèces très répandues ont été, par ce mécanisme, poussées à une extinction totale sont extrêmement rares [...].

Le châtaignier américain a été jadis une importante composante de la strate des plus grands arbres (comme le chêne et le noyer) de la forêt localisée au nord-ouest des États-Unis. En 1906, un champignon (importé accidentellement de Chine) se répandit dans cette région, tuant tous les grands châtaigniers. Mais dans la mesure où ses racines ne sont pas touchées par le champignon, l'espèce a survécu sur toute son aire de distribution. À présent, le châtaignier fait partie, au sein de la forêt, de la strate des arbres moins grands, dans la mesure où il atteint six mètres de haut, avant d'être tué par le champignon. Ainsi, quoique ce cas soit cité couramment comme exemple d'extinction due à une maladie, l'espèce est encore répandue sur une vaste région, maintenant des populations stables. Il reste à voir si le châtaignier continuera à être un arbre de strate inférieure ou bien acquerra, par évolution, une résistance au champignon, et retrouvera son statut originel de grand arbre.

Il se pourrait aussi que la quasi-absence d'exemples d'extinctions provoquées par une maladie provienne simplement du fait que la civilisation humaine ne s'est développée que depuis quelques milliers d'années, et que durant ce court laps de temps, elle n'a jamais eu l'occasion d'observer de phénomène de ce genre. Aussi, on peut dire que les maladies infectieuses peuvent être classées parmi les agressions « normales » ayant la capacité éventuelle d'exterminer une espèce largement répandue, bien que cela ne soit pas prouvé.

Extraits de David M. RAUP, *De l'extinction des espèces*, traduction de Marcel Blanc, Paris, © Éditions Gallimard, 1993, p. 189-192.

LES GRANDS DISPARUS

par Roger Tétreault

La Terre a déjà abrité une faune de mammifères beaucoup plus diversifiée que celle, pourtant magnifique, que l'on peut
5 *observer aujourd'hui.*

Le vaste monde des mammifères contemporains, des minuscules rongeurs aux grands prédateurs en passant par les imposantes baleines, n'est
10 qu'un pâle reflet de la biodiversité qui existait il y a seulement quelques milliers d'années. En effet, les rangs des mammifères ont été décimés à plusieurs reprises. Par des phénomènes naturels,
15 bien sûr, mais aussi par la main de l'homme. Et les dégâts ont été importants.

Des études statistiques effectuées sur l'en-
20 semble du dossier des mammifères fossiles, c'est-à-dire sur une période d'environ 65 millions d'années, suggèrent que chaque espèce a
25 vécu, en moyenne, un million d'années avant de disparaître complètement ou de subir des transformations morphologiques.

Or, au cours de cette longue période, on
30 estime que, pour chaque espèce de mammifères présente aujourd'hui, entre 30 et 50 autres ont disparu. Comme il existe actuellement environ 4300 espèces de mammifères sur Terre, c'est

Amebelodon. Mammifère du pliocène (-5,3 Ma à -1,8 Ma).

près de 200 000 espèces qui ont vécu depuis que
35 le groupe a commencé son aventure !

Des exemples ? Il y a aujourd'hui 5 espèces de rhinocéros et 2 espèces d'éléphants alors que les restes fossilisés nous indiquent qu'il y a eu au moins 200 autres
40 espèces de rhinocéros et plus de 150 éléphants. Les primates ? On en dénombre 200 espèces (singes, lémuriens, tarsiens) de nos jours contre 6500 dans le passé ! Et atten-
45 tion : s'il n'y a aujourd'hui qu'une seule espèce d'hominidés, tout indique qu'il y en aurait déjà eu près d'une vingtaine !

Le dossier des fossiles nous a également appris que la vie sur Terre a connu des moments
50 difficiles. Le grand cheminement des êtres vivants a été ponctué de catastrophes colossales, provoquant l'extinction de milliers d'espèces. Durant ces grands moments de silence, jusqu'à 80 % des espèces existantes ont été éliminées. La
55 plus connue de ces extinctions, celle qui s'est glissée dans le bagage commun des connaissances, est la disparition des dinosaures. Mais au moins 2 autres extinctions importantes ont eu lieu avant leur règne, dont l'une a éliminé 80 % des
60 espèces marines il y a un demi-milliard d'années !

Au cours du dernier million d'années, pas moins de 10 périodes glaciaires ont sévi dans
65 l'hémisphère Nord de la Terre, à des intervalles d'environ 100 000 ans. La dernière glaciation a débuté il y a environ 70 000 ans, a
70 atteint son maximum il y a 18 000 ans et s'est terminée il y a tout juste 8000 ans.

La fin de ce dernier million d'années est marquée par
75 un fait troublant : en plusieurs endroits du monde, particulièrement dans les deux Amériques, un grand nombre d'espèces ani-
80 males ont complètement

Synthetoceras. Mammifère du miocène (-23 Ma à -5,3 Ma).

disparu et ce, en seule-
ment quelques millé-
naires. C'est beaucoup
trop rapide par rapport
85 au rythme normal d'évolution et d'extinction des
espèces. En Amérique
seulement sont disparus
les mastodontes et les
90 mammouths, les cha-
meaux, les chevaux, les
paresseux, les orignaux
et les castors géants…

Jusqu'à récemment,
95 deux hypothèses s'af-
frontaient pour expliquer
ces disparitions brutales.

Certains croient que
ces brusques extinctions
100 sont dues à des changements radicaux d'habi-
tats et de conditions climatiques provoqués par
les glaciations et les ré-
105 chauffements successifs.

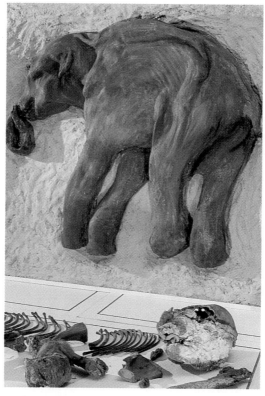

«Dima», jeune mammouth remarquablement bien
conservé par le froid pendant 40 000 ans. Les mammouths
se sont éteints il y a 10 000 ans.

D'autant plus que ces variations du climat ont
une influence sur la nature et la répartition de
la flore, source d'alimentation primaire dans la
chaîne des animaux.

110 La deuxième hypothèse, qui rallie la majorité des chercheurs, accuse les êtres humains de
ce massacre. En effet, en Amérique, la majorité
des extinctions s'est produite il y a plusieurs
milliers d'années, soit de 11 000 à 8000 ans
115 avant notre ère. Or, cela coïncide, à quelques millénaires près, avec l'arrivée de l'homme sur ce
continent.

À cette époque, l'homme vit encore de chasse
et de cueillette; il ne maîtrisera l'agriculture que
120 beaucoup plus tard. Ce chasseur, qui perfec-
tionne son art depuis des millénaires, est redoutable, efficace, bien armé et expérimenté.
L'abondance de nourriture lui assure une rapide
croissance démographique: on pense qu'il n'a pas
125 mis plus d'un millénaire pour s'étendre de
l'Alaska à la Patagonie, la pointe de l'Amérique
du Sud. Ce serait donc la chasse qui aurait

décimé les populations
animaux de l'Amérique.

130 Cette hypothèse est
renforcée par le fait qu'on
constate le même syn-
chronisme — arrivée de
l'homme / extinction
135 rapide d'espèces — en
d'autres endroits du
monde colonisés tar-
divement: l'Australie, la
Nouvelle-Zélande, les îles
140 du Pacifique et les îles de
la Méditerranée. Il serait
étonnant que toutes ces
espèces animales se soient
mises d'accord pour tom-
145 ber raides mortes à l'arrivée de l'homme!

Récemment, une troi-
sième hypothèse a été proposée par un chercheur du
150 Musée américain d'histoire
naturelle de New York.
Selon Ross MacPhee, les
espèces disparues auraient été victimes d'un micro-
organisme mortel, virus ou bactérie, inconnu de
155 leur système immunitaire et transporté par l'homme ou les ani-
maux qui l'ac-
compagnent,
comme le chien
160 et le rat. Pour que
l'hypothèse soit
viable, ce micro-
organisme doit
remplir plusieurs
165 conditions: il doit
agir rapidement;
il doit frapper
tous les groupes
d'âge d'une po-

Rhinocéros laineux. Mammifère du pléistocène supérieur (-100 000 ans à -10 000 ans).

170 pulation animale donnée; le porteur, homme ou
animal, doit constituer un réservoir indépendant
de la maladie et ne pas en être affecté lui-même;
l'infection doit agir sur plusieurs espèces animales
à la fois.

175 Pour trouver l'agent responsable, Ross MacPhee et ses collaborateurs soumettent des restes momifiés de ces animaux à des tests de dépistage génétique. Trouver les vestiges d'une telle maladie, si elle a vraiment existé, n'est pas 180 une tâche facile. Pour le moment, aucune des hypothèses du chercheur n'a été confirmée.

Toutes ces extinctions n'ont probablement pas de cause unique. Toutes les causes possibles évoquées précédem- 185 ment ont existé — changements climatiques, chasse, maladies — et peut-être d'autres auxquelles on 190 n'a pas encore pensé. De plus, on sait que dans le passé la Terre a été frappée par des météorites, que le 195 Soleil a parfois eu des comportements capricieux, que l'atmosphère n'est pas toujours la couche protectrice que 200 l'on pense…

Pour une raison ou pour une autre, les espèces qui ont péri n'ont pas su s'adapter. 205 Trop faible variété génétique, manque de souplesse de leurs comportements, qui sait? Ou, peut-être, 210 est-ce tout simplement que les changements ont été trop soutenus et trop rapides et que certains animaux n'ont pas été capables de s'adapter dans le court laps de temps qui leur était accordé.

215 L'histoire de la vie sur Terre ne suit pas de plan préconçu. C'est plutôt une histoire opportuniste. Et la morphologie des animaux est contingente: ce qui fonctionne survit, ce qui ne fonctionne pas est rejeté.

Extraits de *Québec Science*, vol. 36, n° 3, novembre 1997, p. 23-27.

Megatherium. Mammifère du pléistocène (-1,8 Ma à -700 000 ans).

Le cas de la *petite poule de bruyère*

L'extermination de la petite poule de bruyère par la chasse excessive est l'un des exemples classiques d'extinction et l'un de ceux survenus à notre époque sur lequel on dispose de plus d'in-
5 formations. Les activités humaines y ont joué le rôle principal, mais plusieurs aspects complexes font de ce cas une bonne introduction à la question des causes biologiques des extinctions.

Lorsque les États-Unis étaient une colonie,
10 la petite poule de bruyère était un gibier facile à abattre, et abondant sur la plus grande partie de la côte Est, du Maine à la Virginie. La chasse intensive, couplée à la destruction de son habitat par une population humaine en voie d'ex-
15 pansion, a graduellement réduit l'aire de distribution géographique de la petite poule de bruyère. Vers 1840, celle-ci se cantonna à Long Island, certains secteurs de la Pennsylvanie, le New Jersey et quelques autres places. À partir
20 de 1870, elle ne se rencontra plus que sur l'île de Martha's Vineyard, au large de la côte du Massachusetts. La population de ce gallinacé n'a ensuite cessé de décliner en ce lieu jusqu'en 1908, date à laquelle on décida d'établir une
25 réserve de 600 hectares pour protéger les cinquante derniers oiseaux.

Grâce à cette protection, la population de Martha's Vineyard grandit de façon continue. Les oiseaux se répandirent dans toute l'île et leur
30 nombre atteignit environ 2000 vers 1915. La chasse en avait été interdite depuis longtemps, et le refuge était protégé contre les incendies par diverses mesures. Donc, tout allait bien.

Puis, à partir de 1916, une série d'événe-
35 ments, pour la plupart naturels, conduisit à l'extinction finale de cet animal. Il s'agit de:

1. un incendie déclenché par des causes naturelles et propagé par de forts coups de vent, ce qui détruisit la plus grande partie du territoire de reproduction ;

Autour. Rapace prédateur de la petite poule de bruyère.

2. un hiver rigoureux, qui succéda immédiatement à l'incendie, et coïncida avec l'arrivée d'un rapace prédateur, l'autour, en nombre inhabituellement élevé ;

3. la consanguinité, provoquée par la réduction de la population et une proportion des sexes accidentellement déséquilibrée ;

4. une maladie frappant les volailles, transmise par les dindes domestiques, et qui tua un nombre substantiel des poules de bruyère restantes. En 1927, il n'y avait plus que onze mâles et deux femelles, et, vers la fin de 1928, un seul oiseau. Il fut aperçu pour la dernière fois le 11 mars 1932.

La fin de la petite poule de bruyère s'est déroulée en deux stades distincts. Le premier a correspondu à la survenue d'une perturbation dévastatrice — la chasse humaine excessive. Cela a conduit à diminuer drastiquement l'aire de distribution géographique de l'oiseau. Le second stade, qui a débuté en 1916, a été constitué par la série d'événements accidentels — certains physiques, d'autres biologiques — qui a conduit à l'extinction finale. Aucun d'eux n'aurait eu de grande importance si l'aire de distribution de l'espèce n'avait déjà été limitée à l'île de Martha's Vineyard. L'incendie, la prédation exercée par le rapace, la consanguinité, et probablement la maladie des volailles, n'auraient pas eu autant d'impact si la petite poule de bruyère avait été encore répandue du Maine à la Virginie.

Extraits de David M. Raup, *De l'extinction des espèces*, traduction de Marcel Blanc, Paris, © Éditions Gallimard, 1993, p. 127-129.

La fin du dodo dut ressembler à un cauchemar

Le dodo de l'île Maurice, un gros oiseau proche du pigeon, pouvait peser jusqu'à 10 kilos ! Fait curieux, le dodo, qui ne volait pas, n'avait pas de prédateur. Voilà sans doute pourquoi cet oiseau peu apte à s'enfuir a pu survivre et se développer. Voilà sans doute aussi pourquoi il fut une proie facile pour les premiers explorateurs européens.

En très peu de temps, soit entre 1665 et 1670, le dodo avait disparu.

Ils sont partout, innombrables et invisibles. Leurs différents [5] modes de vie et de reproduction leur ont permis de s'adapter [10] à tous les types de milieux et de coloniser la quasi-totalité de la planète.

Les champignons

par Stéphane Durand

[15] Qu'est-ce qu'un champignon ?

Ni tige, ni feuille, ni racine, les champignons n'ont aucun organe différencié. Leurs cellules allongées sont alignées les unes derrière les autres, [20] en filaments. Un champignon est une masse de filaments entremêlés en un feutrage très fin appelé mycélium. Mais il peut ne posséder qu'une seule cellule : c'est le cas de la levure de bière. Les champignons sont discrets et ne trahissent leur [25] présence qu'au moment de la reproduction, lorsqu'ils émettent un pied et un chapeau.

Utiles ou nuisibles ? Inoffensifs ou dangereux ?

Utiles et nuisibles, tout dépend des espèces et [30] du contexte. Grands décomposeurs de matières organiques, les champignons saprophytes se développent sur les matériaux les plus divers dès que l'humidité et la température sont favorables : récoltes de céréales, fruits, légumes, tissus, cuirs, [35] bois d'habitation, livres, voire certains plastiques… Ils rendent aussi de grands services dans le domaine de la santé et de l'agroalimentaire. Ils produisent des enzymes, des antibiotiques comme la pénicilline et des médicaments comme la cyclosporine, qui [40] sert à prévenir le rejet des greffes d'organes. Certains *Penicillium* servent à fabriquer des fromages — bleu, roquefort, brie, camembert — et la levure de bière *Saccharomyces cerevisae* transforme le sucre en alcool et libère des bulles de gaz [45] carbonique qui font lever la pâte.

En s'attaquant directement aux organismes vivants, les champignons parasites sont la cause de nombreuses maladies chez l'homme, les animaux et les plantes. *Ceratocystis ulmi* a envahi l'Amérique [50] du Nord après la Première Guerre mondiale et a pratiquement éliminé l'orme d'Amérique *Ulmus americana*. Les champignons parasites peuvent aussi aider les agriculteurs dans leur lutte contre les insectes ravageurs.

55 Enfin, les champignons ont un grand intérêt gastronomique. Leur valeur est surtout gustative car ils contiennent près de 90 % d'eau. Plus proches de la viande que des légumes par leurs apports en sels minéraux (phosphore, potassium,
60 fer) et en protéines, ils sont pauvres en graisse mais riches en vitamine (B). Malheureusement, de nombreux champignons sont de véritables accumulateurs de polluants, métaux lourds et autres éléments radioactifs. Ces substances sont trans-
65 portées par l'eau dont les champignons sont gorgés, comme des éponges. C'est pourquoi il ne faut jamais manger de champignons cueillis au bord d'une route.

Le problème le plus délicat reste de
70 différencier les comestibles des toxiques. Il n'y a aucune règle générale et seule la détermination par un spécialiste permet de savoir à quelle espèce on a affaire. Peu de champignons sont réellement dangereux, mais ils sont très
75 communs. Et rien ne les distingue franchement des autres. Près de 90 % des décès sont dus à l'amanite phalloïde *Amanita phalloïdes*. Ses couleurs sont très variables et elle peut être confondue avec des espèces comestibles. Pas de goût ni d'odeur ca-
80 ractéristiques et ses toxines ne sont détruites ni par la cuisson ni par le séchage. Les symptômes de l'empoisonnement apparaissent au minimum six heures après l'ingestion : destruction systématique des cellules hépatiques. La mort survient
85 dans 20 % à 30 % des cas, en quatre à neuf jours. Il n'y a pas d'antidote spécifique.

© *La Recherche* (extraits), n° 302, octobre 1997, p. 98-101.

La marguerite est une fleur

par Jean-François Bouvet

Marguerite, t'aimons-nous un peu, beaucoup, passionnément… ou pas du tout ? Car l'aimable badinerie qui fait de toi une effeuilleuse détruit tes fleurs par centaines.
5 Il est vrai que tu t'ingénies à faire passer pour fleur unique ce qui n'est autre qu'une inflorescence, un massif fleuri dénommé « capitule ».

Cette imposture végétale nous fait prendre pour de simples pétales ces pièces blanches
10 périphériques que l'on arrache allègrement pour tester l'intensité aléatoire de nos sentiments amoureux. Or il s'agit en fait de fleurs femelles disposées en couronne. Chacune de ces fleurs délicates est munie de cinq pétales soudés. Trois
15 d'entre eux, plus allongés, forment cette expansion immaculée sur laquelle on tire sans vergogne. Quant aux éléments jaunes qui forment un tapis dense au centre du capitule, ils correspondent à des centaines de petites fleurs en tube
20 appelées « fleurons ». Ces fleurons sont hermaphrodites, c'est-à-dire à la fois mâles et femelles.

Les talents d'illusionniste de la marguerite ne sont certes pas sans intérêt pour l'espèce.
25 Les fleurs périphériques jouent le rôle de pétales et attirent les insectes auxquels elles servent en quelque sorte de balises. Après atterrissage sur ce parterre fleuri qu'est le capitule, un insecte pourra polliniser de nombreuses fleurs en une
30 seule visite. Mais l'architecture collectiviste a aussi ses inconvénients : la rupture de la tige par

un flâneur sentimental se traduit par la perte de centaines de fleurs.

Ceux qui ont un cœur d'artichaut pourront
35 toujours se rabattre sur ce rustique végétal qui appartient aussi à la famille des composées. Car ce que l'on appelle le « foin » est un massif de centaines de fleurs tubuleuses et délicates rassemblées en capitule. Les fleurs sont protégées par
40 les bractées, ces sortes de feuilles dont nous consommons la base charnue. Si les guides du savoir-vivre indiquent que l'effeuillage des artichauts peut se pratiquer à la main, ils ne précisent malheureusement pas si cette opéra-
45 tion peut aussi s'appliquer aux fleurs du foin. Dans le doute, pour le badinage, mieux vaut s'en tenir aux marguerites.

Dans la famille des composées, on recherche aussi l'edelweiss qui en fait bien partie malgré
50 les apparences. À première vue, un edelweiss apparaît comme une fleur unique munie de pétales blancs, épais et laineux, entourant des éléments jaunes que l'on pourrait confondre avec de simples étamines. En fait, les
55 pièces blanches périphériques ne sont pas des pétales, mais des bractées, et les éléments jaunes sont des capitules. Chacun d'eux est l'équivalent d'un capitule de marguerite en réduction, avec des fleurs femelles à la périphérie et des fleurons
60 au centre. Un edelweiss correspond donc à un ensemble de petits parterres fleuris. Cette plante moderne a franchi un pas de plus dans l'évolution en associant plusieurs massifs en un seul édifice qu'elle réussit à faire prendre pour une fleur
65 unique. Inutile en tout cas d'être botaniste pour l'aimer à la folie ; l'edelweiss, qui souffre de cet amour destructeur, pourrait bien disparaître.

Car si les plantes ont inventé les fleurs, c'était pour mieux se reproduire. Elles n'ont
70 hélas pas prévu qu'un bipède un peu niais vouerait à leur subtile élégance une passion dévastatrice.

Extrait de *Du fer dans les épinards et autres idées reçues*, sous la direction de Jean-François Bouvet (ouvrage collectif), Paris, © Éditions du Seuil, 1997, p. 77-78.

Millefeuille

L'achillée millefeuille est une herbacée dont la tige peut atteindre un mètre
5 et se divise en son sommet en capitules à fleurs blanches ou rosées. Elle pousse dans les prairies sèches, à la lisière des forêts et le long des haies et des chemins. On emploie surtout les sommités fleuries que l'on récolte en juin et en
10 juillet. Les sucs amers qu'elle contient ont la propriété de stimuler l'appétit. Mélangée à de la camomille et de la menthe poivrée, elle donne une tisane recommandée en cas de troubles gastriques ou de diarrhée et pour faciliter l'évacua-
15 tion de la bile. Elle est communément employée sous forme d'infusion bien chaude pour lutter contre la fièvre et la grippe. Du fait de sa haute teneur en calcium, la tisane d'achillée constitue un excellent fortifiant.
20 L'huile essentielle et les flavonoïdes contenues dans la millefeuille ont des propriétés anti-inflammatoires, désinfectantes et antispasmodiques. L'achillée a le pouvoir de guérir les maux saignants. On l'emploie donc pour
25 calmer les hémorroïdes, les crachements de sang,

les saignements de nez, les menstruations trop abondantes. C'est d'ailleurs à ses propriétés hémostatiques qu'elle doit son appellation fort ancienne d'« herbe aux coupures ». L'achillée est
30 utilisée sous forme de décoction pour laver les plaies, et en bains comme régulateur de la circulation.

Le suc de plante fraîche a la réputation de stimuler le métabolisme basal, la circulation du
35 sang et les défenses de l'organisme. L'achillée millefeuille est également recommandée dans le traitement des spasmes utérins et des douleurs qui accompagnent la menstruation. Pour tonifier l'appareil urinaire et les poumons encombrés
40 de façon chronique par les mucosités, certains préconisent une cure de printemps à base d'extraits de cresson et de millefeuille. L'application de cataplasmes de suc d'achillée a un effet bénéfique sur les ulcères et les furoncles. En cas d'al-
45 lergie, il faut interrompre le traitement.

Extrait de Franck J. Lipp, *Les plantes et leurs secrets*, Paris, © Éditions Albin Michel, 1996, p. 28.

Alchémille commune

L'alchémille, qu'on appelle aussi mantelet-des-dames en raison de la forme très particulière de ses feuilles, pousse dans les taillis, les prairies humides et en bordure des
5 forêts. Ses courtes tiges portent des cymes de petites fleurs jaunes. Quant aux feuilles, que l'on récolte aux mois de juin et de juillet, elles dessinent une rosette au cœur de laquelle se forme, au moment de la rosée ou après la pluie,
10 une goutte d'eau. La plante doit son nom aux alchimistes qui recueillaient avec le plus grand soin ce liquide réputé pour ses vertus magiques.

Du fait de ses propriétés hémostatiques et astringentes, on recommande l'herbe des alchi-
15 mistes en cas de troubles digestifs, de diarrhées et d'entérite. Verser une tasse d'eau bouillante sur une cuillerée à café de feuilles ayant préalablement macéré. Laisser infuser dix à quinze minutes et consommer deux à trois fois par jour.
20 L'infusion d'alchémille soulage les troubles de la ménopause et les règles trop abondantes. Elle s'emploie sous forme d'injections vaginales dans le traitement des leucorrhées, en gargarismes contre les maux de gorge et l'inflam-
25 mation des muqueuses, en applications externes et en bains pour soigner les plaies infectées, les yeux irrités, l'eczéma et les furoncles.

Extrait de Franck J. Lipp, *Les plantes et leurs secrets*, Paris, © Éditions Albin Michel, 1996, p. 29.

Bardane

Cette herbacée bisannuelle, qui peut atteindre 1 mètre de hauteur, se rencontre au bord des chemins et des rivières et sur les terrains incultes. On utilise surtout sa racine
5 que l'on récolte et fait sécher à l'air libre en automne ou au début du printemps. Elle contient du fer, de l'acide nicotinique, de la vitamine C et de l'inuline. La bardane a une action diurétique et sudorifique. On l'utilise en infusion en
10 cas de rhume et de troubles gastriques. On s'en sert aussi sous forme de décoction à prendre 3 fois par jour : laisser macérer 2 cuillères à café de racine dans 50 cl d'eau froide pendant 5 heures. Faire bouillir et filtrer.
15 La bardane a des propriétés antalgiques et fongicides qui la rendent efficace dans nombre d'affections cutanées. Les macérations de feuilles fraîches ou de racines s'emploient pour traiter les irritations de la peau, les brûlures, les plaies, la
20 goutte, les furoncles, la rougeole, l'acné, la teigne, l'herpès, l'eczéma et la gale. En
25 ajoutant du vinaigre à une décoction de racines de bardane et d'ortie (10 g de chaque
30 plante pour 25 cl d'eau), on obtient une lotion capillaire tonifiante ; dans les cas de démangeaisons du cuir chevelu et de pellicules, appliquer une préparation de racines de bardane ayant macéré dans de l'huile d'olive ou de sésame.

Extrait de Franck J. LIPP, *Les plantes et leurs secrets*, Paris, © Éditions Albin Michel, 1996, p. 29.

Romarin

Le romarin, en stimulant l'appareil circulatoire, le système nerveux et les voies digestives, soigne les crampes, les coliques et les flatulences. Il contient une
5 huile essentielle hypotensive, astringente, sudorifique et diurétique. Cette plante de la région méditerranéenne, qui exerce un effet relaxant sur les muscles lisses, a aussi des vertus antioxydantes, antiseptiques et antimicrobiennes.
10 L'essence de romarin entre dans la préparation de baumes et d'onguents que l'on applique en cas de goutte, de rhumatismes, de migraines

nerveuses, de névralgies, de douleur musculaire, d'entorses ou de fatigue et d'enflure des pieds.

15 Pour stimuler et tonifier la peau, ajouter des extraits de romarin à l'eau du bain. La plante entre également dans la composition de lotions capillaires.

Préparé sous forme de vin ou de teinture, le
20 romarin soigne les œdèmes, les inflammations du foie, les affections du système nerveux et les palpitations cardiaques. Les médecins arabes en prescrivaient aux malades ayant perdu l'usage de la parole à la suite d'une attaque. En Chine,
25 on le recommande contre les insomnies, les maux de tête et la fatigue cérébrale. La fameuse « eau de la reine de Hongrie », à base de romarin, a joui en son temps d'une très grande renommée. Elle a été utilisée pour traiter l'apoplexie, les
30 paralysies et l'épilepsie. L'infusion de romarin est un tonique traditionnel d'automne et de printemps, recommandé aux convalescents. Elle a aussi servi contre l'anémie, la grippe, la mauvaise haleine, les crises nerveuses chez les enfants et
35 les vertiges.

Les premiers moines chrétiens ont apporté le romarin en Europe du Nord, où ils l'ont cultivé dans leurs jardins. On mettait des brins de la plante dans les coffres remplis de vêtements
40 pour les protéger des mites et on en faisait brûler pour désinfecter les chambres des malades. Au moment des fêtes de Noël, on décorait les pièces avec cette plante odorante. Le romarin améliore la digestion. Mélangé à du thym, il parfume
45 agréablement les viandes rôties, les gâteaux secs, les confitures, les salades de fruits et les soupes de légumes. Mais il est recommandé d'utiliser la plante avec modération car, à haute dose, elle provoque des spasmes et des vertiges. L'huile
50 essentielle de romarin entre dans la formule des eaux de Cologne, du vermouth et de certains parfums. Les abeilles qui butinent du romarin font un miel délicieusement parfumé.

Extrait de Franck J. LIPP, *Les plantes et leurs secrets*, Paris,
© Éditions Albin Michel, 1996, p. 60.

Pourquoi certaines plantes sont-elles carnivores ?

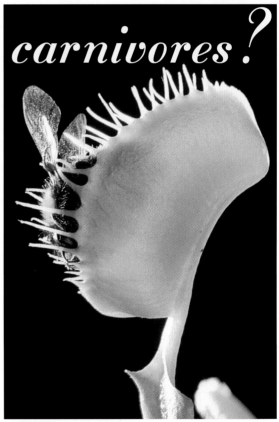

Les deux lobes d'une dionée se sont rabattus sur leur victime.

Selon les lois de la nature, ce sont habituellement les animaux qui se nourrissent de végétaux (ou d'autres animaux), et non l'inverse. Il existe pourtant plus
5 de 500 espèces de plantes qui disposent des moyens les plus ingénieux pour capturer leurs proies.

Les plus connues parmi les plantes carnivores sont les droséras, les népenthès, les sarracenias, les utriculaires et les dionées. Elles poussent généralement dans des sols acides et marécageux, pauvres en azote, un nutriment pourtant essentiel à la croissance. Des expériences de laboratoire montrent que les plantes carnivores peuvent cependant survivre sans manger leurs proies, puisque, comme les autres végétaux, elles utilisent la lumière, le dioxyde de carbone et l'eau pour élaborer leur alimentation par photosynthèse. Mais, sans un supplément carné, elles sont moins robustes et, mises en compétition avec des plantes plus vigoureuses, elles disparaîtraient rapidement. Les plantes carnivores ont transformé leurs feuilles en pièges sophistiqués, chargés de capturer chaque proie et d'en digérer les substances nutritives. Chez les sarracenias, la décomposition des organismes capturés est facilitée par les bactéries. Les droseras et les utriculaires sécrètent des enzymes digestives et des sucs acides.

Les népenthès capturent leurs proies de façon passive, grâce à leurs ascidies — des organes en forme d'urne placés au bout des feuilles. Attirés par le nectar qui se trouve au fond de l'ascidie, les insectes s'aventurent sur le col de l'urne, perdent pied sur le revêtement interne, très glissant, et tombent dans le piège. Certains népenthès ont des ascidies assez grosses pour capturer des petits mammifères, des scorpions et des reptiles. Une espèce native de Bornéo, *Nepenthes rajah*, possède des ascidies de 35 cm de long et 18 cm de large pouvant engloutir un petit rat.

Le droséra englue ses victimes dans une substance visqueuse sécrétée par les poils tentaculaires qui garnissent ses feuilles. Chez la dionée, les feuilles sont terminées par un limbe à deux lobes bordés d'épines et garnis de poils : dès qu'un insecte les effleure, ceux-ci déclenchent la fermeture de la feuille. Les deux lobes se rabattent alors sur l'infortunée victime, et les épines s'entrecroisent pour former une cage inextricable et mortelle.

Le piège le plus élaboré appartient toutefois aux utriculaires, des plantes aquatiques qui appâtent leurs proies avec du mucus et du sucre. Sur leurs rameaux immergés, elles portent de petites outres — les utricules — remplies d'air et munies de valves s'ouvrant vers l'intérieur. La larve ou le petit crustacé qui s'aventurent à proximité de la plante, attirés par la solution sucrée, effleurent des poils et déclenchent aussitôt l'ouverture de la valve. L'eau s'engouffre aussitôt dans l'utricule, entraînant les animaux aquatiques, et la valve se referme.

Il existe également des champignons carnivores, tel *Dactylella*, qui capture des anguillules en les étranglant avec ses filaments (les hyphes). Lorsque le ver passe la tête ou la queue dans la boucle formée par le filament, le nœud se resserre. Le champignon déploie alors une autre hyphe pour dévorer le cadavre.

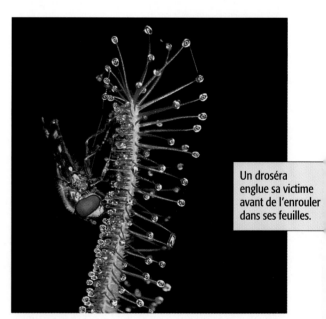

Un droséra englue sa victime avant de l'enrouler dans ses feuilles.

Extraits de *Tous les pourquoi du monde*, © 1995, Sélection du Reader's Digest (Canada) Ltée, Montréal, p. 316, reproduits avec autorisation.

Microcosme

Dossier

Lionel LeMoine FitzGerald (1890-1956), *Vue depuis une fenêtre à l'étage, en hiver*, 1950-1951, Musée des beaux-arts du Canada, Ottawa.

MICHÈLE LALONDE

Poète, essayiste et dramaturge, la Québécoise Michèle Lalonde est née en 1953 à Montréal. Femme engagée, Michèle Lalonde se porte à la défense des opprimés, des apatrides. Le poème *Apatrie* a pour thème central le métissage de la nation et de la langue québécoise.

Apatrie

Je suis fille de race blanche
issue d'un métissage entre l'histoire et la légende
ne demandez ni mon nom ni la couleur de mon teint
je suis noire

5 tatouée de terre et de suie
je porte les marques de ma tribu
lys de givre et fine croix de destin
cicatrisent à mon front

vêtue des vents de ce pays
10 je suis fille de l'exil
indigène de la douleur
j'ai la nuque docile de nos servitudes
les poings durs et gercés fermés sur la rancune
ne riez pas de moi ne riez pas
15 l'âme percluse d'ancêtres
je vieillis de mère en fille
comme l'apatride mère-patrie
[...]

Michèle LALONDE, *Défense et illustration de la langue québécoise* (extrait),
Paris, Éditions Seghers et Robert Laffont, 1979.

« SI TU OUVRES LES YEUX… »

GATIEN LAPOINTE

Le poète québécois Gatien Lapointe est né à Sainte-Justine en 1931. Au début de son recueil intitulé *Le Premier Mot* précédé de *Le Pari de ne pas mourir*, Gatien Lapointe précise sa vocation de poète : « La poésie, c'est d'abord pour moi un homme condamné à mourir et qui dit NON [...]. La poésie, comme toute expression artistique, j'imagine, est la manifestation de cette revendication, de cette révolte fondamentale[1]. »

Si tu ouvres les yeux,
Si tu poses les mains
Sur la neige, les oiseaux, les arbres, les bêtes
Patiemment, doucement,
5 Avec tout le poids de ton cœur ;

Si tu prends le temps par la main
Et si tu regardes la terre
Patiemment, doucement ;

Si tu reconnais les hommes d'ici,
10 Si tu reconnais cette douleur
Qui tremble au fond de leurs prunelles ;

Si tu écris les mots amour et solitude
Patiemment, doucement,
Sur chaque maison, sur chaque saison ;

15 Si tu nommes le pain, le sang, le jour, la nuit
Et ce feu sauvage et précis
Qui brûle au cœur de toute chose ;

Si tu embrasses chaque mort de ton enfance
Patiemment, doucement,
20 Avec tout le poids de ton désespoir —

Alors ton pays pourra naître.

Gatien LAPOINTE, *Corps de l'instant*,
Trois-Rivières, Écrits des Forges, 1983.

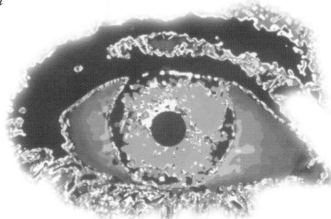

---

1. Gatien LAPOINTE cité par Réginald HAMEL, John HARE et Paul WYCZYNSKI dans le *Dictionnaire des auteurs de langue française en Amérique du Nord,* Montréal, Éditions Fides, 1989, p. 798.

JACQUES BRAULT

Le poète, critique, nouvelliste, dramaturge, romancier et philosophe québécois Jacques Brault est né en 1933 à Montréal. Dans son œuvre poétique, l'auteur traite notamment des souffrances et des joies du quotidien, de liberté individuelle ou collective, de la vie et de la mort. Ainsi, dans *Suite fraternelle,* il s'adresse à son frère Gilles, décédé à la guerre, et il lui parle du pays. Jacques Brault est aussi connu pour son œuvre critique sur des poètes québécois (Gaston Miron, Alain Grandbois et Saint-Denys Garneau).

Suite fraternelle

Je me souviens de toi Gilles mon frère oublié dans la terre de
Sicile je me souviens d'un matin d'été à Montréal je suivais ton
cercueil vide j'avais dix ans je ne savais pas encore
[…]

5 Maintenant je sais que tu es mort avec une petite bête froide dans
la gorge avec une sale peur aux tripes j'entends toujours tes vingt
ans qui plient dans les herbes crissantes de juillet

Et nous nous demeurons pareils à nous-mêmes rauques
comme la rengaine de nos misères
[…]

Pays de pâleur suspecte pays de rage rentrée pays bourré
10 d'ouate et de silence pays de faces tordues et tendues sur des
mains osseuses comme une peau d'éventail délicate et morte pays
hérissé d'arêtes et de lois coupantes pays bourrelé de ventres coupables
pays d'attente lisse et froide comme le verglas sur le dos de
la plaine pays de mort anonyme pays d'horreur grassouillette pays
15 de cigales de cristaux de briques d'épinettes de grêle de fourrure
de fièvres de torpeur pays qui s'ennuie du peau-rouge illimité
[…]

Tu n'es pas mort en vain Gilles et tu persistes en nos saisons
remueuses
Et nous aussi nous persistons comme le rire des vagues au fond
20 de chaque anse pleureuse

Paix sur mon pays recommencé dans nos nuits bruissantes
    d'enfants
Le matin va venir il va venir comme la tiédeur soudaine
    d'avril et son parfum de lait bouilli
25 Il fait lumière dans ta mort Gilles il fait lumière dans
    ma fraternelle souvenance
La mort n'est qu'une petite fille à soulever de terre je
    la porte dans mes bras comme le pays nous porte
    Gilles

30 Voici l'heure où le temps feutre ses pas
Voici l'heure où personne ne va mourir
Sous la crue de l'aube une main à la taille fine des ajoncs
Il paraît
Sanglant
35 Et plus nu que le bœuf écorché
Le soleil de la toundra
Il regarde le blanc corps ovale des mares sous la neige
Et de son œil mesure le pays à pétrir

Ô glaise des hommes et de la terre comme une seule pâte qui
40   lève et craquelle
Lorsque l'amande tiédit au creux de la main et songeuse en
    sa pâte se replie
Lorsque le museau des pierres s'enfouit plus profond dans
    le ventre de la terre
45 Lorsque la rivière étire ses membres dans le lit de la savane
Et frileuse écoute le biceps des glaces étreindre le pays
    sauvage

Voici qu'un peuple apprend à se mettre debout
Debout et tourné vers la magie du pôle debout entre trois
50   océans
[…]

Jacques BRAULT, *Poèmes 1* (extraits), Saint-Hippolyte, Le Noroît-La table rase, 1986.

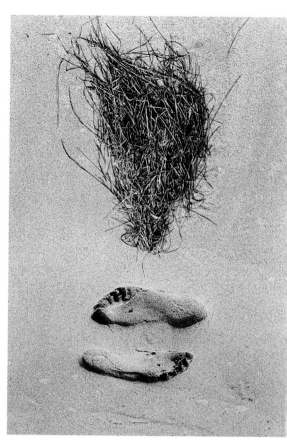

LOUISE FISET

La dramaturge et poète Louise Fiset est aussi journaliste, annonceure, comédienne et musicienne. Elle est née à Ottawa en 1955. Tout au long de ses déplacements avec sa famille, de l'Ontario au Manitoba, et au Nouveau-Brunswick, elle récolte les fragments de son identité francophone. Dans son poème *La faille mémoriale*, elle aborde le thème de l'identité métisse.

La faille mémoriale

Il ne faudrait surtout pas que tu te fasses accroire
que l'idée d'un pays se serait effacée sans laisser de traces
sur ton être métis.
Le soleil a jeté des horizons en feu au fond de tes yeux.
5   Et quand je te vois
j'ai l'impression d'être enfermée
de l'autre côté d'une grande vitrine cassée.
Dans la réflexion, nos visages sont fracturés.
Je n'ai que mes mains pour toucher et suivre le rêve
10   qui glisse le long de la faille tracée à la surface.
Elle nous sépare en deux moitiés :
ce que tu as écrit dans le titre de cette grande terre
s'est dissipé maintenant pour toi.
Ô belle âme des plaines !
15   Tes visions sont brodées de perles colorées
dans les fleurs qui retiennent les rêves
sur des vêtements de cuir pour les cérémonies.
Dans les effluves de la sauge brûlée
les mains passent et repassent sur le corps
20   pour se ganter de la mémoire émanant de la chair.
Et je ne peux m'empêcher de sonder la révélation
des chevreuils qui sortent de ton corps
en broutant l'espoir qui ne meurt pas.
Je t'entends parler dans une langue
25   aux beaux archets de soie.
La rupture s'agrandira
dès que j'ouvrirai la bouche
pour m'exprimer dans une langue corrigée.

Et dire que nous avons tout le ciel à remplir
30   toi, de lendemains éthérés
et moi, de mes chansons sourdes
pour finalement m'en délester.

Louise FISET, *Soul pleureur*, Saint-Boniface,
Les Éditions du Blé, 1998.

FERNAND OUELLETTE

À la fois poète, essayiste et romancier, le Québécois Fernand Ouellette est né en 1930 à Montréal. Dans son œuvre poétique, l'auteur aborde souvent les thèmes de l'amour, tant spirituel que physique, et de la mort. Dans le poème *Mémoire*, à l'innommable douleur causée par la Deuxième Guerre mondiale, il ne peut opposer que « l'amour [qui] vint survivre ».

Mémoire

Le soleil s'entrouvre,
large fosse d'esprit-feu,
où je marche avec mon mal,
vers nos morts sans corps.

5   Varsovie
        Buchenwald
        Oradour
        Hiroshima[1]

Quand l'innommable laissa le jour,
10 effondré comme un dieu en pourriture,
immensément il creusa le bas du ciel.

Dans la trace encore chaude
funèbre du solaire,
l'amour vint survivre.

15   Morts de Varsovie
        Buchenwald
        Oradour
        Hiroshima

sortez du soleil!

20 Revenez pour le ruisseau,
les rose et rossignol.

Fernand OUELLETTE, *Poésie*, Montréal,
© Éditions de l'Hexagone, 1979.

---

1. L'auteur évoque ici quatre lieux où se déroulèrent des événements atroces durant la Seconde Guerre mondiale : extermination des Juifs du ghetto de Varsovie, en Pologne ; internement et décès de plus de 50 000 personnes à Buchenwald, camp de concentration allemand ; massacre des habitants du village d'Oradour-sur-Glane, en France ; explosion de la bombe atomique à Hiroshima, au Japon.

ALFRED DESROCHERS

L'auteur québécois Alfred Desrochers (1901-1978) est originaire de Saint-Élie d'Orford. Poète du terroir, Alfred Desrochers parle de ses origines, de ses ancêtres, du pays, etc. Dans « *Je suis un fils déchu...* », il s'efforce de traduire la rigueur des grands espaces blancs et la vie aride des personnes qui y vivent.

« *Je suis un fils déchu...* »

Je suis un fils déchu de race surhumaine,
Race de violents, de forts, de hasardeux,
Et j'ai le mal du pays neuf, que je tiens d'eux,
Quand viennent les jours gris que septembre ramène.

5 Tout le passé brutal de ces coureurs des bois:
Chasseurs, trappeurs, scieurs de long, flotteurs de cages,
Marchands aventuriers ou travailleurs à gages,
M'ordonne d'émigrer par en haut pour cinq mois.

Et je rêve d'aller comme allaient les ancêtres:
10 J'entends pleurer en moi les grands espaces blancs,
Qu'ils parcouraient, nimbés de souffles d'ouragans,
Et j'abhorre comme eux la contrainte des maîtres.

Quand s'abattait sur eux l'orage des fléaux,
Ils maudissaient le val, ils maudissaient la plaine,
15 Ils maudissaient les loups qui les privaient de laine:
Leurs malédictions engourdissaient leurs maux.

Mais quand le souvenir de l'épouse lointaine
Secouait brusquement les sites devant eux,
Du revers de leur manche ils s'essuyaient les yeux
20 Et leur bouche entonnait: «À la claire fontaine»...

Ils l'ont si bien redite aux échos des forêts,
Cette chanson naïve où le rossignol chante,
Sur la plus haute branche, une chanson touchante,
Qu'elle se mêle à mes pensers les plus secrets:

Goodridge Roberts (1904-1974), *Lac Orford*, 1945, Musée des beaux-arts du Canada, Ottawa.

25 Si je courbe le dos sous d'invisibles charges,
    Dans l'âcre brouhaha de départs oppressants,
    Et si, devant l'obstacle ou le lien, je sens
    Le frisson batailleur qui crispait leurs poings larges ;

    Si d'eux, qui n'ont jamais connu le désespoir,
30 Qui sont morts en rêvant d'asservir la nature,
    Je tiens ce maladif instinct de l'aventure,
    Dont je suis quelquefois tout envoûté, le soir :

    Par nos ans sans vigueur, je suis comme le hêtre
    Dont la sève a tari sans qu'il soit dépouillé,
35 Et c'est de désirs morts que je suis enfeuillé,
    Quand je rêve d'aller comme allait mon ancêtre ;

    Mais les mots indistincts que profère ma voix
    Sont encore : un rosier, une source, un branchage,
    Un chêne, un rossignol parmi le clair feuillage,
40 Et comme au temps de mon aïeul, coureur des bois,

    Ma joie ou ma douleur chantent le paysage.

Alfred DESROCHERS, *À l'ombre de l'Orford* suivi de *L'offrande aux vierges folles*, Montréal, © Éditions Fides, 1948, © Bibliothèque québécoise, 1997.

ISABELLE LEGRIS

L'auteure québécoise Isabelle Legris est poète, romancière et traductrice. Elle est née en 1928 à Victoriaville. Souvent marquée par des images fortes où la nature occupe une place importante, la poésie d'Isabelle Legris parle d'angoisse et de vie.

[...]

voici revenues ces balustrades
    de moire hideuse
    les plus illustres terrasses
    et les chants dans les barricades
5   livre que toujours
    le soleil éclaire
devenu enfin l'image de l'ombre

le livre humilié
que le monde portait
10   dans les pentes des tempêtes

voici la muraille allongée par le temps

avec elle la mémoire d'escalader longtemps
    les jours ne rompant rien

la pensée s'ouvre aux ailes des muses

15 le monde se déroule en serpent

le jour liquide tombe d'un torrent
sans remuer la clarté

la haute mer scintille aussi
brûlure sur la terre
20 l'inquiétude m'ouvrira
des luisances septentrionales
terre libérée.

Isabelle LEGRIS, *Le sceau de l'ellipse* (extrait), Montréal, © Éditions de l'Hexagone, 1979.

L'enfant prodigue

GILLES HÉNAULT

Le poète, critique d'art et journaliste québécois Gilles Hénault est né en 1920 à Saint-Majorique. Auteur engagé, Gilles Hénault aborde des thèmes comme la justice et le pays. Dans *L'enfant prodigue*, il décrit, à l'aide d'images bien concrètes, la perte d'idéal qui accompagne souvent l'âge adulte.

L'enfant qui jouait le voilà maigre et courbé
L'enfant qui pleurait le voilà les yeux brûlés
L'enfant qui dansait une ronde le voilà qui court après
    le tramway
5 L'enfant qui voulait la lune le voilà satisfait d'une
    bouchée de pain
L'enfant fou et révolté, l'enfant au bout de la ville
dans les rues étrangères
L'enfant des aventures
10 sur la glace de la rivière
L'enfant perché sur les clôtures
le voilà dans l'étroit chemin de son devoir quotidien
L'enfant libre et court vêtu, le voilà
travesti en panneau-réclame, en homme-sandwich
15 affublé de lois en carton-pâte, prisonnier de mesquines
    défenses
asservi et ligoté, le voilà traqué au nom de la justice
L'enfant du beau sang rouge et du bon sang
le voilà devenu fantôme d'opéra tragique
20 L'enfant prodigue
L'enfant prodige, le voilà devenu homme
l'homme de time is money et l'homme du bel canto
l'homme rivé à son travail qui est de river
toute la journée
25 l'homme des dimanches après-midi en pantoufles
et des interminables parties de bridge
l'homme innombrable du sport de quelques hommes
et l'homme du petit compte en banque
pour payer l'enterrement d'une enfance morte
30 vers sa quinzième année.

Gilles HÉNAULT, *Signaux pour les voyants*, Montréal, Éditions TYPO, 1994.
© Éditions TYPO et Gilles Hénault.

MARJO ET JEAN MILLAIRE

La parolière et interprète québécoise Marjo, de son vrai nom Marjolaine Morin, est née à Montréal en 1953. Écrites sous le signe de la vie, de l'amour et de la liberté, pleines de tendresse et de sensibilité, les chansons de Marjo vont droit au cœur. Marjo travaille en collaboration étroite avec le musicien québécois Jean Millaire.

Chats sauvages

On n'apprivoise pas les chats sauvages
Pas plus qu'on met en cage les oiseaux de la terre
Faut les laisser aller comme on les laisse venir au monde
Faut surtout les aimer, jamais chercher à les garder
5 Tout doucement je veux voyager
En te jasant d'amour et de liberté

On n'emprisonne pas les cœurs volages
Pas plus qu'on coupe les ailes aux oiseaux de la terre
Faut les laisser aller toujours sans chercher à comprendre
10 Ils marchent seuls et n'ont qu'un seul langage
Celui de l'amour celui de la vie
Ils chantent pour toi si t'en as envie

J'me sens un peu comme le chat sauvage
Et j'ai les ailes du cœur volage
15 J'veux pas qu'on m'apprivoise
J'veux pas non plus qu'on m'mette en cage
J'veux être aimée pour ce que j'ai à te donner
Tout doucement je veux voyager
En te jasant d'amour et de liberté

20 Cette chanson elle est pour nous
Elle jase d'amour et de liberté
Cette chanson elle est pour nous
Elle jase d'amour et de liberté

MARJO et Jean MILLAIRE, ©Les Productions musicales Celle qui va.

Michelle Puelo, *Renard*, 1967.

Le Loup et Le Chien

Un Loup n'avait que les os et la peau,
  Tant les chiens faisaient bonne garde.
Ce Loup rencontre un Dogue aussi puissant que beau,
Gras, poli, qui s'était fourvoyé par mégarde.
5   L'attaquer, le mettre en quartiers,
    Sir Loup l'eût fait volontiers;
    Mais il fallait livrer bataille,
    Et le mâtin était de taille
    À se défendre hardiment.
10   Le Loup donc l'aborde humblement,
Entre en propos, et lui fait compliment
    Sur son embonpoint, qu'il admire.
    « Il ne tiendra qu'à vous beau sire,
D'être aussi gras que moi, lui repartit le Chien.
15   Quittez les bois, vous ferez bien :
    Vos pareils y sont misérables,
    Cancres, hères, et pauvres diables,
Dont la condition est de mourir de faim.
Car quoi ? rien d'assuré : point de franche lippée ;
20   Tout à la pointe de l'épée.
Suivez-moi : vous aurez un bien meilleur destin. »
    Le Loup reprit : « Que me faudra-t-il faire ?
— Presque rien, dit le Chien : donner la chasse aux gens
    Portants bâtons, et mendiants ;
25 Flatter ceux du logis, à son maître complaire :
    Moyennant quoi votre salaire
Sera force reliefs de toutes les façons,
    Os de poulets, os de pigeons,
    Sans parler de mainte caresse. »
30 Le Loup déjà se forge une félicité
    Qui le fait pleurer de tendresse.
Chemin faisant, il vit le col du Chien pelé.
« Qu'est-ce là ? lui dit-il. — Rien. — Quoi ? rien ? — Peu de chose.
    — Mais encor ? — Le collier dont je suis attaché
35 De ce que vous voyez est peut-être la cause.
    — Attaché ? dit le Loup : vous ne courez donc pas
    Où vous voulez ? — Pas toujours ; mais qu'importe ?
    — Il importe si bien, que de tous vos repas
    Je ne veux en aucune sorte,
40 Et ne voudrais pas même à ce prix un trésor. »
Cela dit, maître Loup s'enfuit, et court encor.

Jean de La FONTAINE.

JEAN DE LA FONTAINE

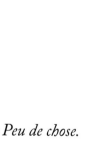

L'auteur français Jean de La Fontaine (1621-1695) est connu pour ses nombreuses fables. Dans ces œuvres destinées à la fois à instruire et à distraire, l'auteur se sert d'animaux pour formuler une moralité. Ainsi, dans *Le Loup et le Chien*, le loup fait clairement comprendre à son compagnon que la liberté n'a pas de prix.

Le poète, romancier et critique français Robert Sabatier est né à Paris en 1923. De style plutôt traditionnel (rythme régulier parfois accompagné de rimes), sa poésie est empreinte de sensibilité et fait preuve d'ouverture d'esprit. Robert Sabatier est aussi connu pour son *Histoire de la poésie française* en huit volumes.

La liberté NAQUIT

La liberté naquit de la parole,
  Elle fut chant dès son premier éveil
  Et nul ne put jamais la museler
  Sans en périr à lui-même et au monde.

5 Ce bel oiseau que l'on tient dans sa cage,
  Ce rossignol dont on crève les yeux,
  Cet enchaîné du corps et des abysses,
  Même en prison se dira l'être libre.

  « J'écris ton nom… » répétait un poète[1]
10 — Qui ricana : « Ce pourrait être Amour
  Ou bien tout mot qu'on met en majuscule » ?
  Mais c'était vrai, car ce grand mot gigogne
  En contient mille et qui parlent de joie.

  Cours mon cheval avec tes quatre fers,
15 Le premier d'air et le second de feu.
  Trois, c'est la terre et quatre l'eau des rêves
  Et le chemin, c'est le monde où tu vis.

  Dansons l'orage et dansons l'arc-en-ciel,
  Je vous convie à la fête éternelle.
20 Mon bel enfant, les os de ton festin,
  Garde-les-moi, j'en ferai des reliques,
  Ils chanteront comme de jeunes flûtes.

Robert SABATIER, *Icare et autres poèmes*, Paris, Éditions Albin Michel, 1976. Reproduit avec l'autorisation des Éditions Albin Michel.

---

1. « J'écris ton nom… » : premier vers de *Liberté*, le célèbre poème écrit par Paul Éluard en 1942.

À ma fille

GENEVIÈVE AMYOT

La Québécoise Geneviève Amyot est née à Saint-Augustin en 1945. Poète et romancière, elle aime jouer sur les mots et juxtaposer des images poétiques « extravagantes », particulièrement dans son recueil de poèmes *La mort était extravagante*. Dans le poème *À ma fille*, Geneviève Amyot utilise, pour s'adresser à sa fille, une langue aux images évocatrices.

Ma fabuleuse   mon incroyable

mon étrangère   mon obscure
ma si terriblement fraternelle

ma tête de pioche   ma douce   mon inquiète

5   mes petites mains chaudes

mon amande   ma lumière
mes tresses
mon horloge impeccable

mon ruisseau de têtards et de roches
10   mon sac d'école   mes bottes neuves
mon effaceuse
mon dernier paradis

je te porte encore tout entière
dans la chaleur entêtée de ma chair qui s'étiole
15   je te tiendrai jusqu'à la fin
où je te ferai signe de ferveur

ma si vive aux racines extrêmes de l'amour

ma platée de gruau   ma chambre forte
ma mère   mon glaïeul

20   ma petite chienne pâle
mon eau de Pâques

mon oiseau de voyage
mon grand réseau d'artères
ma sauteuse

25   ma résurrection

Elizabeth Wyn Wood (1903-1966), *Mouvement,* Musée des beaux-arts du Canada, Ottawa.

Geneviève AMYOT. © Geneviève Amyot et Revue Trois, vol. II, nº 1-2, Laval, 1996.

Le poète québécois Hector de Saint-Denys
Garneau (1912-1943) est né à Montréal. Il
écrit ses premiers poèmes à compter de
1923. Son œuvre se distingue par la grande
liberté de ses formes, par la variété de ses
points de vue (ironique, ludique, terre à terre,
etc.) et par ses thèmes (angoisse, solitude,
spiritualité, combat contre la mort, etc.). Saint-
Denys Garneau a joué un rôle déterminant dans
l'histoire de la poésie moderne au Québec.

Le Jeu

Ne me dérangez pas je suis profondément occupé

Un enfant est en train de bâtir un village
C'est une ville, un comté
Et qui sait
       Tantôt l'univers.

5

  Il joue

Ces cubes de bois sont des maisons qu'il déplace
           et des châteaux
Cette planche fait signe d'un toit qui penche
           ça n'est pas mal à voir
10
Ce n'est pas peu de savoir où va tourner la route
         de cartes
Cela pourrait changer complètement
         le cours de la rivière
15 À cause du pont qui fait un si beau mirage
         dans l'eau du tapis
C'est facile d'avoir un grand arbre
Et de mettre au-dessous une montagne
         pour qu'il soit en haut.

20 Joie de jouer! paradis des libertés!
Et surtout n'allez pas mettre un pied dans
         la chambre
On ne sait jamais ce qui peut être dans ce coin
Et si vous n'allez pas écraser la plus chère
25   des fleurs invisibles

Voilà ma boîte à jouets
Pleine de mots pour faire de merveilleux enlacements
Les allier séparer marier,
Déroulements tantôt de danse
30 Et tout à l'heure le clair éclat du rire
Qu'on croyait perdu

Une tendre chiquenaude
Et l'étoile
Qui se balançait sans prendre garde
35 Au bout d'un fil trop ténu de lumière
Tombe dans l'eau et fait des ronds.

De l'amour de la tendresse qui donc oserait en douter
Mais pas deux sous de respect pour l'ordre établi
Et la politesse et cette chère discipline
40 Une légèreté et des manières à scandaliser les
         grandes personnes

Il vous arrange les mots comme si c'étaient de
         simples chansons
Et dans ses yeux on peut lire son espiègle plaisir
45 À voir que sous les mots il déplace toutes choses
Et qu'il en agit avec les montagnes
Comme s'il les possédait en propre.
Il met la chambre à l'envers et vraiment l'on
         ne s'y reconnaît plus
50 Comme si c'était un plaisir de berner les gens.

Daniel Nevins, *L'arbre à rêve*, 1993.

Et pourtant dans son œil gauche quand le droit rit
Une gravité de l'autre monde s'attache à la feuille
                      d'un arbre
Comme si cela pouvait avoir une grande importance
55 Avait autant de poids dans sa balance
Que la guerre d'Éthiopie
Dans celle de l'Angleterre.

Nous ne sommes pas des comptables

Tout le monde peut voir une piastre de papier vert
60 Mais qui peut voir au travers
                  si ce n'est un enfant
Qui peut comme lui voir au travers en toute liberté
Sans que du tout la piastre l'empêche
                ni ses limites

65 Ni sa valeur d'une seule piastre

Mais il voit par cette vitrine des milliers de
                    jouets merveilleux
Et n'a pas envie de choisir parmi ces trésors
Ni désir ni nécessité
70 Lui
Mais ses yeux sont grands pour tout prendre.

Hector de Saint-Denys GARNEAU, *Poésies complètes*, 1949.

Le poète québécois Émile Nelligan (1879-1941) est né à Montréal. Il n'a que 16 ans lorsque paraît son premier poème. La carrière de cet adolescent hypersensible et doué sera toutefois de courte durée : dès 1899, il est interné et il finira ses jours dans un établissement psychiatrique.

Contrairement aux poètes qui l'ont précédé, Émile Nelligan ne puise pas son inspiration dans le terroir et la patrie mais bien dans son « je » intérieur, et ses poèmes reprennent des thèmes tels la vie, la mort, la mère. Le poème *Devant le feu* diffuse la nostalgie et le désespoir qu'on retrouve souvent dans l'œuvre de cet auteur.

Devant le feu

Par les hivers anciens, quand nous portions la robe,
Tout petits, frais, rosés, tapageurs et joufflus,
Avec nos grands albums, hélas! que l'on n'a plus,
Comme on croyait déjà posséder tout le globe!

5 Assis en rond, le soir, au coin du feu, par groupes,
Image sur image, ainsi combien joyeux,
Nous feuilletions, voyant, la gloire dans les yeux,
Passer de beaux dragons qui chevauchaient en troupe!

Je fus de ces heureux d'alors, mais aujourd'hui,
10 Les pieds sur les chenets, le front terne d'ennui,
Moi qui me sens toujours l'amertume dans l'âme,

J'aperçois défiler dans un album de flamme,
Ma jeunesse qui va, comme un soldat passant
Au champ noir de la vie, arme au poing, toute en sang!

Émile NELLIGAN, *Poésies complètes 1896-1899*
(texte établi et annoté par Luc LACOURSIÈRE),
Montréal, Éditions Fides, 1996.

« Ô souvenirs !
Printemps !
Aurore !... »

Ô souvenirs ! Printemps ! Aurore !
Doux rayon triste et réchauffant !
— Lorsqu'elle était petite encore,
Que sa sœur était tout enfant... —
[...]

5   Nous jouions toute la journée.
Ô jeux charmants ! chers entretiens !
Le soir, comme elle était l'aînée,
Elle me disait : « Père, viens !

Nous allons t'apporter ta chaise,
10   Conte-nous une histoire, dis ! »
Et je voyais rayonner d'aise
Tous ces regards du paradis.

Alors, prodiguant les carnages,
J'inventais un conte profond
15   Dont je trouvais les personnages
Parmi les ombres du plafond.

Toujours, ces quatre douces têtes
Riaient, comme à cet âge on rit,
De voir d'affreux géants très-bêtes
20   Vaincus par des nains pleins d'esprit.

J'étais l'Arioste et l'Homère
D'un poème éclos d'un seul jet ;
Pendant que je parlais, leur mère
Les regardait rire, et songeait.

25   Leur aïeul, qui lisait dans l'ombre,
Sur eux parfois levait les yeux,
Et moi, par la fenêtre sombre
J'entrevoyais un coin des cieux !

Victor HUGO, *Les contemplations* (extrait), 1856.

VICTOR HUGO

Victor Hugo (1802-1885) est un écrivain français qui a touché à tous les genres littéraires avec un égal bonheur. Doté d'une imagination sans bornes et d'une technique très sure, Victor Hugo a donné naissance à une œuvre imposante. Profondément marqué par les décès de sa femme et de ses enfants, il a écrit nombre de poèmes qui évoquent avec une immense tendresse les moments de bonheur passés en famille.

Pierre-Auguste Renoir (1841-1919),
Madame Charpentier et ses enfants.

CHARLES BAUDELAIRE

Tour à tour critique d'art, traducteur et poète, le Français Charles Baudelaire (1821-1867) a connu une vie mouvementée qui se reflète dans son œuvre poétique. Celle-ci est marquée par le désir de l'auteur de fuir la monotonie du présent, par sa fascination pour la mort et par sa conscience aiguë de l'ambivalence de la réalité. Le désir de rendre au mieux cette dualité a poussé Baudelaire à utiliser fréquemment les métaphores, comparaisons, métonymies et appositions caractéristiques de son œuvre.

L'albatros

Souvent, pour s'amuser, les hommes d'équipage
Prennent des albatros, vastes oiseaux des mers,
Qui suivent, indolents compagnons de voyage,
Le navire glissant sur les gouffres amers.

5 À peine les ont-ils déposés sur les planches,
Que ces rois de l'azur, maladroits et honteux,
Laissent piteusement leurs grandes ailes blanches
Comme des avirons traîner à côté d'eux.

Ce voyageur ailé, comme il est gauche et veule !
10 Lui, naguère si beau, qu'il est comique et laid !
L'un agace son bec avec un brûle-gueule,
L'autre mime, en boitant, l'infirme qui volait !

Le Poète est semblable au prince des nuées
Qui hante la tempête et se rit de l'archer ;
15 Exilé sur le sol au milieu des huées,
Ses ailes de géant l'empêchent de marcher.

Charles BAUDELAIRE, *Les fleurs du mal*, 1861.

Les chats

Les amoureux fervents et les savants austères
Aiment également, dans leur mûre saison,
Les chats puissants et doux, orgueil de la maison,
Qui comme eux sont frileux et comme eux sédentaires.

5 Amis de la science et de la volupté
Ils cherchent le silence et l'horreur des ténèbres ;
L'Érèbe[1] les eût pris pour ses coursiers funèbres
S'ils pouvaient au servage incliner leur fierté.

Ils prennent en songeant les nobles attitudes
10 Des grands sphinx allongés au fond des solitudes,
Qui semblent s'endormir dans un rêve sans fin ;

Leurs reins féconds sont pleins d'étincelles magiques,
Et des parcelles d'or, ainsi qu'un sable fin,
Étoilent vaguement leurs prunelles mystiques.

Charles BAUDELAIRE, *Les fleurs du mal*, 1861.

---

1. Érèbe : Partie la plus ténébreuse des Enfers.

DENISE BOUCHER

L'auteure québécoise Denise Boucher est connue en tant que poète, journaliste, dramaturge et parolière. Elle est née à Victoriaville, en 1935. Dans son recueil *Paris Polaroïd et autres voyages*, Denise Boucher «[...] rapporte de Paris et de Mexico, de Barcelone et de Gaspé, des poèmes qui sont autant de cartes postales d'amour du monde[1]. » Certaines de ses chansons ont connu beaucoup de succès, notamment *Angela*, qu'interprétait Gerry Boulet.

«il y a le bien…»

il y a le bien
il y a le mal
il y a l'indifférence
il y a l'amour
5 il y a la haine
il y a l'impuissance
et certainement d'autres œufs
dans notre panier nos valises
quelque chose d'inopiné
10 et de très fin peut-être
d'aussi petit qu'une épingle à chapeau
la peur et le respect
bloquent nos désirs
devant le Waldorf Astoria

Denise BOUCHER, *Paris Polaroïd et autres voyages*, Montréal,
Éditions de l'Hexagone, 1990. © 1990 Éditions de l'Hexagone et Denise Boucher.

1. Denise BOUCHER, *Paris Polaroïd et autres voyages*, Montréal,
  © Éditions de l'Hexagone, 1990, couverture.

Index des auteurs et des œuvres littéraires

Source des documents iconographiques

(b. : bas ; c. : centre ; dr. : droit ; f. : fond ; g. : gauche ; h. : haut ; P. : Publiphoto ; P.I. : Ponopress International ; R.P. : Réflexion Photothèque ; S. : Superstock ; T.S.I. : Tony Stone Images)

Page couverture Ozias Leduc, *Le petit liseur* (aussi appelé *Le jeune élève*), 1894/© Ozias Leduc, 1998/VIS*ART Droit d'auteur inc./Musée des beaux-arts du Canada, Ottawa
1 André Rouillard, S. **2** (h.g.) *Julio Cortázar*, novembre 1974/Photo : Jacques Robert © Gallimard **2** (c.g.), **3-4** Kaktus Foto, S. **5** Jacana, P. **6** (montage) Jacana, P. ; Kaktus Foto, S. **7** (c.dr.) © Grégoire Photo **8, 11** Jacqueline Côté **13** Musée Gustave Moreau (Paris), S. **14** (c.dr.) Stock Montage, S. **15, 18** The Cummer Museum of Art and Gardens (Jacksonville), S. **16, 19** Christine Delezenne **20** (g.), **23, 24** Edimedia, P. **21** Galerie nationale des portraits (Londres, Angleterre), S. **26** (c.dr.) Photo : Lyn Hobden **26** (c.g.), **27** Eric Isenburger, S. **29** [détail], **30, 32** [détail] M.C. Escher, *Les mains qui dessinent*/© 1998 Cordon Art B.V. – Baarn, Hollande. Tous droits réservés. **33** Steve Taylor, T.S.I. **34** (h.g.), **59** George Post/SPL, P. **34** (h.c.), **41** (c.) David J. Phillip, Canapress **34** (h.dr.), **66** (h.) John Lund, T.S.I. **34** (b.), **46** © Gilles Delisle **36** (h.dr.) © ESA/D-PAF (GFZ POST-DAM) **36** (b.c., f.), **37** (f.) Interactive Visualization Systems **38** (g., f.), **39** (f.), **40** (g.f.) Tibor Borgnár, R.F. **38** (dr.) Explorer, P. **39** (dr.) Jacana, P. ; (g.) Edimedia, P. **40** (dr.) Science Photo Library, P. ; (g.) *Science & Vie Junior*, n° 96 **41** (h.dr.) Sheila Naiman, R.F. **43** (dr.) Jeremy Walker, T.S.I. ; (g.) RGK Photography, T.S.I. ; (b.) David Job, T.S.I. **44** (b.g.) Paul G. Adam, P. **47** © Gilles Delisle **48-49** Jacques Pharand **50** (dr.) Clive Freeman/Biosym Techonologies/SPL, P. **51** Tibor Bognár, R.F. **52** (h.g.) *Science & Vie Junior*, n° 95 **53** (h.) L. Bertrand/ Explorer, P. **54** Paul G. Adam, P. **55** *Science & Vie Junior*, n° 96 **56** T.S.I. **57** R.F. **58** Tom Walker, T.S.I. **60** (g.) Pekka Paviainen/SPL, P. ; (dr.) Simon Fraser/SPL, P. **61** (f.) D. Lévesque, P. ; (b.dr.) Michel Gagné, R.F. **62** (g.) Sheila Naiman, R.F. ; (dr.) Weldon Owen Pty Ltd **63** (g.) J.-C. Teyssier, P. ; (dr.) Jean Bretonnel **64** (h.g.) W. Faidley/Int'l Stock, R.F. **65** (h.) A. Cartier, P. ; (b.) Weldon Owen Pty Ltd **66** (f.) W. Faidley/Int'l Stock, R.F. **67** (h.dr., f.) Anne Gardon, R.F. ; (h.g., b.g.) John Beatty, T.S.I. **68** (h.) Ralph Wetmore, T.S.I. ; (c.) Science Photo Library, P. **71** (b.g.) Ernest Braun, T.S.I. ; (b.dr.) Geoff Spencer, Canapress **72, 73** (f.) Lester Lefkowitz, T.S.I. **73** (dr.) Tim Davis, T.S.I. ; (b.) Tim Flach, T.S.I. **74** (f.), **75** Carole Chapman, Nasa **74** (b.) NOAA/SPL, P. **76** (f.) Paul Chesley, T.S.I. ; (c.dr.) Pʳ Stewart Lowther/SPL, P. **77** Nasa/SPL, P. **78** (f.), **79** Ed. Andrieski, Canapress **78** (g.) Bibliothèque nationale du Québec **81** Musée du théâtre Bakhrushing (Moscou), S. **82** (h.c.) P. Roussel, P. ; (c.) Jacqueline Côté **83** (h.c.) Edimedia, P. ; (b.) Antonia Deutsch, T.S.I. **84** (h.c.) Edimedia, P. ; (c.) France Parent, Éditions du Noroît ; (b.) Jacqueline Côté **85** (h.c.) Explorer Archives, P. **86** Stéphane Haskell/Sipa Press, P. **87-90** Christian Côté **91** (h.c.) Éditions du Noroît **92** (h.c.) Archives nationales du Québec ; (b.) © Photo RMN **94** (h.c.) © Ludovic Frémaux – *Visages de l'écriture*, Éd. Hurtubise HMH ; (c.) Galerie d'art moderne (Rome), S. ; (b.c.) Photo : Alain Bédard **95** (h.c.) Edimedia, P. ; (b.) Dominique Desbiens **96** (h.c.) © Ludovic Frémaux – *Visages de l'écriture*, Éd. Hurtubise HMH ; (g.) Iolanda Cojan **97** (h.c.) Photo : © Josée Lambert, 1998 **98** (h.c.) © Huno ; (g.) André Fournelle **99** (h.c.) Jean Duval, Éditions du Noroît ; (dr.) Étienne Zack **100** (b.) Iolanda Cojan **101** (h.c.) Les Nouvelles Éditions de l'Arc ; (c.g.) Bibliothèque Éva-Senécal **102** (h.c.) Stéphan Kovacs ; (c.dr.) La Presse **104** (h.c.) Edimedia, P. ; (b.) Dianna Sarto, T.S.I. **105** (h.c.) © Michel Bouliane (c.) S. **107** Musée national d'art américain (Washington, DC), Art Resource (New York) **108** (h.c.) Jacqueline Vézina **109** David Phillips, Photo Researchers, P. **111** CNRI, P. **112** (f.) J. Greenberg, Camerique, R.P. ; (dr.) Philippe Plailly, Science Photo Library, P. **113** Chuck Mason, Int'l Stock, R.P. **117** (h.) Gérard Lacz, P. ; (b.) ERPI **118** (g.) Warren Faidley, Int'l Stock, R. ; (dr.) Stock Imagery, Imagine, R.P. **119** Roderick Chen, S. **120** (g.) Geoff Tompkinson, Science Photo Library, P. **121** (b.) R. Poissant, P. **122** (h.dr.) J. Greenberg, Camerique, R.P. **123** (b.) Mélanie Carr, Zephyr Pictures, R.P. **125** D. Visbach, Benelux Press, R.P. **126** (h.) Brian Rasic, P.I. (b.) Bob Burch, P. **128** (h.c.) Goldner, Sipa Icono, P. ; (c.) Édimédia, P. **129** Lori Adamski Peek, T.S.I. **131** J.-C. Teyssier, P. **133** Mélanie Carr, R.P. **134** R. **135** (b.) S. **137** Picture Perfect, R.P. **138** (h.) Gamma, P.I. (c.) Quest, Science Photo Library, P. **139** Brake, Sunset, P. **140** Mauritius,

Wendler, R.P. **141** Schéma reproduit avec la permission de Reader's Digest Australie, titre original : *Why in the world!* **142** Stock Imagery, R.P. **144** (h., c., b.dr.) Stock Imagery, R.P. ; Schéma reproduit avec la permission de Reader's Digest Australie, titre original : *Why in the world!* **145** (h.g.) D. Doody, Camerique, R.P. **146** (h.g.) J.-C. Teyssier, P. **147** (dr.) Goetgheluck, Sunset, P. **149** (h.) L. van Lieshout, Benelux Press, R.P. ; (b.) Camerique, R.P. **150** Klein, Hubert, Bios, P. **151** (g.) Camerique, R.P. **152** (g.) Gérard Lacz, P. **153** Stock Imagery, Imagine, R.P. **154** Gérard Lacz, P. **155** The Grand Design (Leeds, Angleterre), S. **156-163** Dominique Desbiens **164-166** Christie's Images (Londres), S. **167-169** Musée d'Orsay (Paris), S. **171** Pablo Picasso, *Jeune fille devant un miroir*, 1932/© Pablo Picasso, 1998/VIS*ART Droit d'auteur inc./ Musée d'art moderne (New York), S. **172-173** Barnes Foundation (Marion, Pennsylvanie), S. **174-175** Kaktus Foto (Santiago, Chili), S. **177** (f.) [détail], (dr.) Clarence Gagnon, *Village laurentien*, 1928/Photographie : Musée du Québec, Jean-Guy Kérouac **178-180** (f.) [détails], **179** (c.dr.) Ozias Leduc, *Le petit liseur* (aussi appelé *Le jeune élève*), 1894/© Ozias Leduc, 1998/VIS*ART Droit d'auteur inc./Musée des beaux-arts du Canada, Ottawa **178** (dr.) © Grégoire Photo **181, 182** (g.), **183** (f.) Christie's Images (Londres), S. **182** (dr.), **183** (dr.) Jacqueline Côté **184-185, 190** Iolanda Cojan **186, 187** [détail] Henri Beaulac, *Rose Latulippe*, 1938/Musée des beaux-arts du Canada, Ottawa **188-189** The Grand Design (Leeds, Angleterre), S. **191** V. Fleming/SPL, P. **193** (h.) **194-195** (b.) BSIP, P. **193** (dr.), **224** SPL, P. **194** (g.) B. Veislane, MI et I./SPL, P. **195** (h.) J. Reader/SPL, P. **196** G. Ziesler/Jacana, P. **197** (b.) S. Cordier/Explorer, S. **198** (dr.) J.-Ph. Varin/Jacana, P. ; (c.) R. Konig/Jacana, P. **201-202, 203** (h.g., c.g.), **209** (g., c.), **210** (h.) Photos : grotte Chauvet-Pont-d'Arc, © Ministère de la Culture et de la Communication, Direction régionale des affaires culturelles de Rhône-Alpes, Service régional de l'archéologie **203** (h.dr.) P.G. Adam, P. ; (b.dr.) John Reader/SPL, P. **204** (h.) R. Konig/Jacana, P. ; (f.b.) P.G. Adam, P. **205** M. Bourque, P. **206** (h.) P. Plailly/Eurelios/SPL, P. ; (b.) Nasa Goddard Institute for Space Studies/SPL, P. **207** (h.c.) Wellcome Dept. of Cognitive Neurology/SPL, P. **208** J. Reader/SPL, P. **210** (b.), **211** Archives Snark/Edimedia, P. **213** (h.) Boiffin-Vivier/Explorer, P. ; (b.) James King-Holmes/SPL, P. **214** (h.) R. Maisonneuve, P. ; (c.) Hank Morgan/Science Source, P. **215** James King-Holmes, W. Industries/SPL, P. **216** Andrzej Duzinski/SPL, P. **217** Mehau Kulyk/SPL, P. **218** Synaptek/SPL, P. **219** (dr.) Ted Romer, P. **220** NHPA/Sunset, P. **221** Photo : Hans Larsson, Musée Redpath **222** (dr.) Juergen Berger, Max-Planck Institute/SPL, P. **223** S. Stammers/SPL, P. **225** (h.) Julian Baum/SPL, P. ; (c.b.) J.-Ph. Varin/Jacana, P. **226** (h.) A. Cropt/Jacana, P. ; (b.) S. Stammers/SPL, P. **227** R. Konig/Jacana, P. **228** H. Viard/Jacana, P. **229, 230** (g., dr.) J.-Ph. Varin/Jacana, P. **231** (h.) P. Plailly/Eurelios/SPL, P. ; (dr.) G. Lacz/Sunset, P. **232** (g.) A. Giannoni/Jacana, P. **233** (b.) Dʳ Jeremy Burgess/SPL, P. **235** (b.) Richard Martin **236, 237, 238** (f.) Jardin botanique de Montréal **239** Michel Viard, P. **240** (dr.) Jeremy Burgess/SPL, P. **241** Musée des beaux-arts du Canada, Ottawa **242** (h.c.) La Presse ; (h.) Alain Lapointe **243** (h.c.) La Presse ; (b.) Scotte Camazine, Photo Researchers, P. **244** (h.c.) Éditions du Noroît **245** Lucien Clergue, T.S.I. **246** (h.c.) Hubert Pantel ; (b.dr.) Newberry Library, S. **247** (h.c.) Photo : © Josée Lambert **248** (h.c.) La Presse ; (h.f., b.) Alain Lapointe **249** (h.c.) Musée des beaux-arts du Canada, Ottawa **250** (h.c.) La Presse ; (h.f., g.) Alain Lapointe **251** (h.c.) Photo : © Josée Lambert **252** (h.f.) Alain Lapointe ; (h.c.) © Monic Richard ; (b.) Michelle Puelo, S. **253** (h.c.) Hyacinthe Rigaud (1659-1743), *Portrait de Jean de La Fontaine* / Musée Jean de La Fontaine, Château-Thierry ; (f.dr., b.) Alain Lapointe **254** (h.c.) © Ulf Andersen **255** (dr.) Estate of Elizabeth Wyn Wood and Emanuel Hahn / Musée des beaux-arts du Canada, Ottawa **256** (h.c.) Éditions du Noroît **256** (h.f.), **257** Daniel Nevins, Collection privée, S. **258** (h.c.) Archives nationales du Québec **259** (h.f.) Alain Lapointe **259** P. ; (dr., b.) Metropolitan Museum of Art (New York City), S. **260** (h.c.) P. **261** (h.c.) La Presse ; (f.dr.) Alain Lapointe